三国志
（八）

吉川英治歴史時代文庫
40

講談社

目次

三 国 志

(八)

五丈原の巻

中原を指して

一

蜀の大軍は、渭陽（陝西省・渭県、漢中の西）に布陣し、大本営をそこにおいた。

「魏は関西の精兵を以て、長安（陝西省・西安）まで進んで出た。ここまで来た時、という情報が的確になった。

いわゆる天下の嶮、蜀の桟道をこえて、ここまで出てくるだけでも、軍馬は一応疲れる。

孔明は、渭陽に着くと、

「ここには、亡き馬超の墳がある。いまわが蜀軍の北伐に遭うて、地下白骨の自己を嘆じ、なつかしくも思っているだろう。祭を営んでやるがよい」

と、馬岱を祭主に命じ、あわせてその期間に、兵馬を休ませていた。

一日、魏延が説いた。

「丞相。それがしに、五千騎おかし下さい。こんなことをしている間に、長安を潰滅してみせます」

「策に依ってはだが……?」

「ここと長安の間は、長駆すれば十日で達する距離です。もしお許しあれば、秦嶺を越え、子午谷を渡り、虚を衝いて、敵を混乱に陥れ、彼の糧食を焼き払いましょう。——丞相は斜谷から進まれ、咸陽へ伸びて出られたら、魏の夏侯楙などは、一鼓して破り得るものと信じますが」

「いかんなあ」

孔明は取り上げない。雑談のように軽く聞き流して、

「もし敵に智のある者がいれば、兵をまわして、山際の切所を断つにきまっている。そのときご辺の五千の兵は、一人も生きては帰れないだろう」

「でも、本道を進めば、魏の大軍に対して、どれほど多くの損害を出すか知れませい」

孔明はうなずいた。その通りであると肯定しているものの如くである。そして彼は彼の考えどおり軍を進ませた。隴右の大路へ出でて正攻法を取ったものである。

これは、魏の予想に反した。孔明はよく智略を用いるという先入観から、さだめし奇道を取ってくるだろうと信じて、ほかの間道へも兵力を分け、大いに備えていたところが、意外にも蜀軍は堂々と直進して来た。

「まず、西羌の兵に、一当て当てさせてみよう」

夏侯楙は、韓徳を呼んだ。これはこんど魏軍が長安を本営としてから、西涼の羌兵八万騎をひきいて、なにか一手勲せんと、参加した外郭軍の大将だった。

「鳳鳴山まで出で、蜀の先鋒を防げ。この一戦は、魏蜀の第一会戦だから、以後の士気にもかかわるぞ。充分、功名を立てるがいい」

夏侯楙に励まされて韓徳は勇んで立った。

彼に四人の子がある。韓瑛、韓瑶、韓瓊、韓琪、みな弓馬に達し、力衆に超えていた。

「八万の強兵、四人の偉児。もって、蜀軍にひと泡吹かすに足るだろう」

自負満々、彼は戦場へ臨んだが、なんぞ知らん、これは夏侯楙が、なるべく魏直系の兵を傷めずに、蜀の先鋒へまず当てさせた試しに乗ったものとはさとらなかった。

望みどおり蜀軍の先鋒と、鳳鳴山の下で出会ったが、その第一会戦に、韓徳は四人の子を亡ってしまった。

そのあいては、蜀の老将趙雲であった。

長男の韓瑛が、

「趙雲を見た」

と、軍の中で告げたので、四子を伴ってその首をと、追撃してまわるうちに、やがて趙雲のほうから駒をかえしてきて、

「竪子。望むのは、これか」
と、一槍の下に韓瑛を突き殺した。
韓瓊、韓瑤、韓琪が三方から、

「老いぼれ」
と、挟撃したが、またたく間に、韓瓊、韓琪も討たれ、趙雲は悠々引揚げて行った。
ひとり残った韓瑤は、急に追いかけて、そのうしろから斬りつけたが、趙雲は身をそ
ばめて、韓瑤を馬の鞍へひき寄せ、

「ああ、殺すも飽いた」
と、こんどは、引っつかんだまま、生捕って帰ってしまった。
父韓徳は、心も萎え、大敗して、長安へ逃げくずれた。

二

鄧芝は、きょうの勝ち戦を賀したのち、趙雲に云った。
「お齢もすでに七旬を越されているのに、きょうの戦場で三人の若い大将を討ち、一人
の大将を生擒ってこられるなど、まったく壮者も及ばぬお働き、実に驚き入りました。
……これでは成都を立つ前に、丞相が留守へ廻そうとしたのに対して、ご不満をのべら
れたのも無理ではありませんな」
趙雲は快然と笑った。

「いや、その意地もあるので、きょうは少し働いた。しかしこんな程度を功として安んじる趙雲ではない。まだまだ腕に年は老らないつもりだ」

鄧芝は、つぶさに戦況を書いて、まず序戦の吉報を、後陣の孔明へ急送しておいた。

それに反して、魏の士気はそそけ立った。わけて都督夏侯楙は、

「韓徳が一敗地にやぶれたのを見ても、これはやや敵を軽んじ過ぎた。大挙して、彼の先鋒を打ち挫かぬ分には、蜀の軍を勝ち誇らせるおそれがある」

と、自身、長安の営府を離れ、大軍を擁して、鳳鳴山へ迫った。

彼は美しき白馬にまたがり、燦爛たる黄金の盔をいただき、まことに魏帝の従兄弟たる貴公子的な風采をもって、日々旗の下から戦場を見ていたが、常に、敵方の老将趙雲が、颯爽と往来するのを見て、

「よし、あしたは予が出て、あの老いぼれを討ちとめてみせる」と大言した。

うしろにいた韓徳が、

「飛んでもないことです。あれはそれがしの子を四人も討った老子龍です。常山の趙雲です。何で、お手におえましょう」

「そちの子を四人も討たれたというか。ではなぜ親のお前は見ているのだ」

韓徳は、さしうつ向いて、

「機会をうかがっているのですが」

ひどく辱いった容子をした。

翌日の戦場で、韓徳は大きな斧（おの）をひっさげて駆け巡っていた。そして、趙雲（ちょううん）と行き合うやいなや、名乗りかけて、一戦を挑んだが、十合とも戦わぬまに、趙雲の槍さきにかけられてしまった。

副将鄧芝（とうし）も、趙雲に負けない働きをした。わずか四日間の合戦で、夏侯楙（かこう）の軍容は、半身不随になりかけてきた。夏侯楙は頽勢（たいせい）を革（あらた）めるために、総軍を二十里ほど後退させた。

「いや、実に強いものだな」

夏侯楙は軍議の席で、まるで他人事（ひとごと）みたいに趙雲の武勇を賞めた。魏帝の金枝玉葉（きんしぎょくよう）＊だけあって、大まかというのか、なんというのか、諸将は彼の顔をながめ合っていた。

「いや、ほんとに強い。むかし当陽（とうよう）の長坂橋（ちょうはんきょう）で、天下に鳴らした豪勇は、とくに予も聞いていたが、いくら英雄でも、年すでに七旬の白髪だ。あんなではあるまいと思っていたが、韓徳の大斧（おおおの）も彼に遭（あ）っては用をなさなかったところなど見ると、げに怖（おそ）るべき老武者だ。蜀の先鋒を砕くには、まず彼を仕止める計（し）からさきに立てなければなるまい」

熟議は、それを中心とした。

計策ととのって、魏軍はふたたび前進を示した。それを迎えて、

「乳臭（にゅうしゅう）児（じ）夏侯楙を一つかみに」と、趙雲は一陣に駆け向おうとした。

鄧芝（とうし）は、諫（いさ）めて、

「すこし変ですぞ」と、止めたが、趙雲は、猪突してしまった。

向うところ敵なき快勝は獲たが、さて顧みると、退路は断たれていたのである。すなわち、この日魏軍は、神威将軍董禧、征西将軍薛則の二手に、おのおの二万騎を付して、ふかく潜んでいたのだった。

味方の鄧芝とも別れ、部下とも散り散りになり、趙雲は日の暮るるまで、敵に趁われ、矢風に追われ、なお包囲から脱することができなかった。

高き丘に、夏侯楙の旗手が立っていて、彼が西へ奔れば西へ旗を指し、南へ駆ければ南へ旗を指していたのである。

「ああわれ老いに服せず、天ついに、ここに死を下し給うか」

駒も疲れ、身も疲れ、趙雲は仆れるように、樹下の石へ腰をおろした。

そしてさし昇る月を仰いで独り哭いた。

　　　三

たちまち、石が降ってきた。雨とばかりに。

大岩がごろごろ落ちてきた。雪崩かとばかりに。

「敵か」と、趙雲は、息つく間もなく、ふたたび疲れた馬に鞭うって奔った。すると月明の野面を黒々と一彪の軍馬が殺奔してくる。白き戦袍に白銀の甲は、趙雲にも覚えのある大将である。彼はわれをわすれて、こなたから手を振った。

「おおいッ。張苞ではないか」

「やあ、老将軍ですか」

「いかにしてこれへは？」

「丞相のご命です。過日、鄧芝から勝ち軍のご報告があるや否や、危うしとばかり、す
ぐ吾々に救急の命を発せられたので」

「ああ、神察。して、貴公が左の手に持つその首級は」

「これへ来る途中、撃破して打ち取った魏の大将薛則の首です」

月光へさしあげて、莞爾とそれを示している所へ、さらに、反対の方角から、一軍隊
が疾風のように馳せてきた。

「や、魏軍か」

「いや、いや関興でしょう」

待っていると、果して関興のひきいる一軍だった。父関羽の遺物の青龍刀を横ざまに
抱え、鞍には、彼もまた、一首級をくくりつけていた。

「老将軍を援けんため、これへくる途中、前を阻めた魏兵を蹴ちらし、その大将董禧と
いう者の首をもらってきました」

「やあ貴様もか」

「ご辺もか」

ふたりは、二つの首を見せ合って、月下に呵々と大笑した。

趙雲は、涙をたたえて、

「頼もし頼もし。この老骨の一命など、さしたる事ではない。董禧、薛則の二将が討たれたりと聞えれば、敵勢の陣はまさに潰滅状態であろう。その虚をのがすべきでない。われにかまわずご辺らは、崩るる魏軍を追って、さらに、夏侯楙の首をも挙げ給え」

と、励ました。

「さらば」

「ご免」

と、ふたりは、手勢をひきつれて、まっしぐらに駆け去った。

趙雲は、あとを見送っていたが、

「ああ大きくなったなあ。張飛も関羽も地下で満足しているだろう。思えば、あの二人はわしに取っても甥のようなものだ。時代は移ってきた。国家の上将*たり朝廷の重臣たる自分も、老いてはやはりあの若者たちにもかなわない。辱ずべきだ。よい死場所こそ欲しいものよ」

彼もまた、やがて鞭うって後に続き、なおその老軀を、追撃戦の中に働かせていた。

副将鄧芝も、何処からか現われてきて、それに加わり、一時散り散りになった蜀兵も、この好転に、ここかしこから谺をあげて集合してきた。

夜明けから翌日にかけても、魏軍は止まることを知らず敗走しつづけた。父夏侯淵とは余りにも似ない貴族らしさを多分に夏侯楙はひと支えもできなかった。

持った彼とその幕下は、逃げ崩れてゆく姿まで絢爛だった。そして南安郡（甘粛省・蘭州の東）の城中へ入り、これへ諸方の大軍を吸って堅固を恃んだ。南安は著名な堅城である。日ならずして、続々これへ寄せてきた趙雲、関興、鄧芝、張苞などは、四方を囲んで力攻したが、昼夜十数日の喊声も、そこの石垣の石一つ揺がすことはできなかった。

孔明は、後、ようやくこれへ着陣した。

その軍勢も多くなかった。

これへ臨む前に、沔陽にも、陽平にも、石城方面へも、軍をわけて、自身はその中軍だけを率いてきたからである。

「自分が来てよかった。もし皆に委せておいたら、魏はかならず別に行動を起して、一面に漢中を衝き、一面寄手のうしろを取るだろう。あやうくご辺らの軍と中軍とは、両断されるところであった」

鄧芝は告げた。

「そうでしょう。なにしろ夏侯楙は魏の駙馬ですからね。それだけに彼一名を生擒れば、爾余の大将を百人二百人縛め捕るにも勝ります。よい計はないものでしょうか」

「こよいは寝んで、明日、地の利を見てみよう」

孔明は落着いていた。

四

南安は、西は天水郡に連なり、北は安定郡に通じている嶮峻にあった。

孔明はそのあくる日、仔細に地理を見て歩き、後、関興と張苞を帷幕に招いて、何事か計を授けていた。

また、物馴れた人物を選んで、偽使者に仕立て、これにも何やら言いふくめた。準備期間が終ると、南安城への攻撃を開始した。そしてもっぱら、流言を放って、

「柴を積み、硝薬を用いて、火攻めにして陥さん」

と、敵へも聞えるようにいわせた。

夏侯楙は大いに嘲笑って、

「孔明孔明というが、ほどの知れたものよ」と、怕れるふうもなかった。

南安の北に位置する隣郡、安定城のほうには、魏の崔諒が籠っていた。崔諒は前からこの地方の太守として臨んでいた者であるが、一日、城門へ立った一使者が、

「それがしは夏侯楙駙馬の一将にて、裴緒と申す者であるが、火急の事あって、お使いに参ったり、早々太守に告げ給え」と、呼ばわった。

崔諒がすぐ会って、

「何事のお使いか」

と、訊くと、使者の裴緒は、

「南安すでに危うく、事急です。依ってそれがしを使いとし、天水、安定の二郡へ対し、かく救いを求めらるる次第です。急遽、郡内の兵を挙げて、孔明のうしろを襲撃されたい。──そして貴軍が後詰下さる日を期し、城中からも合図の火の手をあげ、内外より蜀軍を撃ち挟まんとの手筈ですから、何とぞ、お抜かりなくねがいたい」

「分りました。──が、夏侯駙馬の親書でもご持参なされたか」

「もとよりのこと」と、裴緒は、汗みずくな肌着の下から、しとどに濡れた檄文（げきぶん）を出して手交し、

「これから天水郡の太守へも、同様な催促に参らなければなりませんから」と、饗応（きょうおう）も謝して、すぐ馬に鞭うって立ち去った。

偽使者とは夢にも気づかず、崔諒（さいりょう）は兵を集めて赴援の準備をしていると、二日の後、またまた、一使者が来て城門へ告げた。

「天水郡の太守馬遵（ばじゅん）は、瞬時に発して、はや蜀軍のうしろに後詰しておるのに、安定城はなにを猶予しておらるるぞ。──夏侯駙馬のご命令を軽んじておらるるか」

崔諒はふるえ上がって発向にあわてた。ところが城を出て七十里、夜に迫ると、前方に火炎が天を焦している。

「何事か」

と、斥候隊を放つと、その斥候隊の生死も知れず、ただ一陣、蜀の関興軍が猛進してきた。

「早くも、敵か」

と、おどろいて退くと、後からは張苞の軍隊が鬨をあげてきた。崔諒の全軍は支離滅裂になり、彼はわずかの部下とともに、小路を迂回して、安定の城へ引っ返した。

「やあ？　あの旗は」

仰げば、蜀の旌旗ばかりではないか。

城頭には蜀の大将魏延が、射よ射よと声をからして、乱箭を励ましている姿も見える。

「しまった」

いまは敵の深い謀とさとって、彼は身を以て遁るるほかなく、天水郡へ向って落ちてゆくと、一彪の兵馬が鼓と共に道に展き、たちまち見る一叢の森林からは、鶴氅綸巾の人孔明、四輪車のうえに端坐して前へ進んできた。

崔諒は眼がくらんだ。落馬したように跳びおりてそのまま地に平伏してしまったのである。

孔明は降を容れ、伴って陣地へ帰った。

幾日かの後、孔明は彼をよんで、慇懃にたずねた。

「南安には今、夏侯楙がはいって総大将となっているが、前からの太守とご辺とは、どんな交わりをなしていたか」

「隣郡でもあり甚だ親密です」

「その人は」

「楊阜の族弟で、楊陵といい、私とも兄弟のようにしていました」

「ご辺は彼に信用があるか」

「もちろん彼は信じていてくれると思いますが」

「では……」と、孔明は膝を寄せて、親しく説いた。

「城中に入って、楊陵によく利害を説き、夏侯楙を生擒って降り給え。それは貴公のみならず親友の為でもあろう」

五

崔諒は首を垂れた。沈痛な面色でやや久しく考えこんでいたが、やがて決然と、

「参りましょう。高命を果してお目にかけます」

「難事だが、事成れば、ひとり御身だけの洪福ではない」

「その代りに丞相。──ここの囲みを解いて下さい」

「よろしい」

孔明は、直ちに、全軍を二十里外へ退けた。

秘命を帯びて崔諒は城へ入った。そして南安の太守楊陵と会談した。ふたりは親友である。ありのままを、崔諒は友に告げた。

「ばかをいうな。今さら魏の恩に反いて、蜀に降服などできるものか。むしろ君がそういう秘命をうけてきたのを幸いに、謀の裏を掻いて、孔明に逆手を喰わせてやろうじゃないか」

もとより崔諒もその気なのだ。ふたりは揃って夏侯楙の前に行った。夏侯楙はよろこんで、面白し面白し、どういう逆計で一泡ふかせるかと乗り気になった。

楊陵がいう。

「ご苦労でも崔諒にもういちど孔明の陣中へ帰って貰うことですな。

——楊陵に会って降参をすすめたところ、楊陵も蜀に降りたい気は大いにあるが、いかんせん城中では打ち明けて共に事をなす部下の勇士も少いので、警固のきびしい夏侯楙の駙馬（ふば）を生擒（いけど）ることができないと」

「ふむ、なるほど。そして」

「——で、もし一挙に成就を見んと思し召すなら、孔明自身、兵を引いて城中へ入り給え。内より門を開いて迎え、同時に城中を攪乱（こうらん）して、騒擾（そうじょう）のうちに駙馬をうかがわば、手捕りになることを物をつかむ如しとすすめるのです。——もちろん彼を誘（おび）き入れてしまいさえすれば、煮て喰おうと、焼いて喰おうと、孔明の運命はもうわが掌（てのひら）にありですから」

「妙々。天来の計だ」

しめし合わせて、崔諒は城を出た。そして孔明をこの手に乗せようと大いに努めた。

孔明はいかにも信じきったように、彼のいうことばへいちいち頷（うなず）いていたが、

「——では先に、ご辺と共に蜀軍へ来た百余名の降人がおるから、あれを連れて行った

らいいだろう。あれなら元からご辺の部下だから、ご辺のためには手足となって、命を惜しまず働くにちがいない」

「結構です。が、丞相も屈強な一隊を連れて、共に城中へまぎれ入られてはいかがですか。一挙に大事を決するには」

「虎穴に入らずんば虎児を獲（え）がたいが、まず、わが軍の大将、関興、張苞ふたりを先にご辺の隊へ加えてやろう。その後、予定の目的を遂げるとしよう。──崔諒はそう肚を決めて、関興、張苞を連れてゆくのは少し工合が悪いがと、崔諒はためらったが、それを忌避（きひ）すれば疑われるにちがいない。如かず、まず二人を城中で殺してから、次に孔明を誘（おび）き入れ、予定の目的を遂げるとしよう。──崔諒はそう肚を決めて、

「承知しました。では、城門から合図のあり次第に、丞相もかならず時を移さず、開かれてある門から突入して下さい」と、かたく念を押した。

日暮れをはかって、一隊は南安の城下に立った。かねての約束どおり楊陵は櫓（やぐら）に現われて、何処（いずこ）の勢ぞ、と呶鳴（どな）った。崔諒も声に応じて、

「これは、安定より駆けつけてきた味方の勢にて候。仔細は矢文（やぶみ）にて」と、用意の一矢を射込んだ。

（──孔明は用心深く、関興、張苞の二将を目付として、この隊の中につけてよこし

た。しかし、城中で二人を殺してしまうのは何でもない。かねての密計はその後で行え

るゆえ、懸念なく、城門を開き給え）と、したためてある。

夏侯楙に見せると、夏侯楙は手を打って、

「孔明すでにわが逆計に墜ちたり、すぐ二人を殺す用意をしておけ」

と、屈強の兵数百人に剣槍をしのばせて、油幕の陰に伏せておき、その上で崔諒、な

らびに関興、張苞のふたりを待った。

六

「いざ。お通りあれ」

楊陵は中門まで出迎えた。すぐその先に本丸の堂閣があり、前の広庭に、戦時の油幕

が設けてある。

「ご免」

関興が先に入った。次に、張苞を通そうと思って、崔諒が体を避けると、

「さあ、お先に」と、張苞も如才なく身をかわして、彼の背を前へ押し出した。そして

抜打ちに、

「崔諒っ。汝の役目は終った」と、叫んでとっさに斬り伏せた。

――と共に関興も先に立ってゆく楊陵へ飛びかかって、不意に背から剣を突き通し

た。そして大音に、

「関羽の子、関興を易々入れたるこそ、この城の運のつきだ。者ども、犬死すな」

と、呼ばわりつつ、縦横に血戦を展き、膂力のつづく限り暴れ廻った。

崔諒が安心して連れて入った百余名の旧部下も、蜀陣に囚われているうち、深く孔明の徳になずみ、加うるにこれへ臨む前に恩賞を約されていたので、この騒動が勃発するや否や、いいつけられてきた通り、八方に駈け分けて、混乱に乗じて火を放った。

また、火の手を見ると、これを関興、張苞の殺害が終った合図と早合点して、城門の兵は、内から門を開き、すぐそこまで来て待機していた孔明の蜀軍をわざわざ招き入れてしまった。

全城の魏兵が殲滅に遭ったことはいうまでもない。夏侯楙も防ぐに手だてなく、扈従一隊を引き連れたのみで、からくも南の門から逃げ落ちた。

――が、退き口ありと思われた南門の一道こそ、かえって先のふさがっている坑だったのである。行く間もあらせず、蜀の一軍が、鼓声戦震して道をはばみ、

「孔明の麾下、牙門将軍王平、待つこと久し」と呼ばわって掩い包んだ。――

腹心旗本、ことごとく討ち滅ぼされ、夏侯楙騶馬は手捕りになった。孔明は南安へ入城した。

法を出して民を安んじ、夏侯楙は檻車のうちに虜囚としておき、また諸大将を一閣に寄せて、その戦功を彰した。

宴となって、祝酒を分つと、その席上で鄧芝が質問した。

「丞相には、どうして最初に、崔諒の詐りを看やぶられたのですか」

「心を以て心を読む。さして難しい理由はない。直観して、この男、真に降伏したものではないと覚ったので、それ幸いにすぐ計に用いたまでのことに過ぎない」

「われわれも崔諒の挙動を少し怪しいなと見ていたので、丞相が彼に命じて、彼の好む南安の城へやったときは、どうなることかと陰で心配していましたが、結果が分ってくると、さてはと皆思い当ったような次第でした」

「総じて、敵がわれを謀らんとするときは、わが計略は行いやすい、十中八、九はかからずかかるものだ。崔諒に嘘が見えたので、わざと彼を城中へやってみた。するとまた帰ってきたので、いよいよその詐りが城中で結ばれたことを知った。さらに、関興、張苞の同行を拒み得ず、渋々連れて行ったのも、彼が嘘を構えていた証拠だし、こちらからいえば、彼の言を信じ切ったように思わせて、かえって、彼の嘘を完全に利用するの謀計が、そう深く企まずに行い得た結果になったというものだ」

そう打ち明けてから、孔明はまた、自己の戦を評して、

「――ただ、こんどの計で、一つ功を欠いたものがある。それは天水城の太守馬遵だ。彼にも同じような計を施してあるが、何としてか、城を出てこなかった。直ちに向って、天水もあわせ陥し、三郡の攻略を完璧にしなければならない」と、いった。

南安には呉懿をとどめ、安定の守りに劉琰を派して、魏延と交代させ、全軍の装備を新たにして、天水郡へ進発した。

美丈夫姜維
（きょうい）

一

それよりも前に、天水郡の太守馬遵（ばじゅん）は、宿将重臣を集めて、隣郡の救援について、議するところがあった。

主記の梁虔（りょうけん）がその時云った。

「夏侯駙馬（かこうふば）は、魏の金枝玉葉。すぐ隣にありながら、南安の危急を救わなかったとあれば、後に必ず罪に問われましょう。即刻兵を調えて、然るべき援護の策を取るべきでしょう」

ところへ魏軍の裴緒（はいじょ）という者が、夏侯楙（かこうも）の使いと称してきた。いうまでもなく、この男は、さきに安定の城主崔諒（さいりょう）の所へも訪れていた例の偽使者である。――が、馬遵はそれと知る由もなく、折も折なので早速対面した。

裴緒（はいじょ）は、汗に濡れた書簡を出して、ここでも、

「早々、後詰して、孔明の軍を衝（つ）き給え」

と、安定城へ催促したのと同じ言葉で申し入れた。

書簡をひらいてみると、これも同文である。だが、夏侯楙の親書にまぎれもなく思わ

れたので、馬遵は拝承して、

「まず、客屋に入って休み給え」

と、使者をねぎらい、重臣に諮っている（はか）と、裴緒は翌朝ふたたび城へ来て、

「事急を要する非常の場合に、悠々ご評議で日を送っているようでは心許ない。あり

ままを、夏侯楙駙馬へご報告申しておくゆえ、後詰あるもなきも、随意になさるがよ

い。それがしは先を急ぎますから、今朝お暇を申す」と半ば、威嚇的に告げて、立ち去

ろうとした。

馬遵もあわて、重臣も驚いた。後の祟り（たた）を怖れるからである。で、直ちに兵を引いて

急援に赴くことを裴緒に約して、

「どうか、夏侯楙駙馬へは、御前態（ぜんてい）よろしくお願い申しあげる」

と、その場で、誓書をしたためて、彼の手に託した。裴緒は、尊大に構えて、

「よろしい。ではそのようにお伝えしておくが、安定郡の崔諒は、すでに兵を出してい

る時分。おくるることなく、直ちに、全軍の兵を発して、孔明のうしろを脅かされよ（おびや）」

と、念を押して帰った。

廻文はその日に発せられた。天水郡の各地から、続々将兵が集まってくる。二日の

後、勢揃いして、馬遵自身も、いよいよ城を出ようとした。

すると、その朝、城中の武将閣に着いていた郷土の諸大将の中から、ただ一人、その姿、胡蝶の可憐な美しさにも似たる若い一将が、ばらばらと駈け出してきて、

「ご出陣無用、ご出陣無用」と、馬遵の駒を抑えて、懸命に遮った。

人々は、驚きさわいで、

「や、や。姜維が発狂したか」と見ていると、その若武者は、さらに、声を励まして、

「この城を出たがさいご、太守はふたたびこの城へお帰りになることができません。太守はすでに、孔明の計に陥されておいでになる」と、身を挺して、諫めつづけている。

年はまだ二十にも満たぬ紅顔の若武者である。その何者なるか、いかなる素姓の者かを知らぬ人々は、

「何者です？　あれは」と傍らの者に聞いていた。

同郷の者は、それへ語るに、

「彼はこの天水郡冀城の人で、姜維、字は伯約という有為な若者です。父の姜冏はたしか夷狄の戦で討死したかと思います。ひとりの母に仕えて、実に孝心の篤い子で、郷土の評判者でした。——また姜維の母もえらい婦人で、寒燈の夜おそく、物縫うかたわらにも、つねに孤の姜維をそばにおいて、針の運びのあいだに、子の群書を読むを聞き、古今の史を教え、また昼は昼で耕しつつ武芸を励まし、兵馬を学ばせていたという。——子の姜維も天才というのでしょうか、年十五、六のときにはもう郷党のことです。

学者でも古老でも、彼の才識には、舌を巻いて、冀城の麒麟児だといっていたほどですよ」

そんな噂なども交わされながら、人々が騒めき見ているうちに、彼方の太守馬遵はついに出陣を見合わせたものか、駒をおりて、数多の大将や一族の中に、姜維をも連れて、城閣の中へ戻ってしまった。

二

姜維は裴緒に会ってもいないのであるが、裴緒の偽の使者であることは、天水の城へくると、すぐ看破していたのであった。

「およそ戦局を大観して、その首脳部の指揮者を察し、兵の動かし方を見ていれば、田舎にいても、それくらいなことは分ります。——思うに孔明の計らんとするところは、太守を天水の城から誘い出して、途中に兵を伏せて撃滅を加え、一方、奇兵をこの城の留守へまわして、虚を襲い、内外同時に覆滅して、この一郡を占領しようというつもりでしょう。真に見えすいた計略です」

彼は、馬遵とその一族へ向って、掌を指すように、敵の偽計を説いて教えた。馬遵は、げにもと悟って、

「もし姜維が、出陣を止めてくれなかったら、わしは目をふさがれて、敵の陥し穽へ歩いて行ってしまうところだった」と、今さらの如く戦慄して、彼の忠言に、満腔の謝意

を表した。

年こそ若いが、姜維（きょうい）に対する馬遵（ばじゅん）の信頼は、そのことによって、古参の宿将も変らな

い扱いを示して、

「きょうの危難はのがれたが、明日（あす）からの難には、いかに処したらいいであろう」

かまでを、姜維に問うようになった。

姜維は、城の背後を指さして、

「目には見えませんが、あの搦手（からめて）の裏山には、もう、蜀軍がいっぱいに潜んでいましょ

う。――太守の軍が城を出たらその留守を狙う用意をして」

「え？　伏兵がおるか」

「ご心配に及びません。――彼ノ計ヲ用イテ計ルハ彼ノ力ヲ以テ彼ヲ亡ボス也（ホロ）――で

す。願わくは太守には、何もご存じない態（てい）で、ふたたびご出陣と触れ、城外五十里ほど

進み、すぐまた、急にお城へ取って返して下さい。――そして私は別に五千騎を擁（よう）し

て、要害に埋伏（まいふく）し、搦手（からめて）の山にある敵の伏兵が、虚に乗ってきたところを捕捉殲滅（ほそくせんめつ）しま

す。――もしその中に孔明でもいてくれれば、こちらの思うつぼです。かならず生捕り

にせずにはおきません」

姜維の言は壮気凛々（りんりん）だった。さはいえまだ紅顔の美少年といってもいい若武者、いか

にその天質が人よりすぐれて武技兵法に通達する者にせよ、一城一郡の興廃を、かかる

弱冠の者の一言に託すのは無謀であるという意見も、一族や侍臣のうちにないこともな

かったが、馬遵はふかく姜維に感じていたので、

「もし姜維の観察がまちがっていたところで、それが間違いなら何も味方にも損失はないことだ。ともあれ彼の献策を用いてみよう」と、ふたたび触れ出して、その日の午過ぎから出陣を開始し、南安城の後詰に行くと称えて、城外約三、四十里まで進んだ。一方、孔明の命をうけて、天水山のうしろの山に旗を伏せていた趙雲の五千の兵は、馬遵が出陣した直後、

「城中は手薄、空家も同じなるぞ。そこを踏み破って、一気に城頭へ蜀旗をひるがえせ」

と、搦手の門へかかった。

すると、門の内で、全城を揺るがすばかりどっと笑う声がした。

「やや。城中にはまだだいぶ兵力が残っているぞ。留守と侮って不覚すな」

趙雲が励ましていると、もう続いてくる味方はない岩の山上から、鬨の声が起り、あわやと、振り返っている間に、土砂、乱岩、伐木などが、雪崩の如く落ちてきた。

「敵だ？」と、備えを改めるいとまもない。またたちまち一方の沢からも、鉦鼓を鳴らして、一軍が奇襲してきた。さしもの趙雲も狼狽して、

「西の谷あいは広い。西の沢へ移れ」

と号令したが、同時に城中から射出した雨の如き乱箭も加わって、早くも斃れる部下は数知れない。

「老朽の蜀将、逃げ給うな。天水の姜維これにあり」

呼ばわりつつ追いかけて来る一騎の若武者があるので、趙雲が駒を止めてみると、まさに、花羞かしきばかりの美丈夫。

「討つも憐れだが、望みとあれば——」と、趙雲はほとんど一撃にと思ってこれを迎えたらしいが、この若者の槍法たるや、世の常の槍技ではない。烈々火華を交えること四十余合、さすがに古豪趙子龍も敵わじと思ったか、ふいに後ろを見せて逃げてしまった。

三

詐って城を出た馬遵は、城外三十里ほども来ると、後ろに狼烟を見たので、すぐ全軍を引っ返してきた。

すでに姜維の奇略に落ちて、さんざんに駈け散らされた趙雲の蜀兵は、平路を求めて潰走してくると、ここにまた、馬遵の遊軍高翔と張翼とが、救援に来てくれたため、辛くも血路をひらき得て、趙雲はようやく敗軍を収めることができた。ただここに惨敗を喫した。までに惨敗を喫した。

「見事、失敗しました。負けるのもこれくらい見事に負けると、むしろ快然たるものがあります」

孔明の顔を見るや否や、この老将は、*衒気でも負け惜しみでもなく、正直にそう云っ

た。

孔明は大いに驚いて、

「いかなる者がわが計略の玄機を知ったろうか」

と、意外な容子を示し、敵の姜維という若年の一将であると聞くと、なおさらに、

「姜維とはいったい何者か」と息をひそめて訊いた。

彼と同郷の者があって、即座に素姓をつまびらかにした。

「姜維は、母に仕えて至孝。智勇人にすぐれ、学を好み、武を練り、しかも驕慢でなく、よく郷党に重んぜられ、また老人を敬い、まことに優しい少年です」

「少年？　まさか童子ではあるまい。幾歳になるか」

「多分、二十歳を出てはいないはずです」

趙雲もそれを裏書して、

「さよう。二十歳をこえてはおるまい。身なりも小さく、胡蝶の如き華武者じゃった。それがしは年七十にも相成るが、まだ、今日まで、姜維のような槍の法を見たのは初めてである」

といった。

孔明は、舌を巻いて、

「天水一郡は、掌にあると思っていたが、測らざりき。そのような英雄児が、この片田舎にもあろうとは」

と、痛嘆して、自身、軍容をあらためて、他日、慎重に城へ迫った。

「およそ城攻めには、初めてかかる日をもっとも肝要とする。一日攻めて落ちず、二日攻めて落ちず、七日十日と日数を経れば経るほど落ち難くなるものだ。——これしきの小城、兵寄手は士気を減じ、その疲労の差も加わってくるからである。——これしきの小城、兵どもの励みに乗せて、一気に踏みやぶれ」

先手、中軍、各部の部将にたいして、孔明はかく訓示して押し寄せた。

壕をわたり、城壁にとりつき、先手の突撃はさかんなるものだった。けれど城中は寂として抗戦に出ない。すでに一手の蜀軍は城壁高き所の一塁を占領したかにすら見えた。

すると、轟音一声、たちまち四方の櫓から矢石は雨のごとく寄手の上に降ってきた。

なお壕の附近にある兵の上には、大木大石が地ひびきして降ってきた。

昼の間だけでも、蜀軍はおびただしい死傷者を壁下に積んだ。さらに、夜半の頃に及ぶや、四方の森林や民家は炎々たる焔と化し、鬨の声、鼓の音は、横にも後にも、城中に湧きあがり、四面まったく敵の火の環と鉦鼓のとどろきになったかの思いがある。

「心憎き軍立てではある。遺憾ながらわが兵は疲れ、彼の士気はいよいよ昂い。——如かず、明日を期せん」

ついに孔明も総退却を令せざるを得なかった。彼自身も急に車を後ろへかえした。

ときすでに遅し矣。

火蛇の如き焔の陣は、行く先々を遮った。それはことごとく敵の伏兵だった。今にして思えば、敵の大部分は城中になく、城外にいたのである。

退くとなるや、蜀勢はいちどに乱れ、一律の連脈ある敵の包囲下に、随所に捕捉され、殲滅にあい、討たるる者、数知れなかった。

孔明自身の四輪車すら、煙に巻かれ、炎に迷い、あやうく敵中につつまれ絡まるところを、関興、張苞に救われて、ようやく死中に一路を得たほどであった。

しかし、天まだ明けず、その行く先には、またまた、一面の火が長蛇の如く彼方の闇に横たわっていた。

四

「何者の陣か、見て来い」

と、孔明に命ぜられて、先へ駈けて行った関興は、やがて立ち帰ってくると、

「あれこそ、姜維の勢です」と、告げた。

遠くその火光の布陣を望んでいた孔明は、嗟嘆してやまなかった。

「さてこそ、凡の軍立てとは異なると思うていた。――おびただしき大軍のように見えるが、事実はさしたる兵数ではあるまい。ただ大将の軍配一つによってあのようにも見えるものだ」

左右へ語っているうちに、早くも火光は環を詰めて近づき、後ろからも、ばらばらと

箭が飛んできた。

「戦うな。わが備えはすでに破れた。ただ兵の損傷を極力少なくとどめて退却せよ」

孔明もひたすら逃げて、ようやく敵の包囲から脱した。

遠く陣を退いて、さて、味方の損害を紅してみると、予想外な傷手を蒙っていたこと

が分った。

戦えば必ず勝つ孔明も、ここに初めて、敗戦を知った。一方的勝利のみを克ち獲てい

たのでは、真の戦争観もそれに奮う力も生じてこない。

孔明は、われ自身を侮蔑するが如く、唇をかんで呟いた。

「——思うに、一人の姜維にすら勝つことができない人間に、何で魏を破ることができ

ようぞ」——と。

深思一番。彼はにわかに、安定郡の人をよんで、

「姜維は非常に親孝行であると聞いたが、その母はいま何処にいるか」

「いまも冀城におります」

「そうか。してまた、天水郡の金銀兵糧を貯蔵してある土地は何処か」

「おそらくそれは上邽の城だろうと思いますが」

後、孔明は、何か思う所あるらしく、魏延の一軍をして冀城へ奔らせ、べつに趙雲に

命じて、上邽を攻めさせた。

この沙汰が天水の城中へ響いてゆくと、姜維はかなしんで、太守馬遵に向い、

「私の母は、冀城にのこしてあります。もし敵に犯さるる時は、子たるものの道にそむきます。一面、冀城の急を救い、あわせて母の身を守りたいと思いますから、どうか私に三千騎をさずけ、しばしこの本城を離るることをおゆるし下さい」と、ひれ伏して願った。

もちろんそれは許された。急に道をいそいで行く途中、魏延の兵とぶつかったが、魏延は敢えて勝利を求めず逃げ散った。

冀城に至るや、姜維はすぐ家の母を守って、県城へたてこもった。また一方趙雲は、上邽の県城へ向ったが、ここへは天水から梁虔（りょうけん）が一軍をひきいて救いにきたので、これにもわざと負けて城へ通した。これらの予備作戦が、すべて孔明のさしずに依るものであることはいうまでもない。

かくて孔明は、南安に使いをやって、さきに捕えておいた魏の帝族たる虜将夏侯楙駙馬（りょしょうかこうもふば）をこの地へ送らせた。

「駙馬、御身は、いのちを惜しむか」

孔明に問われると、もとより宮中育ちで、父夏侯淵（かこうえん）とは似ても似つかぬ夏侯楙は、涙をたれて、

「丞相のお慈悲をもって、もし二つとない生命をお助け下さるなら、大恩は忘れません」

と、いった。孔明はまた、

「実は、いま冀城にいる姜維から、儂へ書簡をよこして、夏侯楙をゆるし給わるなら、某も蜀に降らんと云って参った。――で、いま御身を放つわけであるが、冀城へ行って、すぐ姜維を伴ってくるか」

「お放し下さるものならよろこんで行って参ります」

孔明は彼に衣食を与え、また馬を供えて、陣地から放した。

夏侯楙は籠の鳥が青空へ放たれたように一騎で急いだ。するとその途中で、大勢の避難民に出会った。馬をとめて、その中の一名に彼がたずねた。

「おまえ達は、どこの百姓だ」

「冀城の民でございます」

「なぜ避難するのか」

「でも、県城を守っていた姜維は、蜀に降伏してしまい、蜀の魏延の兵は、村々に火を放って、掠奪するし、乱暴はやるしで、土地にいたくもいられません」

　もとより夏侯楙は蜀につく気は毛頭ない。　放されたのを幸いに、魏へ逃げ帰る心だった。

「さては姜維はもう蜀へ降伏して出たか。それでは冀城へ行っても仕方がない」

　彼は急に道をかえて、天水城へ向って走った。その途中でも、たくさんな避難民を路

五

傍に見かけた。それに訊いてみても皆、異口同音に、姜維の寝返りと、蜀兵の掠奪を訴えること、初めに聞いたとおりであった。

「いよいよ姜維の変心は事実だ」

と信じて、夏侯楙は心も空に天水へ急ぎ、城下につくと、門を叩いて、

「われは駙馬夏侯楙である。ここを開け」と、呼ばわった。

太守馬遵は、驚いて彼を迎え入れ、いったいどうして無事にお帰りあったかと訊ねた。

駙馬は、仔細を語った。

「憎むべきは姜維だ。彼の変心は疑いもない」と、憤った。

すると、梁緒は、断然、

「いま姜維が敵へ降るなどということは信じられない。何かの誤聞でしょう」

と云い張ったが、夜に入ると、蜀の軍勢が四門を取り巻いて、柴を積み、火を放ち、

かつ一人の将が先頭へ出て、

「城中の人々よ、よく聞け。この姜維は、夏侯駙馬のお命を助けんものと、身を蜀に売って、命乞いをいたしたのだ。各々もあたら命を無益に捨てず、われらと共に蜀へ降れ」

と、声を嗄らして叫んでいた。

馬遵と夏侯楙が、矢倉の上から望み見ると、その甲といい馬といい年頃といい、姜維

にはちがいないが、どうもいっていることは合点がゆかなかった。

「やあ、矢倉の上においわすは、夏侯駙馬ではないか。御身より自分へ宛てて、蜀へ降れ、蜀へ降ってくれれば、予の一命が助かるのだと、再三の書面があったればこそ、かくいう姜維は身を蜀へ投じたのに、何ぞはからん、その身一つ遁れて、すでにこの城に帰っていたか。——覚えていよ。この恨みは、弓矢で返すぞ」

城下の姜維は、罵り罵り攻めていたが、やがて暁近くなると、攻めあぐねたか、兵をまとめて引揚げてしまった。

もちろんこれは、真物の姜維ではない。年配骨格のふさわしい者を選んで孔明が仕立てた偽者であった。けれども夜中の乱軍中に壕を隔てて見たことなので、馬遵にも夏侯楙にも真偽の見分けはつかなかった。そして大きな疑いを姜維に対して強めたことだけは否まれない。

一方、本物の姜維は、依然冀城にたてこもって、孔明の軍に囲まれていた。

ただ彼として、籠城に際して、最も大きな苦痛だったのは、事急のために、糧米を搬入するにまがなく、冀城の内にも、わずか十日に足りない食糧しかないことだった。

ところが、城中から見ていると、毎日のように多くの車が、食糧を満載して、蜀の輜重隊に守られて城外の北道を通ってゆく。

「この上は、あれを奇襲して」

と、ついに意を決して、兵糧を奪いに出た。——これこそ姜維が孔明の手に落ちる一

歩だったのである。

王平、魏延、張翼などの伏兵に待たれて、姜維は二度と城へ帰ることができなかった。従えて出た手勢はことごとく討ちとられ、残る数十騎も、張苞の一陣を突破するうちほとんど死なせて、いまは彼ただ一騎となり、逃げるに道もなく、ついに天水城へ奔ってしまった。

「それがしは冀城の姜維だ。無念ながら冀城はやぶれた。ここをお開け下さい」

城門の下に立って呼ぶと、意外にも矢倉の上から馬遵はこう罵った。

「だまれっ。汝のうしろには、遠く蜀の軍勢が見えるではないか。──匹夫め、裏切者め、なんの顔容あって、これへ来たか」

姜維は、仰天して、さまざまに事情を下から訴えたが、叫べば叫ぶほど、馬遵は怒って、

「昨夜はこれへ来て、旧主へ弓をひき、今朝はこれへ来て、口舌の毒策を試むるか。あの曲者を射ろ」

叱号して、あたりの弓手を励ました。

「こは抑、いかなるわけか?」

と、呆れ惑いながら、姜維は眼に涙をたたえ、ぜひなく乱箭を避けて、長安のほうへ落ちのびて行った。

六

兵なく、城なく、今は巣のない鳥にも似ている姜維だった。ただ一人、長安をさして奔ること数十里、行くての先に、たちまち数千の軍馬を布いて、道を阻めるものがあった。

蜀の大将、関興の軍勢である。

「やや。もうこの方面へも敵が迫ったか」

身体は疲れ果て、心は悲愁。しかもただ一騎でもあるし、戦う術もなく、馬を回してべつな道へ急ぐと、またまた、一林の茂りをひらいて、

「来れるや姜維。何処へ行こうとするか」

口々に云い囃し、鼓声をそろえて、彼をつつんだ。

見れば、旗列を割って、一輛の四輪車が此方へ進んでくる。車上の綸巾鶴氅の人も、羽扇をあげて、しきりに呼びかけた。

「姜維姜維。なぜころよく降参してしまわぬか。死は易し、生は難し、ここまで誠を尽せば、汝の武門には辱はあるまい」

驚くべし、汝、孔明のうしろには、いつのまにか、冀城にのこしていた彼の母が、輿に載せられて、大勢の大将に守られている。

うしろには、関興の一軍の迫るあり、前にはこの大軍であった。かつは、敵にとらわれた母の姿を見、姜維は胸ふさがって、馬を跳びおりるや否や大地にひれ伏し、すべて

天意にまかせた。

すると孔明は、すぐ車をおりて、姜維の手をとり、姜維の母の側へつれて来た。そして母子を前にして彼は云った。

「自分が隆中の草廬を出てからというもの、久しい間、つねに天下の賢才を心のうちでさがしていた。それはいささか悟り得た我が兵法のすべてを、誰かに伝えておきたいと思う希いの上からであった。——しかるにいま御身に会い、孔明の日頃の願いが足りたような気がされる。以後、わが側にいて、御身に授けるであろう」

母子は恩に感じて泣きぬれた。すなわち姜維は、この日以来、孔明に師事し、身を蜀に置くことになったのである。

また報ゆるに、自分の蘊蓄を傾けて、蜀にその忠勇を捧げないか。さすれば孔明も伴って、本陣へ帰ると、孔明はあらためて姜維を招き、礼を厚うして訊ねた。

「天水、上邽の二城を取るの法は如何に」

姜維は答えている。

「一本の矢を射れば足りましょう」

孔明はにこと笑って、すぐかたわらの矢を取って渡した。　姜維は筆墨を乞い、即座に、二通の書簡をしたためた。

彼の知る尹賞と梁緒へ宛てたものである。　姜維はそれを矢にくくって、天水城のうちへ射込んだ。

城兵が拾って、馬遵に見せた。馬遵は文意を見ると、驚きあわてて、それを夏侯楙騎
馬に示し、
「この通り、城内の尹賞、梁緒も姜維と通謀しています。どう処置いたしましょう」
「それは一大事だ。事の未然に知れたのは幸いだ。二人を刺し殺してしまえ」
すぐ使いを向けて、まず尹賞を招いたが、尹賞に誼みのある者が、その前に彼の邸へ
走ってこのことを告げた。
尹賞は仰天して、すぐ友の梁緒を訪い、
「犬死をするよりは、いっそ城を開いて、蜀軍を呼び入れ、孔明に随身しようではない
か」
と、誘った。
すでに馬遵の命をうけた軍士が、邸を包囲し始めたので、二人は裏門から逃げ出し
て、城門へ駈け出した。
そして内から門を開き、旗を振って、蜀軍を招いた。待ちかまえていた孔明は一令の
下に、精鋭をくり込ませた。
夏侯楙と馬遵は、施す策もなく、わずか百余騎をひきいて、北門から逃げ出し、つい
に羌胡の国境まで落ちて行った。
上邽の守将は、梁緒の弟梁虔なので、これはやがて、兄に説伏されて、軍門へ降って
きた。

ここに三郡の戡定（かんてい）も成ったので、蜀は軍容をあらためて、大挙、長安へ進撃すること

になったが、それに先だって孔明は諸軍をねぎらい、まず降将梁緒を天水の太守に推

し、尹賞を冀城（きじょう）の令とし、梁虔を上邽の令に任じた。

「なぜ夏侯楙駙馬（かこうもうふば）を追わないのですか」

諸将が問うと、孔明は云った。

「駙馬の如きは、一羽の雁（かり）に過ぎない。姜維を得たのは、鳳凰（ほうおう）を得たようなものだ。千

兵は得易く、一将は得難し。いま雁を追っている暇はない」

祁（き）山（ざん）の野（や）

一

蜀軍の武威は大いに振った。行くところ敵なきその形容はまさに、原書三国志の記述

に髣髴（ほうふつ）たるものがうかがわれる。

——蜀ノ建興五年冬、孔明スデニ天水（スイ）、南安、安定ノ三郡ヲ攻取（セメト）リ、ソノ威、遠近

ヲ靡（ナビ）カセ、大軍スデニ祁山ニ出デ、渭水ノ西ニ陣取リケレバ、諸方ノ早馬洛陽（ラクヨウ）へ急

ヲ告ゲルコト、霏々雪ノ飛ブガ如シ。

このとき魏はその国の大化元年にあたっていた。

国議は、国防総司令の大任を、一族の曹真に命じた。

「臣は不才、かつ老齢で、到底その職を完うし得るものでありません」

かたく辞退したが、魏帝曹叡はゆるさない。

「あなたは一族の宗兄、かつは先帝から、孤を託すぞと、親しく遺詔をうけておられるお方ではないか。夏侯淋、すでに敗れ、魏の国難迫る今、あなたがそんなことを仰せられては、誰が総大将になって赴くものがいましょうぞ」

王朗もともに云った。

「将軍は社稷の重臣。ご辞退あるときではありません。もし将軍が征かれるならば、それがしも不才を顧みずお供して、命をすてる覚悟で共に大敵を破りましょう」

王朗の言にうごかされて、曹真もついに決意した。副将には郭淮が選ばれた。

曹真には、大都督の節鉞を賜い、王朗は軍師たれと命ぜられた。王朗は、献帝の世より仕えて、年七十六歳であった。

長安の軍勢二十万騎、実に美々しい出陣だった。先鋒の宣武将軍曹遵は曹真の弟にあたる。その副先鋒の将は盪寇将軍朱讃であった。

大軍すでに長安にいたり、やがて、渭水の西に布陣した。

王朗がいった。

「いささか思うところがありますから、大都督には、明朝、大陣を展開して、旌旗のもとに、威儀おごそかに、それがしのなすことを見ていて下さい」

「軍師には、何を計ろうとなされるか」

「白紙じゃ。何の計もない。ただ一舌のもとに、孔明を説破し彼の良心をして、魏に降伏させてみせる」

年八十にちかい老軍師は、何か深い自信をもって、意気すこぶる高いものがある。

翌朝。両軍は祁山の前に陣を張った。山野の春は浅く、陽は澄み、彼我の旌旗鎧甲はけむり燦いて、天下の壮観といえる対陣だった。

——三通の鼓が鳴った。

しばし剣箭を休めて、開戦にさきだち、一言なさんとの約声である。

「さすがは魏の勢、雄壮を極めている。さきの夏侯楙の軍立てとは較べものにならない」

孔明は四輪車の上から、さも感じ入ったように眺めていた。そしてさっと門旗をひらくや、その車は、関興、張苞などに守られて、中軍を出で、敵陣の正面に止まった。

「約によって、漢の諸葛丞相これに臨めり。王朗、疾く出でよ」

彼方へ向って呼ばわった。

魏軍の門旗は揺れうごいた。すなわち七十六歳の軍師王朗である。白髯の人、黒甲錦袖をまとい、徐々、馬をすすめて近づいてくる。

「孔明。わが一言を聞け」

「王朗なるか。めずらしくなお生ける姿を見たり。われに一言あらんとは何か」

「むかし、襄陽の名士、みなご辺の名を口にいう。ご辺はもとより道を知る人、また天命の何たるかも知り、時の人の務めも所存あるはずだ。然るに、隆中に鍬を持ち読み齧れる白面の一書生が、多少、時流に乗ずるや、たちまち、雲を得たるかの如く、かく無名の師をおこすとは何事ぞ」

「たれか無名の師という。われは勅をうけて、世の逆を討つ。漢の大臣、いずくんぞ、無用に民を苦しめんや」

「黄口児の口吻、ただ嗤うておこう。なお聞け孔明、なんじは魏の大帝をさして暗にそのことばをなすのであろうが、天数は変あり、徳ある人に帰す。ひとりわが太祖武帝、民をいつくしみ、六合をはらい清め、八荒を蓆のごとく捲いて、ついに大魏国を建つ。四方みなその徳を仰ぎ、今日にいたるは、これ権をもって取るに非ず、徳に帰し、天命の然らしめたところである。

——然るに、汝の主、玄徳はどうであったか」

二

由来、王朗は博学をもって聞え、大儒の風もありといわれ、魏の棟梁たる経世武略の人物として、名はあまねく天下に知れていた。

いま、戦端に先だって、その王朗は、自負するところの弁をふるって、ここに陣頭の大論戦を孔明に向って挑んだのである。

冒頭、彼のまず説く所は、魏の正義であった。また、その魏を興した太祖曹操と、蜀の玄徳とを比較して、その順逆を論破し、曹操が天下万邦の上に立ったのは、堯が舜に世をゆずった例と同じもので、天に応じ人に従ったものであるが、玄徳にはその徳もないのにかかわらず、ただ自ら漢朝の末裔だなどという系図だけを根拠として、詭計偽善をもっぱらとして蜀の一隅を奪って今日を成したものに過ぎない。これは現下の中国の人心に徴しても明らかな批判である——というのであった。

彼はなお舌戦の気するどく、大論陣をすすめて、その玄徳のあとをうけて、これに臨むところの孔明その者に向っては、舌鋒を一転して、

「——ご辺もまた、玄徳の偽善にまどわされ、その過れる覇道にならって、自己の大才を歪め、みずから古の管仲、楽毅に比せんなどとするは、沙汰のかぎり、烏滸なる児言、世の笑い草たるに過ぎぬ。真に、故主の遺言にこたえ、蜀の孤を大事と思わば、なぜ伊尹、周公にならい、その分を守り、自らの非を改め、徳を積み功を治世に計らぬか。——ご辺が遺孤を守る忠節は、これを諒とし、これを賞めるに吝かでないが、依然、武力を行使し、侵略を事とし、魏を攻めんなどとする志を持つに至っては、まさに、救うべからざる好乱の賊子、蜀の粟を喰って蜀を亡ぼす者でなくてなんぞ。——それ古人もいっている。天ニ従ウ者ハ昌ニシテ、天ニ逆ラウ者ハ亡ブ——と。今わが大魏

は、雄士百万、大将千員、むかうところの者は、たちまち泰山をもって鶏卵を圧すよう

なものである。量るに、汝らは腐草の蛍火、明滅みな実なし、いかでわが皎々たる天上

の月照に及ばんや」と、ほとんど息をつかずに論じたてて、最後に、

「身、封侯の位を得、蜀主の安泰を祈るなれば、はやはや甲を解き、降旗をかかげよ。

然るときは、両国とも、民安く、千軍血を見るなく、共に昭々の春日を楽しみ得ん。

――また、否とあれば、天誅たちまち蜀を懲ちょうし、蜀の一兵たりと、生きて国には帰すま

いぞ。その罪みな汝の名に受くるものである。孔明、心をしずめてこれに答えよ」

と云い結んだところは、実に噂にたがわず、堂々たるものであり、また魏の戦いの名

分を明らかにしたものだった。

敵味方とも鳴りをしずめ、耳をかたむけていたが、特に、蜀の軍勢までが、道理のあ

ることかな――と、声には出さぬが、嗟嘆してやまない容子であった。

心ある蜀の大将たちは、これは一大事だと思った。敵側の弁論に魅惑されて、蜀の三

軍がこう感じ入っているような態では、たとい戦いを開始しても勝てるわけはない。

――孔明がどういうか、何と答えるか。

かたわらに立っていた馬謖のごときも、心配そうな眼をして、車上の孔明の横顔を見

ていた。

「………」

孔明は、山より静かな姿をしている。終始、黙然と微笑をふくんで――。

馬謖は思い出していた。むかし季布という口舌の雄が、漢の高祖を陣頭で論破し、ついにその兵を破り去った例がある。——王朗の狙っているのはまさにその効果だ。はやく孔明が何とか論駁してくれればよいが——とひそかに焦躁していると、やがて孔明は、おもむろに口を開いて、

「申されたり王朗。足下の弁やまことによし。しかしその論旨は自己撞着と偽瞞に過ぎず、聞くにたえない詭弁である。さらばまず説いて教えん」と、声すずしく云い返した。

　　　　三

「汝はもと漢朝の旧臣、魏に寄食して、老朽の脂肉を養うとも、心のそこには、なおいささかの良心でもあろうかと、はじめは敬老の念を以て対したが、はからざりき、心身すでに腐れ果て、今のごとき大逆の言を平気で吐こうとは。——あわれむべし。壮年の英才も、魏に飼われて遂にこの駄馬となり果てたか、ひとり汝にいうは張り合いもない。両国の軍勢も、しばししずかにわが言を聴け」

理は明晰に、声は朗々、しかも何らの奇矯なく、激するなく、孔明は論じつづけた。

「かえりみるに、むかし桓帝、霊帝はご微弱におわせられ、為に、漢統ようやく紊れ、奸臣はびこり、田野年々凶をかさね、ここに諸州騒乱して、ついに乱世の相を現わし——後、董卓出でて、ひとたび治まるも、朝野の議をみだりに私なし、四寇の

乱、ついで起り、あわれ漢帝を民間に流浪させ参らせ、生民を溝壑に追い苦しむ」

孔明はことばを休めた。

内に情を抑え、外に平静を保たんとするものの如く、そっと両の袖を払い直し、羽扇を膝に持ち直して、さらに語をついだ。

「——偲ぶも涙、口にするも畏れ多い。その頃の有様といえば、廟堂人あるも人なきに似、朽ち木を組んで宮殿となし、階陛すべて落ち葉を積み、禽獣と変りなき吏に衣冠させて禄を喰らわしめ、議廟もまた、狼心狗走のともがら、道を口に唱え、腹に利を運ぶための場所でしかなかった。——奴顔婢膝の徒、あらそって道にあたり、まつりごと私に摂る。——かくて見よ、世の末を。社稷をもって丘墟となし、万民の生霊を塗炭となして、それを傷む真の人はみな野にかくれ——王朗よ、耳の垢をのぞいて、よく聞かれい」

孔明は声を張った。

その声は雲雀のように、高く天にまで澄んで聞えた。

「滔々、濁世のとき、予は若き傷心を抱き、襄陽の郊外に屈居して、時あらん日を天に信じ、黙々、書を読み、田を耕しつつあったことは、さきに汝がいった通りにちがいない。——しかし当時の人、みなひそかに、切歯扼腕、ときの朝臣と為政者の腐敗堕落を怒らざるはなかった。——我もとよりよく汝を知る。汝は世々東海の浜にいて、家祖みな漢朝の鴻恩をこうむり、汝また、はじめ孝廉にあげられて朝に仕え、さらに恩遇をた

まわりてようやく人と為る。

　――しかも朝廟　あやうき間、献帝諸方に流浪のうちも、いまだ国を匡し、奸をのぞき、真に宸襟を安めたてまつれりという功も聞かず、ひとえに時流をうかがい権者に媚び、賢しげの理論を立てて歪曲の文を作り、賊子が唱えて大権を偸むの具に供す。それを売って栄爵を購い、今日七十六歳の高齢まで保ち来たれる一怪物。正にそれは汝王朗ではないか。たとえわれ蜀の総帥たらずとも、世の一民として、汝のその肉を啖い、血を犬鶏に与うるも、なおあきたらぬ心地さえする。

　――しかるに、幸いにも、天、孔明を世に出し給うは、天なお漢朝を捨て給わぬしるしである。われ今勅を畏み、忠勇なるわが蜀兵と、生死をちこうてここ祁山の野に出たり。汝はこれ諂諛の老臣、まこと正邪をあきらかにし、一世を光明にみちびくの大戦は、汝の得意とする世渡り上手の手先や口先で勝てるものではない。汝家にひそんで食をむさぼり老慾に耽りてあるなら助けもおくべきに、何とて、似あわしからぬ鎧甲を粧いて、みだりにこの陣前へはのさばり出たるか。それだけでも、あっぱれ天下の見世物なるに、この野に死屍をさらし、なんの面目あって、黄泉の下、漢皇二十四帝にまみえるつもりであるか。退れっ、老賊」

　凛々たる終りの一喝は、矢のごとく、論敵の肺腑をつらぬいたかのように思われた。

　結論的には、漢朝に代るべく立った蜀朝廷と魏朝廷とのいずれが正しいかになるが、要するに、その正統論だけでは、魏には魏の主張があり、蜀には蜀の論拠があって、これは水掛け論に終るしかない。

で、孔明はもっぱら理念の争いを避けて衆の情念を衝いたのである。果たして、彼がことばを結ぶと、蜀の三軍は、わあっと、大呼を揚げてその弁論を支持し、また自己の感情を、彼の言説の上に加えた。

それに反して、魏の陣は、嘔のごとく滅入っていた。しかもまた、当の王朗は、孔明の痛烈なことばに、血激しみ、気塞がり、愧入るが如く、うつ向いていたと思われたが、そのうちに一声、うーむと呻くと、馬の上からまろび落ちて遂に、そのまま、息絶えてしまった。

四

孔明は羽扇をあげて、次に、敵の都督曹真出でよ、と呼び出し、

「まず王朗の屍を後陣へ収めるがよい。人の喪につけ入って、急に勝利を得んとするような我ではない。明日、陣を新たにして決戦せん。——汝よく兵をととのえて出直して来れ」

と告げて、車をかえした。

力とたのむ王朗を失って、曹真は、序戦にまず気をくじいてしまった。

副都督郭淮は、それを励ますべく、必勝の作戦を力説してすすめた。

曹真も心をとり直し、さらばと、その密なる作戦の備えにかかった。

孔明はその頃、帷の内へ、趙雲と魏延を呼び入れて、

「ふたりして、兵をそろえ、魏陣へ夜襲をしかけよ」と、命じていた。

魏延は、孔明の顔を見ながら、

「恐らく不成功に終るでしょう。曹真も兵法にかけては一かどの者ですから、自陣の喪（も）にあるを衝いて、蜀が夜襲に出てくるだろうぐらいな用意はしているにちがいありません」

孔明はその言に対して訓（おし）えた。

「こちらの望みは、彼がこちらの夜襲あることを知るのをむしろ希（ねが）うものだ。――思うに曹真は、祁山（きざん）のうしろに兵を伏せ、蜀の夜襲をひき入れて、その虚にわが本陣を急突して、一挙に撃砕せんものと、今や鳴りをひそめているにちがいない。――で、わざとご辺たちを彼の望みどおりに差し向けるのである。途中、変あらばすぐこうこうせよ」

と、何かささやいた。

次いで、関興（かんこう）、張苞（ちょうほう）のふたりへ、おのおの一軍を与えて、祁山の嶮岨（けんそ）へさし向け、後また、馬岱（ばたい）、王平、張疑の三名には、べつに一計をさずけて、これは本陣付近に埋伏（まいふく）させておいた。

かくとは知らぬ魏軍は、大将曹遵（そうじゅん）、朱讃（しゅさん）などの二万余騎を、ひそかに祁山の後方へ迂回させておいて、蜀軍の動静をうかがっていた。

「――すると、たちまち、

「敵の関興、張苞の二軍が、蜀陣を出て、味方の夜討ちに向った」という情況が伝わっ

たので、曹遵らは、しすましたりと、作戦の思うつぼに入ったことを歓びながら、いよ
いよその事実を知るや、突如山の蔭を出て、蜀の本陣を急襲した。ところが、孔明は、す
敵の裏を掻いて、その手薄な留守を衝こうとしたものである。ところが、孔明は、す
でに、その裏の裏を掻いていたのだった。

わあっと、潮の如く吠え鳴りを揚げて、魏の勢が、蜀本陣へ突入して見ると、柵の四
門に旗風の見えるばかりで、一兵の敵影も見えない。のみならず、たちまち山と積んで
ある諸所の柴がバチバチと焔を発し、火炎天をこがし地を沸らせた。

朱讃、曹遵の輩は、

「すわ。敵にも何か計があるぞ。退けや、退けや」

声を嗄らして叱咤したが、どうしたわけか、魏の勢はすこしも退かず、かえって逆
に、好んで炎の中心へ押しなだれて来た。

それもその筈、すでに魏兵のうしろには、いたるところ、蜀軍が馳け迫って、烈しく
その隊尾から撃滅の猛威を加えていたのである。

蜀の馬岱、王平などに加えて、夜襲に向った筈の張疑、張翼なども急に引っ返してき
て、後方を断ち、そしてほとんど、全魏軍を袋の鼠としてしまったのである。

曹遵、朱讃の勢は、したたかに討たれ、また炎の中に焼け死に踏みつぶされる者も数
知れなかった。そしてこの二人の大将すらわずか数百騎をつれたのみで、からくも逃げ
帰ったほどだった。

しかもまた、その途中にも、趙雲の一手が道を遮って、なお完膚なきまで、殲滅を期すものあり、さらに、魏の本陣へ戻って見れば、ここも関興、張苞の奇襲に遭って、総軍潰乱を来しているという有様である。何にしても、この序戦は、惨澹たる魏の敗北に始まって全潰状態に終り、大都督曹真もやむなく遠く退いて、おびただしい負傷者や敗兵を一たん収め、全編隊の再整備をなすのやむなきに立ち到った。

西部第二戦線

一

当時、中国の人士が、西羌の夷族と呼びならわしていたのは、現今の青海省地方――いわゆる欧州と東洋との大陸的境界の脊梁をなす大高原地帯――の西蔵人種と蒙古民族との混合体よりなる一王国をさしていっていたものかと考えられる。

さて。

その西羌王国と魏とは、曹操の世代から交易もしていたし、彼より貢物の礼をとって異種族が最も光栄として喜ぶ位階栄爵などを朝廷の名をもって彼に贈与してあった。

ので、それを恩としているものだった。

時に、魏の叡帝は、曹真が祁山における大敗を聞いて、孔明の大軍の容易ならざる勢力を知り、遠く、使いを派して、西羌の国王徹里吉に対し、西部の境に、第二戦線を張られた——高原の強軍を起して孔明の、うしろを脅かし、

と、教書をもって、これに行動をうながした。

同時に、曹真からも、同じ目的の使いが入国した。おびただしい重宝珍器の手土産が、羌の武相越吉元帥と、宰相の雅丹などに贈られた。

「曹操以来、恩のある魏国の大難です。嫌とは断われますまい」

両相の建議によって、国王徹里吉は、直ちに、羌軍の発向をゆるした。雅丹宰相、越吉元帥は、二十五万の壮丁を集合して、やがて東方の低陸へ向って進み出した。

西羌の高原を下るや、黄河、揚子江の上流をなす清流が山と山の間をうねり流れている。黄河の水も揚子江の水も、大陸へ流れ出ると、真黄色に濁っているが、このあたりではそう濁りもない清澄な谷川であった。

平和に倦んでいた高原の猛兵は、孔明の名を聞いても、どれほどな者か知らなかったし、その武器は、夷には似ず精鋭だったので、ほとんどすでに蜀軍を呑んでいるような気概でそれへ臨んでゆくのであった。

欧州、土耳古、埃及、などの西洋との交流が頻繁で、その文化的影響を、中国大陸よりも逆に早くうけていたこの羌族軍は、すでに鉄で外套した戦車や火砲を持ち、また

アラビヤ血種の良い馬を備え、弓弩槍刀もすべて優れていたといわれている。

軍中の荷駄には駱駝を用い、またその上に長槍をひっさげてゆく駱駝隊もあった。駱駝の首や鞍には、沢山な鈴をさげ、その無数の鈴の音と、鉄戦車の轍の音は、高原兵の血をいやが上にも昂ぶらせた。かくてこの大軍が、やがて蜀境の西平関（甘粛省）へ近づいていた頃、寝耳に水、いま祁山と渭水のあいだに在る孔明の所へ、

「西部の動きただならば、急遽、援軍を仰ぐ」との早馬があった。

孔明もこれには、はたと色をかえて考えこんだ。そして、

「われらをこそ」と、つぶやいたのを聞いて、関興、張苞のふたりは、

「誰をか向けん？」と、希望して出た。

事は急だし、道のりはある。しかも電撃戦を以て、一挙に決し去らぬことには、総軍の不利はいうまでもない。

それには、この若手こそ屈強だが、二人とも西部地方の地理は不案内である。で、孔明は、西涼州出身の馬岱をこれに添えて、五万の兵を分ち、明日ともいわず出発させた。驟雨の低雲が曠野を馳せてゆくように、援軍は西進してたちまち、羌軍の大部隊と相対した。

「羌軍は驚くべき装備をもっている。あれを破るのはたいへんだ」

まず高地に立って、敵勢を一望して来た関興は、舌を巻いた容子で、馬岱と張苞にむ
かい、

「鉄車隊とでもいうか、鋼鉄をもって囲んだ戦車をつらねている。鉄車のまわりには、
各箇、針鼠のように釘の如き棘を一面に植え、中に兵が住んでいる。どうしてあれを撃
滅できようか。容易ならない強敵だ」と、溜息ついて話した。

　　　　　二

「関興にも似気ないではないか」と、馬岱はかえってその言を嗤い、
「——まだ一戦もせぬうちから敵に気を呑まれてどうするか。ともあれ明日は一戦し
て、彼の実力のほどを試みてみよう。評議はその上のことでいい」
と、励ました。

しかし翌日の合戦には、反対に蜀軍のほうがさんざんに敵の羌軍に試されたり翻弄さ
れてしまった。

その敗因は、何といっても、羌軍の持っている鉄車隊の威力だった。その機動力の前
には、軍の武勇もまったく歯が立たない。

騎馬戦や歩兵戦では絶対に優勢だったが、羌軍は負け色立つと見るや鉄の針鼠を無数
に繰り出して縦横に血の軌をえがき、むらがる蜀兵を轢き殺しつつ、車窓から連弩を射
放って、敵中無碍に走り廻るのであった。

そのとき羌の越吉元帥は、手に鉄鎚をひっさげ、腰に宝雕の弓をかけ、悍馬をとばして陣頭にあらわれ、羌の射撃隊は弓をならべて黒鵰の矢を宙も晦くなるほど射つづけてくる。

ために、蜀兵の潰滅は、全面に及んで、しかも随所個々に殲滅され、関興のごときは、わけて敵に目ざされて、終日、退路を走り惑い、あやうく越吉元帥の鉄鎚に砕かれるような目に幾度も遭った。

さきに本陣へ帰っていた馬岱と張苞は、夜に入っても関興がもどって来ないので、

「ついに乱軍のなかで討死を遂げたか」と半ば、絶望していたほどである。すると関興は夜更けて、ただ一騎、満身血と艦褸になって引き揚げてきたが、

「きょうほど恐ろしい目に遭ったことはない」

と、肚の底から羌軍の猛威を述懐した。

そして、途中、一つの澗のそばで、危うく敵の越吉元帥の部下に取り巻かれ、すでに討死をとげるところだったが、ふしぎにもその時、空中に父関羽の姿が見えるような気がして、にわかに百人力を得て、一方の血路を斬りひらき、あとは無我夢中でこれまで逃げてきた――と、平常の彼にも似あわず、心から自己の惨敗を認めて話した。

「いや、足下だけの敗戦ではない。われわれの隊もみな大敗をうけた。兵力の損傷は実に半数にものぼっているだろう。この責任は共に負うべきだ」

馬岱は云ったが、張苞はただ口惜し涙をこすっている。しかもまた、明日の戦に、何

らこの頽勢（たいせい）をくつがえすべき策も自信もなかった。

「所詮、かなわぬことを知って、なおこれ以上ぶつかってゆくのは勇に似て勇ではない。それがしは、敗軍をとりまとめ、要害の地に退いて、ひとまず敵を支えているから、貴公たち二人は、大急ぎで祁山（きざん）へゆき、諸葛丞相（しょかつじょうしょう）にまみえて、いかにせばよろしいか、丞相のご意見を求めてきてくれ。……それまでは、守るを主として、一ヵ月や二ヵ月は、石にしがみついても頑張っておるから」

馬岱（ばたい）はそういった。

関興と張苞にも、今はそれしか考えられない、で二人は、夜を日についで、祁山へいそいだ。

ここ祁山での序戦には、蜀軍の上に、赫々（かっかく）たる祝福があったものの、さきに多大の兵力を西部方面へ割き、いままた、その大敗を聞いて、孔明の眉には、ただならぬ不安と焦躁の陰がうごいた。

かかるときこそ将帥の判断ひとつが将来にその大勢を決する重大なわかれ目となるものであろう。孔明は一夜をおいてすぐ次の日、

「いまこの祁山においては、曹真は守勢にあり、我は戦いの主導権を握っている。すなわち我戦わずんば彼も動かずという状態にあるところゆえ、諸将はよくわが留守を守れ。そして好んで策を用い敵を刺戟（しげき）してはならぬ」

そう云い渡して、自ら西平関へ向う旨を告げた。

新たに調えた軍勢三万余騎のうち

に、姜維、張翼の両将を加え、また関興、張苞も率き具して、急援に馳せたのであった。

かくて西平関に着くや、孔明は、直ちに出迎えた馬岱を案内として、高地にのぼり、羌軍の軍容を一眺した。そしてかねて聞く無敵鉄車隊の連陣をながめると、呵々と一笑し、

「量るに、これはただ器械の力。これしきの物を持つ敵を破り得なくてどうしよう。姜維はどう思うか」

と、傍らを見てたずねた。

　　　　三

姜維は、言下に答えて、

「敵には、勇があっても、智略がありません。また、器械力があっても、精神力はないものです。丞相の指揮とわが蜀兵の力で破れなかったらむしろ不思議でしょう」

といった。

孔明はわが意を得たるものとしてうなずいた。——そして山を降りて、陣営に入ると、諸将を会して、こう語った。

「いま形雲野に起って、朔風天に雪をもよおす。まさにわが計を用うべき時である。姜維は一軍をひきいて敵近く進み、予が紅の旗をうごかすのを見たら急に退け。……そ

のほかの将には、後刻なお告げるところがあろう」

すなわち姜維は誘導戦法の先手となって羌軍へ近づいたのである。——と見るや越吉

元帥の中軍は、例の鉄車隊を猛牛の如く押しすすめ、姜維の勢を席巻せんとして来た。

姜維の勢は、引っ返し、また踏みとどまり、また逃げ奔る。

勝ち誇った羌族の大軍は、この日を期して、蜀軍を粉砕せよと、戦線を拡大して、つ

いに孔明の本陣まで突入して来た。

戦い半ばの頃から大きな牡丹雪が降り出して、朔風凛々、次第にこの地方特有な吹雪

となりだしていたが、今しも姜維の兵は、その霏々たる雪片と異ならず、みな先を争っ

て、陣門の内へ逃げ入り、防ぎ戦う者もなかった。

鉄の猛牛は苦もなく柵門を突き破り、十台、二十台、三十台と、列をなして進み入っ

た。それに続いて、騎馬二千、歩兵三、四千も喊声をあげてなだれ入った。

ところが、兵営の彼方此方に、凍れる旗とおびただしい雪の吹きだまりが眺められた

だけで、陣内には、一兵も見えない。——のみならず、その雪風か、枯葉の声か、非

ず、不思議な美音が、何処からともなく聞えてくるではないか。

「はてな？……。待て待て。深入りするな」

越吉元帥は味方を制した。そして馬上に耳を澄ましていたが、愕然と身ぶるいして、

「琴の音だ？……。琴の音がする」と、つぶやいた。

さてこそ、深き計略があるにちがいない。孔明とかいう軍略に長けたる者が、新た

に、精鋭をひきいてこれへ来ていると聞く。——油断すな、前後を警戒せよ、と彼は高声に戒めつつ、心なお怪しみにとらわれて、退きもせず、進みも得ず、吹雪の中に立ちよどんでいた。

すると、うしろに続いてきた後陣の雅丹宰相が、それを聞くと、大いに笑って、

「孔明は詐りを得意となすと聞く。ただそれ人の心を惑わしめんとする児戯にひとしい計略。何をためらい、何をおそるる。——すでに曠野は雪つもること十尺。退くにはかえって難儀あらん。鉄車隊を先として、無二無三、陣内を駈けあらし、しかる後、ここを占領してこよいの大雪をしのぐに如かず。もし孔明を見かけたらこの機をはずさず手捕りにせよ」

と、厳命した。

越吉元帥もそれに励まされて、ふたたび鉄車の猛進を令し、兵を分けて、まず陣の四門を塞ぎ取って、平攻めに敵残兵の殲滅を計った。

——と、奥深き一簇の疎林のうちになお一廓の兵舎があった。今しそこから慌てて南の門へ逃げ出してゆく一輛の四輪車がある。扈従の者も、五、六騎の将と百人ばかりの小隊によって守られゆくに過ぎない。あれよ、孔明にまぎれもなし、追いかけてわれこそ捕えんと、羌族の部将たちは、馬を揃えて馳け出そうとした。

「いや待て、愈〻、いぶかしいぞ」

越吉元帥は、それを制したが、雅丹宰相はあざ笑って、

「たとえ彼に多少の詐謀があろうと、この軍勢をもって、この勝利の図にのせて追え

ば、何ほどのことやあろう。──敵の総帥を眼にみながら、これを見遁すという法はな

い。断じて逸すべからずである」と自ら前に立って烈しく下知した。

孔明の車は、その間に、南の柵門を出て、陣後につづく林の中へ隠々として逃げかく

れてゆく。

「やるなっ」

羌族の騎馬、戦車、歩兵などは、雪を蹴り、雪にまみれ、真っ白な煙を立ててそれを

追った。

四

このとき姜維の一手は、また南の柵外に現れて、羌族の大軍がそれから出て、孔明を

追撃するのを、妨害するかのような態勢をとった。

「うるさき小将。あれから先へ片づけろ」

これを合言葉として、羌軍はまず姜維へ当ってきた。彼はよく抗戦したがもとより比

較にならない兵数である。ほとんど、怒濤の前の芥の如く蹴ちらされた。

いよいよ勢いに乗った羌軍数万は、疎林の一道を中心として、

「なお遠くは行くまい」

と、孔明の車を追いかけた。そして林を馳け抜けると、たちまち、一眸ただ白皚々た

る原野へ出た。

ただこの丘と彼方の平野とのあいだが、帯のような狭い沢になっている。騎馬隊や歩兵の一部はたちまち馳けおりてまた向う へ登って行ったが、鈍々たる猛牛の鉄車隊は、やや遅れたため、車列一団になって、そこを越えかけた。すでにしてその一団の鉄車が、窪地の底部に達するや否や突然、雪しぶきをあげ、ごうッと、凄まじい一瞬の音響とともに、その影が見えなくなった。

「あっ、陥ちたっ」

「陥し穽だ」

続々、後から降りかけていた鉄牛の車兵は、絶叫をあげて、車を止めようとしたが、傾斜の雪をすべってゆく車輪は止まるべくもない。

あれよ、と騒ぎながらも、みすみすそれへすべり陥ち、またその上にすべり陥ちて、一つの道だけでも、何十台という鉄車が忽然地上から消え失せた。

しかもここ一道だけでなく、至るところに、同じ惨害が起っていた。まさしくそこを見直せば、何ぞ知らん、このゆるやかな傾斜の窪と見えていたのは、太古の大地震のときにでも亀裂していたかのような長い断層であって、その数里にわたる上へ板を敷きつめ土をかぶせ、さらに柴など蔽いつんだ所へ今朝からの大雪だったので、誰が見てもそれとは知れなかったのみか、騎馬や歩兵などが馳け渡った程度では何のこともなかったので、羌族が力とたのむ鉄車群はまんまとその大半以上を、一挙にここへ搦っってしま

ったわけであった。

計略図にあたったと見ると、蜀軍は鉦鼓を鳴らし、鬨の声をあわせ、野の果て、林の陰、陣営の東西などから、いちどに奮い起ってきた。

馬岱軍は雅丹宰相を生捕りにし、関興は恨みかさなる越吉元帥を馬上一刃のもとに斬って、鬱懐をはらした。

姜維、張翼、張苞などの働きもまたいうまでもない。何せよ機動戦を主として、その力に驕りきっていた羌軍なので、こうなるとほとんど手応えなく蜀兵の撒血にまかせ、残る者は例外なく降伏してしまった。

しかし孔明は、雅丹宰相の縄を解いて、懇ろに順逆を諭し、

「蜀皇帝こそ大漠の正統である。われは勅をうけて、魏を討つといえども、決して、羌国に対して、何らの野心もあるものではない。汝らは魏にだまされたのだ。立ち帰って羌国王によく伝えるがよい」と、その虜兵をもすべてゆるし、みな本国へ帰してやった。

事成るやただちに、孔明は祁山へ向って軍をかえした。途中、表をしたためて、成都へ使いを立て、後主劉禅へ勝ち軍のもようを奏した。ここに、大きな機を逸していたのは、渭水に陣している曹真の大軍だった。

彼の不敏は、魏にとって、取り返しがたい大不覚ともいえるものであった。なぜなら、その曹真が、孔明の不在を知って、祁山へ行動しだしたのは、すでに孔明が西部の

憂いを払って、引っ返してくる頃だったからである。

しかも、祁山の留守にも、孔明の遺計が充分に守られていたため、かえって、いくたびも敗北を喫し、やがてまた、西部方面から帰ってきた蜀軍のために、左右からつまれて、多角的に打ち叩かれ、ついに渭水から総退却のほかなき態になってしまった。

大体、曹真は、初めからあまり自信のなかった大任であるから心ただ哀しみ、第二第三の良策とてもなく、洛陽へ早馬ばかり立て、ひたすら中央の援助と指令のみを仰いでいた。

鶏家全慶

一

渭水の早馬は櫛の歯をひくように洛陽へ急を告げた。

そのことごとくが敗報である。

魏帝曹叡は、色を失い、群臣を会して、誰かいま国を救う者はなきや、と憂いにみちて云った。

華歆が奏した。

「この上は、ただ帝みずから、御輦を渭水へすすめ、以て、三軍の士気をふるわせ給うしかありますまい。ただ幾人もの大将をお代えあっても、それはいよいよ敵をして図に乗らせるばかりでありましょう」

太傅鍾繇は、否と、反対して、

「——彼ヲ知リ、己ヲ知ルトキハ百度戦ッテ百度勝ツ——と古語にあります。曹真はすでに初めから孔明の相手としては不足でした。いま帝みずからご進発あられてもその短を補うほどの効果は期し難く、万一、さらにまた敗れんか、魏一国の生命にかかわりましょう。——むしろこの際、野に隠れたる大人物を挙げ、これに印綬を下し給うて、孔明をして窮せしめるに如く策はありません」と、のべた。

鍾繇は、魏の大老である。野に隠れたる大人物とは、いったい誰をさしていうのか。

叡帝は忌憚なくそれを薦げよといった。

「その人とはほかならぬかの司馬懿仲達であります。先年、敵の反間に乗せられ給い、市井の流言を信じて彼をご追放になりましたことは、かえすがえすも惜しいことでした。——聞説、いま司馬懿は、郷里の宛城に閑居しておるとか、あの大英才を国家が埋れ木にしている法はありません。よろしく、今日こそ、お召し出しあるべきでございます」

叡帝は悔いをあらわした。日頃からの傷みである。いまそれを鍾繇に指摘されると、

さらに面に濃くして、

「朕一代の過ちであった。しかし冤を恨んで深く郷藪に隠れた彼、にわかに命を奉じる
であろうか」

「いや、勅使をお降しあれば、元来憂国の人、かならず御命にこたえましょう」

さらばと、勅使をして、平西都督の印綬を持たせ、また詔をもって、事にわかに、

（汝、国を憂い、南陽諸道の軍馬を糾合して、日を期し、長安に出るあらば、朕また
駕を備えて長安へむかい、相会してともに孔明をやぶらん）と、伝えさせた。

この日頃。

一方、祁山の陣にある孔明は、

「機運すでに熟す。この上は長安を乗っ取り、なお長駆して洛陽に入ろう」

と、連戦連勝の機をはずさずに、一挙、魏の中核を衝かんものと準備していた。

ところへ、白帝城の鎮守李厳の一子李豊が、唐突にやって来た。

（さては、呉がうごき出したのではないか。凡事ではあるまい）

白帝城のある所の地理上から、孔明はそう考えたのであるが、呼び入れて、会ってみ
ると、李豊はそんな気もなく、

「今日は、父に代って、よろこび事をお伝えにきました」と、いうのであった。

「はて、慶び事とは」

「ご記憶でございましょう。むかし関羽将軍が荊州で敗れたとき、その禍因をなしたあ

の孟達を。——蜀に反いて魏へ降った孟達ですが」

「忘れはせぬ。その孟達がまた何としたか」

「かような仔細であります」

李豊がいうことはこうだった。

孟達は魏に降ってから、ひとたびは曹丕の信寵もうけたが、曹丕歿後、新帝曹叡の代になってからは、ほとんど顧みられなくなり、近頃はことに、何かにつけ、軽んじられ、また以前蜀臣だった関係から猜疑の眼で見られるので、快々として楽しまない心境にある。彼の部下も今では、故国の蜀を恋う者が多く、祁山渭水の戦況を聞くにつけ、なぜ蜀を離れたかを、今ではいたく後悔している。

「——で遂に、孟達は、そうした心境を綿々と書中に託して、

(どうか、この趣を、諸葛丞相に取次いでくれ)

と、帰参の斡旋方を、李豊の父、白帝城の李厳へすがって来たものであった。

二

李豊は、以上のいきさつを、あらまし伝えてから、

「——そこで実は、父の李厳がいちど孟達と会いました。孟達がいうには、自分の心根は、魏の五路の大軍を起して蜀へ入ろうとした折のことで、丞相がよく酌んでいて下さると思う。どうか帰参のかなうように取りなして欲しい。もしお聞き入れ下されば、このたび諸葛丞相が長安へ攻め入るとき、自分は新城、上庸、金城の勢をあつめて、直ち

に、洛陽を衝き、不日に魏国全土を崩壊させてお見せする。——と、さように父へ申し
たということなのでございますが」

孔明は、手を打って、

「なるほど、近頃に慶び事だ。よく伝えてくれた」と、かぎりなく歓び、

「いま孟達が本然の心に立ちかえって、わが蜀を援け、わが軍が外より攻め入る一方、
彼が内より起って洛陽をつけば、天下の相は即日あらたまろう」

と、李を篤くねぎらって、幕将たちと共に酒宴を催していた。ところへ、早馬があっ
て、

「魏王曹叡が、宛城へ勅使を馳せつかわして、閑居の司馬懿仲達を平西都督に封じ、強
って彼の出廬を促しているもようにうかがわれます」

と、告げた。聞くと、愕然、

「……なに、司馬懿を」

孔明は首を垂れて、その酔色すらいちどに褪せてしまった。そばに在った参軍の馬謖
が、

「丞相、いかがなさいました。何をそんなにお驚き遊ばすのですか。多寡が、司馬懿ご
ときに」

と、むしろ怪しむかのようにたずねた。

「いや、そうでない」と、孔明は重くかぶりを振って反対に諭した。

「わが観るところでは、魏で人物らしい者は、司馬懿一人といってもよい。孔明のひそかに怖るる者も実にその司馬懿仲達一箇にあった。……いま孟達の内応をよろこび合っていたところだが、それすら悪くすると、司馬懿のために覆されるかもしれん。……実に悪い折に悪い者が魏に立った」

「では、急使を立てて、孟達にその旨を、心づけてやっては如何です」

「もとよりそれを急がねばなるまい。すぐ早馬の支度を命じ、使いの者を選んでおけ」

と、孔明は、席を中座して孟達へ与える書簡をしたためた。急使は、その夜すぐ立って、孟達のいる新城へいそいだ。孔明からの手紙と聞き、孟達は、さては李厳が自分の意を伝えてくれたなと、喜色満面にこれをひらいてみると、その事は許容されてあったが、終りの章に、すこし気にくわない辞句があった。──それは、司馬懿が宛城から起ったことを告げたもので、それだけならよいが、魏帝の命によって、くなからず称え、それに対処する万全の策を、何くれとなくこまごま注意してあることだった。

「なるほど、うわさの如く、諸葛亮は疑い深い仁だ……」

彼は、あざ笑って、ほとんど、歯牙にもかけず、書簡を巻いてしまった。そして自分の方から孔明へ返書をかき、すぐ使いの者に持たせて帰した。

待ちかねていた孔明の手へやがて返書がとどいた。だが孔明は、一読するや否や、

「咄。なんたる浅慮者だろう」

と、それを拳の中に握りつぶした。それでもまだ罵りきれないように、

「見よ汝孟達。そんな盲目にひとしい心構えでは、かならず司馬懿の手に死すであろ

う。……ああ、ぜひもない」と、暗涙をたたえたまま、しばし天井を仰いでいた。

「丞相、何をお歎きですか」

「馬謖か。この手紙を見い。……孟達の書簡によれば、たとえ司馬懿が自分の新城へ襲

せてくるにしても、洛陽へ上って、任官の式を行い、それから出向いてくることゆえ、

早くても一ヵ月の余はかかる。その間に守備は充分とととのうからご心配は無用と認めて

ある。得々として、司馬懿仲達の如き何する者ぞと、ひとり暢気に豪語をならべておる

ではないか。……もう駄目だ。もういかん」

「はて。なぜいけませんか」

「——ソノ備エザルヲ収メ、ソノ不意ニ出ヅ。これしきの兵法を活用できぬ仲達ではな

い。彼はおそらく洛陽に上ることを後とし、直線に宛城から孟達を衝くだろう。その日

数は、ふたたび孟達へ、こちらから戒告の使いをやる暇よりは、ずっと速い。事すでに

遅しだ——」

　　　　　三

　長嘆して——大事すでに去る——とはいったものの、孔明はなお諦めかねたか、すぐ

また、戒告の一書を封じて、

「昼夜馬を飛ばして行け」

と、ふたたび新城へ使いを走らせておいた。

ここに。

郷里宛城の田舎に引籠っていた司馬懿仲達は、退官ののちは、まったく閑居の好々爺になりすまし、兄司馬師、弟司馬昭のふたりの息子あいてに、至極うららかに生活していた。この息子ふたりも、胆大智密、いずれも兵書を深く究め、父の眼に見ても、末たのもしい好青年だった。

きょうも二人して、父の書斎へ入ってきたが、父の顔いろが、どうもすぐれて見えない。そこで、弟の司馬昭がたずねた。

「お父上、何をふさいでいらっしゃるんです?」

「うーむ。何もふさいでやせんがな」

仲達は、節の太い指を櫛にして、そのまばらな長鬚をしごいた。

兄の司馬師が父の晴れない眉をうかがって云った。

「私には分っている。お父上のお胸にはいま鬱勃たるものがわいているのだ」

「うるさいよ。お前たちに何がわかるもんではない」

「いいえ、きっとそうです。思うに、お父上は、天子からお招きがないのを嘆いておられるのでしょう」

「なんじゃ?」

すると、弟の司馬昭も、

「それならば、くよくよする事はありませんよ。きっと来る。近いうちにきっとお召しが来る」

と、大きな声で断言した。

司馬懿は、刮目して、

「おおっ、わしの家からまたも、この麒麟児が生れ出たか」

とわが子ながら見惚れて云った。

それから幾日も経たないうちである。果たして、勅使が、この門を訪れた。

もちろん司馬懿は、大命を拝受し、同時に一族、郎党を集めて、直ちに、檄を宛城諸道へ配布した。

日頃、彼の名をしたい、彼の風を望む者少なくない。郷関はたちまち軍馬でうずまる。しかも仲達は、その兵員が予定数に達することなどを悠々待ってはいなかった。

その日から行軍を開始していたのである。募りに遅れた兵は、後からそれを追いかけて軍に投じた。だからその行軍は道を進んでゆけば行くほど軍勢を増大していた。なぜ、こう急いだか。――いえばそれには、重大原因がある。すでにして彼は田舎にいても魏蜀の戦況はつぶさにしていたし、また近頃、新城の孟達、叛意の兆しある気ぶりを、ひそかに耳にしていたからである。

それを司馬懿に密告してきたのは、金城の太守申儀の一家臣だった。孟達は、金城と

上庸の両太守に、すでに秘事をうちあけて、洛陽攪乱の計をそろそろ画策し始めていたのであった。

仲達は、重大視した。

もしその謀略が成らんか、魏はいかに大国なりとも、内部から崩壊せずにいられない。

実に、彼が数日の懊悩は、そこに憂いがあったのである。退官以来かつてそんな憂鬱の色とてない父の日常に照らして、はやくもその原因と来るべき必然の機運を察知していた司馬家のふたり兄弟も、また父にまさるとも劣らぬ子だといわなければならない。

「未然これを知る。魏の国運、天子の洪福、ふたつながらまず目出度しというべきである。何にしても、もし今日、司馬一家が出なかったら、洛陽長安、一時に潰えたであろう」

彼は、額をたたいて、この吉事に発したる軍隊であると称え、洛陽へは向わず、一路、新城へさして急いだ。

息子たちは、少し案じて、

「お父上。いちど洛陽へ上って、親しく闕下に伏し、正式の勅命を仰がなくてもよろしいのですか」

「よいのじゃよ。そんな違はない」

と、彼らの父は答えた。司馬仲達の急ぎに急いでいた理由は、果たせるかな、孔明が

おそれつつも予察していたところと、まったく合致していたのである。

洛陽に生色還る

一

司馬懿仲達軍のこのときの行軍は、二日行程の道のりを一日に進んで行ったというか
ら、何にしても非常に迅速なものだったにちがいない。

しかも仲達は、これに先だって、参軍の梁畿という者に命じ、数多の第五部隊を用い
て、新城付近へ潜行させ、

「司馬懿の軍は、洛陽へのぼって、天子の勅をうけた後、孔明を打破ることになってい
る。このときに功を成し名を遂げんとする者は、募りに応じて、司馬軍につけ」と、云
い触れさせた。

もちろんこれは、新城の孟達に油断をさせる謀略で、仲達の大軍は、その先触れのあと
から一路新城へ急いでいた。

途中、魏の右将軍徐晃が、国もとから長安へ赴くのとぶつかった。徐晃は、仲達に会

見を求めて、

「いますでに、魏帝におかせられては、長安へ進発あらせ給い、曹真を督して、孔明を破らんとしておられるに、途々の風聞によれば、司馬都督には、洛陽へのぼるともっぱら沙汰いたしておるが、何故いま、帝もおわさぬ都へわざわざお上りなさるのか」と、怪しんで訊ねた。

仲達は、徐晃の耳へ口をよせて、

「沙汰は沙汰。それがしの急ぐ先は、ほかでもない、孟達の新城である」

と、実を打ち明けた。

「さてこそ」と、徐晃は膝をたたいて、

「——さもあらば、それがしも貴軍に合して、往きがけの一働きを助勢つかまつりたいが」

と、云い出した。

希ってもないことであると、司馬懿は彼に先鋒の一翼を委せた。

すると、第五部隊の参軍梁畿から、

「かかる物が手に入りました」

と、孔明から孟達へ送った意見書の盗み写したものを送付してきた。

それを見ると仲達は、愕然たる態をなして、

「危うし危うし。もし孟達が孔明の戒めに柔順であったら、事すべてが水泡に帰するで

あろう。まことや能者は坐して千里の先を観るという。わが玄機はすでに孔明にさとられておる。一刻も疾く急がねば相成るまい」

司馬師、司馬昭の二子をも励まして、さらに行軍へ拍車をかけ、ほとんど、昼夜もわかたず急ぎに急いだ。

こういう情勢にありながらなお、少しもそれを覚らずにいたのは新城の孟達であった。

金城の太守申儀や、上庸の申耽などに、大事を打ち明けて、

「不日、孔明に合流せん」と、密盟をむすんでいたその事に安心して、実は申儀も申耽も、腹を合わせて、魏軍が城下へ来たら突如としてそれに内応し、孟達に一泡ふかせてくれん——としているものとは夢にも気づかずにいたのである。

「司馬懿は、洛陽へ出ずに、長安へ向うようです」

新城の諜者は、各地で耳へ入れてきた情報を、いちいち孟達へ報じていた。

「初めは、洛陽へ上ると触れていましたが、途中、徐晃の勢に出あい、魏帝がいま都にいないのを知って、次の日からは、道をかえて、長安へ進んでおるようです」

そういう詳報も入った。

孟達は聞くごとによろこんで、

「万端、こちらの思うつぼだ。いでや日を期して、洛陽へ攻め入らん」

と、上庸の申耽と、金城の申儀へその旨を早馬でいい送り、何月何日、軍議をさだめ

即日大事の一挙に赴かん――と、つぶさに諜し合わせにやった。

ところが、一と朝。

まだその日の来ないうちに、何事かと、仰天して、物の具をまとうや否や、孟達は城のやぐらへ駈けのぼった。見れば、暁風あざやかに魏の右将軍徐晃の旗が壕近くに見えたので、

「や、や、いつの間に」

と、弓をとって、その旗の下に見える大将へひょうと一矢を射た。

何たる武運の拙なさ。

徐晃は、この朝、攻めに先だって、真額を射ぬかれ、馬からどうと落ちてしまった。

二

緒戦の第一歩に、大将を失った徐晃軍は、急襲してきたその勢いを、いちどに怯ませて、先鋒の全兵みな、わあと、浮き足だった。

城のやぐらからそれを眺めた孟達は、いささか勇気を持ち返して、

「わが大事は、露顕したらしいが、射手の勢は、多寡の知れた人数。しかも大将徐晃はただ一と矢に射止めた。蹴ちらす間には、やがて金城、上庸の援軍も来る。衆みな門を出て、怯み立った寄手どもを一兵のこらず屠ってしまえ」と、金城へ急命を出した。

　城兵は各門から突出して、魏兵を追いくずした。孟達も馬をすすめ、
「あな快や」と、敵勢を薙ぎ伏せ、蹴ちらして、果てなく追撃を加えた。
　しかし追えば追うほど、敵兵の密度は増し、濛々の戦塵とともに敵陣はますます重厚を加えてくる。——はてな？　と孟達がふと後ろを見ると、何ぞはからん、翩翻として黒々と縫い表わされてあるではないか。千軍万馬のうえに押し揉まれている大旗を見れば、「司馬懿」の三文字が金繍の布に

「しまった。徐晃勢だけではなかったか」
　あわてて引っ返しにかかった時は、彼の率いていた軍容は全く隊伍をみだしていた。あまっさえ、彼が自分の城へ帰って、そこの城門へ向って烈しく、
「はやく開けろ」と、呼ばわると、おうと答えて、門扉を押し開き、どっと突出して来たのは、申耽、申儀の二軍だった。
「反賊、運のつきだぞ」
「こころよく天誅をうけろ」
　猛然、迫ってきたものこそ、まさに味方とたのんでいたその二人にまぎれもない。
　孟達は仰天して、
「人ちがいするな」と叱鳴ったが、申耽、申儀の二将は、大いにあざ笑って、
「汝こそ、戸まどいして、これに帰って来る愚を醒ませ。あれみろ、城頭高くひるがえっているのは、蜀の旗か、魏の旗か、冥途のみやげによく見てゆけ」と罵った。

その城頭からは、李輔、鄧賢などという魏将が雨あられと、矢を放っていた。

孟達は、きたなくもまた、逃げ奔ったが、申耽に追いつかれて、武将のもっとも恥とする後ろ袈裟の一刀を浴びて叫絶一声、ついに馬蹄の下の鬼と化してしまった。

司馬懿は、降兵を収め、味方をととのえ、一日にして勝ちを制し、一鼓六足、堂々と新城へ入った。

孟達の首は洛陽へ送られた。

司馬懿は、李輔と鄧賢に新城を守らせ、申耽、申儀の軍勢をあわせて、さらに長安へ向っていそいだ。

孟達の首が洛陽の市に曝されて、その罪状と戦況が知れわたるや、蜀軍来におびえていた洛陽の民は、にわかな春の訪れに会ったように、

「司馬懿が起った」

「司馬仲達がふたたび魏軍を指揮するそうな」

と、その生色をよみがえらせた。

すでに長安まで行幸していた魏帝曹叡は、ここに司馬懿を待ち、彼のすがたを行宮に見るや、玉座ちかく召しよせて、

「司馬懿なるか。かつて汝をしりぞけて郷里にわびしく過ごさせたのは、まったく朕の不明が敵の謀略にのせられたものに依る。いまふかくそれを悔ゆ。汝また、うらみともせず、よく魏の急に駆けつけて、しかもすでに孟達の叛逆をその途に打つ。──もし汝

の起つなかりせば、魏の両京は一時にやぶれ去ったかもしれぬ。　嘉しく思うぞ」

と、優渥なる詔を降した。

司馬懿は、感泣して、

「勅命をもうけず、早々、途上において戦端をひらき、僭上の罪かろからずと、ひそかに恐懼しておりましたのに、もったいない御諚をたまわり、臣は身のおくところも存じませぬ」

と、ひれ伏した。　帝は、

「否、否。　疾風の計、迅雷の天撃。　いにしえの孫呉にも勝るものである。　兵は機を尊ぶ。　以後、事の急なる時は、朕に告ぐるまでもない。　よろしく卿の一存において料れ」

と、破格にもまた前例なき特権をあたえ、かつ、金斧、金鉞一対を賜わった。

高楼弾琴

一

魏の大陣容はととのった。

辛毗、あざなは佐治、これは頴州陽翟の生れ、大才の聞え夙にたかく、いまや魏主曹

叡の軍師として、つねに帝座まぢかく奉侍している。

孫礼、字は徳達は、護軍の大将として早くより戦場にある曹真の大軍へ、さらに、五

万の精兵を加えて、その力をたすけ、また司馬懿仲達は、総兵力二十万を、長安の関か

ら外に押し並べて、扇形陣を展開した。壮観、実に眼もくらむばかりである。

仲達軍の先鋒に大将として薦された者は、河南の張郃、あざなは雋義、これは仲達か

ら特に帝へ直奏して、

「張郃を用いたいと思います」

と嘱望して、自軍へ乞いうけた良将である。その張郃を、帷幕へ招いて、仲達は、

「いたずらに敵をたたえるわけではないが、この仲達の観るかぎりにおいて、孔明はた

しかに蓋世の英雄、当今の第一人者、これを破るは実に容易でない」

と、今次の大戦を前に、心からそう語って、さてそのあとで云った。

「——もし自分が孔明の立場にあって、魏へ攻め入るとすれば、この地方は山谷険難、

それを縫う十余条の道あるのみゆえ、まず子午谷から長安へ入る作戦をとるであろう。

——だがじゃ、孔明はおそらく、それを為すまい。なぜならば従来の戦争ぶりを見る

と、彼の用兵は実に慎みぶかい。いかなる場合も、絶対に負けない不敗の地をとって戦

っておる」

彼の言は、孔明の心を、掌にのせて解説するようだった。英雄、英雄を知るものか

と、張郃は聞き惚れていた。

「――察するに、彼は斜谷（郿県の西南三十里・斜谷関）へ出て、郿城（陝西省・郿県）を抑え、それより兵をわけて、箕谷（府下城県の北二十里）に向うであろう。――で、わが対策としては、檄をとばして、曹真の手勢に一刻も早く郿城のまもりを固めさせ、一面箕谷の路には奇兵を埋伏して、彼がこれへ伸びてくるのを破砕し去ることが肝要だ」

「そして、都督のご行動は」

「秘中の秘だが」と声をひそめ、

「秦嶺の西に街亭という一高地がある。かたわらの一城を列柳城という。この一山一城こそまさに漢中の咽喉にあたるもの――。さはいえ孔明は曹真がさして烱眼ならざるを察して、おそらくまだそこまで兵をまわしておるまい。……のう張郃。ご辺とわしは、一方急に進んで、そこを衝くのじゃ。なんと愉快ではないか」

「ああ。神謀です。たしかにそれは一刃敵の肺腑をえぐるものでしょう」

「街亭をとれば、孔明も漢中へ退くしかない。兵糧運送の途はここに絶えるでな」

「隴西の諸郡も、食を断たれては、崩壊退却のほかありますまい。実に都督の好計、たれかよく思い及びましょう」

「――いやいや、計だけを聞いて、そうにわかによろこぶなかれじゃ。あいては諸葛孔明であるぞ。孟達などの類とは大いに違う。ゆめ、軽々しくするな」

「かしこまりました」

　「一里進まば、十里の先に物見を出し、十里進まば、敵の伏兵を勘考し、胆大頭密（たんだいずみつ）に、よくよく臍をすえてゆけよ」

　「仰せまでもございません」

　「さらば、支度をなせ」と、彼を先鋒へ返してから、仲達は祐筆（ゆうひつ）に命じて、檄をしたためさせ、これを曹真の本陣へ告げて、作戦方針を示し、かたがた、

　「孔明の誘いに吊られて、めったに動き給うな」とかたく戒めた。

　祁山（きざん）（甘粛省・鞏昌（きょうしょう）附近）一帯の山岳曠野を魏、蜀天下の分け目の境として、まさにその第一期戦はここに展開されようとしている。

　この地形、この広大な天地は、まさに孔明のほうから選んで取った戦場である。この大会戦に先んじて、蜀軍がまず地理的優位を占めていたことはいうまでもない。

　新城陥落の一報は、孔明の心に、一抹の悲調を投げかけた。彼はその報をうけた時、左右の者へいった。

　「孟達の死ははや惜しむに足らない。けれど、司馬懿（しば）がかく早く大軍をそろえて来たからには、街亭の一路が案じられる。彼は、直ちに街亭へ眼をつけるであろう。誰かをして、早速これを守らせねばならぬ……」

　一日の猶予もならん。誰をか向けん──と孔明の眼は諸将を見まわして物色しているもののようだった。

　街亭は我が咽喉（のど）（いんこう）に等しい。

二

と、その面を仰いで、参軍の馬謖が、傍らから身をすすめ、

「丞相。それがしをお差し向け下さい」と、懇願した。

「…………？」

孔明は馬謖を顧みたが、初めはほとんど意中に置かないような容子であった。しかし馬謖はなお熱心に希望してやまない。──たとえ敵の司馬懿や張郃がいかほど世に並びなき名将であろうと、自分も多年兵法を学び、わけて年も弱冠の域をこえ、なお何らの功を持たないでは世に対しても恥かしいと云い、

「量るに、街亭一つ守り得ないくらいなら、将来、武門に伍して、何の用に足りましょう。どうか自分を派遣して下さい」

と、多少日頃の親しみにも甘え、ほとんど縋らんばかり熱望をくりかえした。

馬謖は孔明を父とも慕い師とも敬っていた。孔明もまた慈父のごとく彼の成長を多年ながめてきたものである。

もともと馬謖は、夷族の役に戦死した馬良の幼弟だった。馬良と孔明とは、刎頸の交わりがあったので、その遺族はみな引き取って懇ろに世話していたが、とりわけ馬謖の才器を彼はいたく鍾愛していた。

故玄徳は、かつて孔明に、

（この子、才器に過ぐ、重機に用うるなかれ）といったが、孔明の愛は、いつかその言葉すら忘れていた程だった。そして長ずるや馬謖の才能はいよいよ若々しき煥発を示

し、軍計、兵略、解せざるはなく、孔明門第一の俊才たることは自他ともにゆるす程に
なってきたので、やがての大成を心ひそかに楽しみと見ているような孔明の気持だった
のである。

――で今。

その馬謖からせがまれるような懇望を聞くと、彼は丞相たる心の一面では、まだちと
若いとも思い、まだ重任過ぎるとも考えられたのであるが、苦しい戦と強敵にめぐり合
わせるのもまた、この将来ある人材の鍛錬であり大成への段階であろうとも思い直し、
その機微な心理のあいだに、自己の小愛がふとうごいていたことは、さしもの彼も深く
反省してみるいとまもなく、つい、

「行くか」

と云ってしまったのである。

馬謖は、華やかな血色を顔にうごかして、言下にすぐ、「行きます」と答え、

「――もし過ちがあったら私はいうに及ばず、一門眷属（けんぞく）、軍罰に処さるるも、決してお
うらみ仕りません」と、きおいきって誓った。

「陣中に戯言なし――であるぞ」と、孔明は重々しく念を押して、かつさねた。

「敵の司馬懿（しばい）といい、副将張郃（ちょうこう）といい、決して等閑（とうかん）の輩（やから）ではない。心して誤るなよ」

と、くれぐれも戒めた。

また牙門将軍王平（がもんしょうぐん）に向い、

「ご辺は平生もよく事を謹んで、いやしくも軽忽の士でないことを自分も知っておる。その故にいま馬謖の副将として特に副えて差向ける。必ず街亭の要地を善守せよ」と、いいつけた。

さらになお孔明は入念だった。すなわち要道の咽喉たる街亭附近の地図をひろげ、地形陣取りの法をくわしく説き、決して、進んで長安を攻めとると考えるな。この緊要の地を抑えて、ひとりの敵の往来も漏らさぬことが、長安を取る第一義になることである

——と、嚙んでふくめる如く教えた。

「分りました。尊命にたがわず死守いたします」

馬謖は、副将王平と共に、二万余の兵力を与えられて、街亭へ急いだ。

それを見送って、一日おくと孔明はまた、高翔をよんで、一万騎をさずけ、

「街亭の東北、その麓のかたに、列柳城という地がある。ご辺もそこへ進んで、もし街亭の危うきを見ば、すぐ兵をあげて、馬謖をたすけよ」と、命じた。

孔明にはなおどこやら安心し切れないものがあったのである。軍の大機を処す際に、ふとかすかにでも「私」の情がそれへ介在したことを、彼自ら今は意識してそこに安んぜぬものを抱いているやに思われる。

　　　　三

街亭の要地を重視する孔明の用意は、それでもなお足らぬものを覚えたか、彼はさら

に魏延を後詰として出発させ、また趙雲、鄧芝の二軍をもそこの掩護として、箕谷方面へ急派した。

そして彼自身の本軍は、姜維を先鋒として、斜谷から郿城へ向った。まず郿城を取って、一路長安への進攻路を切り拓かんとする態勢なることはいうまでもない。

一方。

馬謖は街亭に着くと、すぐ地勢を視察して廻ったが、大いに笑って、

「どうも丞相はすこし大事をとり過ぎる。山といっても大した山ではないし、やっと人の通れるほどな樵夫道が幾つかあるに過ぎないこの街亭などへ、なんで魏が大軍を傾けて来るものか。由来、丞相の作戦はいつでも念入りの度が過ぎて、かえって味方に疑いを起さしめる」

そして山上へ陣構えをいいつけたので、副将王平はきびしく戒めた。

「丞相の令し給えるご主旨は、山の細道の総口を塞ぎ、そこを遮断するにありましょう。もし山上に陣取るときは、魏軍に麓を囲まれて、その使命を果しきれますまい」

「それは婦女子の見で、大丈夫の採るところでない。この山低しといえど、三方は絶地の断崖。もし魏の勢来らば、引き寄せて討つには持ってこいの天嶮だ」

「丞相は大いに舌の根をうごかすのはよして貰いたい。孫子もいっておる。──是ヲ死地ニ置イテ而シテ後生ク──と。それがしは幼より兵法を学び、丞相すら事にあたっては計をこの馬謖に相談されておるのだ。だまって我が命令のようにすればよい」

「みだりに舌の根をうごかすのはよして貰いたい。孫子もいっておる。是ヲ死地ニ

「では、あなたは山上に陣をお構えなさい。てまえは五千騎をわかち、別に麓に陣取って、掎角（きかく）の勢いに備えますから」

馬謖は露骨に不愉快な色を示した。大将の威厳を傷つけられた気がしたのだ。その反面の心理には特に選ばれて主将となって来たことや、日頃から孔明の寵（ちょう）をうけているという気分が満々と若い胸にあった。壮気というべきみえ、衒気（げんき）、自負があった。

着陣早々、主将副将が、議論に時を移しているまに、早くも近郡の百姓たちが、この地方を逃散しながら、

「魏軍が来る。魏軍が来る」と、告げて行った。

すわや。――猶予はできない。

馬謖は、自説を固持して、

「山上へ陣取れ」

と、指揮を発し、自身また、街亭の絶頂へのぼった。

王平は手勢五千をひきい、頑として麓に陣した。その二人の布陣をくわしく絵図に写し、早馬をもって、

（直接のご命令を仰ぎたい）と、孔明のところへ訴えた。

馬謖は、布陣を終って、

「王平の奴、遂におれの指図に従わんな。凱旋（がいせん）の後は、丞相の前へ出で、彼の僣上（せんじょう）と軍律にそむくの罪をきっと問わねばならん」と、麓を見て切歯していた。

翌日、また翌日。

ひきつづいて味方の高翔や魏延などが、列柳城 付近からこの街亭のうしろへも後詰して、陰に陽に、ここを援け、魏軍を牽制しつつあると聞えたので、彼はなお大磐石をすえているここちをもって、

「魏勢が押し寄せてきたら、逆落しに一撃を喰らわせん」

と、百万軍も呑むような概をもって待ちうけていた。

このとき魏の司馬懿仲達の考えでは、まだ街亭には、蜀軍は一兵も来ていまいと観ていたのだった。

ところが、先発した司馬昭が、先陣の張郃に会って、すでに街亭には、蜀旗翩翻たるものがあると聞かされ、

「それでは、自分の一存で、うかと手出しはできない」

と、急遽引っ返して、父の仲達に、その趣を話した。

「ああ、さすがは孔明。——神眼。迅速。……もう遅かったか」

仲達は非常におどろいて、しばし茫然としていた。

四

司馬懿はその本陣をややうごかして、街亭、箕谷、斜谷の三面に遺漏なき触覚をはたらかせた。

「ひそかに来いよ」

一夜、彼はわずか十騎ほど連れて、前線へ微行した。

月明を利して、ひそかに敵近き四山を巡り、やがて一高地から蜀の陣容を望んで、

「こは何事だ」と一瞬、唖然とした後、左右をかえりみて、

「有難し有難し。天の助けか」

と語り、本陣へ帰るやいなや、帷幕の参軍たちを呼び集めて、

「街亭を守る蜀の大将はいったい誰か」と、訊ねた。

そして、馬謖なりと聞くと、彼はわらって、

「千慮の一失ということはあるが、孔明にも、人の用い方に過ることもあるか。山を守

っている、蜀の大将はまさしく愚物だ。一鼓して破ることができよう」

と、よろこび斜めならずだった。

彼は、張郃に命じて、

「山の西、十里の麓に、蜀の一陣がある。汝は、それへ攻めかかれ。われは申耽、申儀

のふた手を指揮し、山上の命脈を、たち切るであろう」といった。

仲達が「山上の命脈」と見たものは、実に、軍中になくてはならぬ「水」であった。

その水を、山上の蜀軍は、山の下から兵に汲ませていたのである。

の旨をうけて、次の日の早天に、兵をひいて、王平軍の孤立を計った。すなわち山上の

軍との聯絡を遮断し、同時に、魏軍が山上兵の水を汲みに通う通路を断つ行動に対し

て、妨害に出ることができぬように、その途中を切り取ったのであった。

須臾の後。

司馬懿はみずから魏の大軍を引率して、街亭山麓を十重二十重にとりまいてしまった。そのあいだ、鬨の声と金鼓の音は雲をうごかし、地をふるわせた。

山上の馬謖は、

「紅の旗がうごくと見たら、いちどにかかって攀じのぼる魏兵をみなごろしになせ」

と、麓をのぞんで、有利の地を占め、必勝の概、天を衝くものがあったが、何ぞはからん、魏軍は喊声鼓雷のみあげて、山上へ攻め登っては来なかった。

「この上はわれらから攻め下って、微塵になせ」

「怯んだとみえる。何としても馬謖は功に逸りきっていた。小道小径から逆落しに駈け下り、彼自身は、魏の大将の首二つを獲て山上へもどった。多数の味方は序戦に勝ったが、帰路は精を限らし、また山道を登るので、追撃の新手におびただしく討たれた。

しかも馬謖は、

「きょうの戦は勝っている」

と、目前の勝負にとらわれていたが、たちまちその夜から水に窮した。

「なに、水の手を断たれた?」

愕然、気づいたときは、時すでに遅く、以来、奪回をはかる度に、ほとんど算なきままの損害をくり返した。日を経るに従って、山上の軍馬は渇に苦しみ出した。炊ぐに水

もない有様で兵糧すら生か火食のほかなく、意地わるく待てど待てど雨もふらない。そ
のうちに、
「水を汲みにゆく」と称しては、暗夜、山を降りてゆく兵は、みな帰らなかった。討た
れたのかと思うと、続々、魏へ投降したものとわかった。
ついには、大量の兵が一団となって、魏へ降り、山上の困憊は司馬懿の知るところと
なった。
「時分はよし。かかれ」
魏は総攻撃を開始した。
「のがれぬところ」
と、馬謖もいまは覚悟して、西南の一路からどっと下りた。司馬懿はわざと道をひら
いてこの窮鼠軍（きゅうそぐん）を通したが、その大兵が山を離れるや初めて袋づつみとして殲滅（せんめつ）にかか
った。街亭の後詰にあった魏延（ぎえん）、高翔（こうしょう）は、すわと、五十里先から援けにきたが、その途
中には、司馬昭の伏兵があり、また一面には蜀の王平も現われ、ここに蜀魏入り乱れて
の大混戦が展開されて、文字通り卍巴（まんじどもえ）の戦いとなった。いずれが勝ち、いずれが負け
やら戦雲漠々、終日わからない程だった。

　　　　五

　街亭の激戦は、帰するところ、蜀の大敗に終った。

ふもとに陣した王平、後詰していた魏延、列柳城まで出ていた高翔など、一斉に奮い出て、馬謖の軍を援けたが、いかんせん、馬謖軍そのものの本体が、十数日のあいだ、山上にあって水断ちの苦計にあい、兵馬ともにまったく疲れはてていたので、これは戦力もなく、ただ潰乱混走して、魏軍の包囲下に手頃な餌食となってしまった。

しかし、野にかけ山へわたって、戦火は三日三夜のあいだ赤々と燃えひろがっていた。魏延が馬謖の救出にうごくことも察知していた司馬懿は、司馬昭に命じて、その横を衝き、張郃はおびただしい奇兵を駆って、

「蜀の名だたる大将首を」と、これもその大包囲鉄環のうちにとらえんとしたが、王平軍、高翔軍の側面からの援けもあって、遂に意を達するにいたらなかった。

しかし魏延の軍も大損害をうけたし、王平軍もまた創痍満身の敗れ方だった。四日目の朝、やっと敗残の兵をまとめて、

「この上は、列柳城へ集まって、善後の処置を図ろう」

という高翔の意見にまかせて、そこへ急いだ。

ところが、またまた、その途中で測らざる新手の敵に遭遇してしまった。——曹真の副都督郭淮の軍隊だった。

郭淮は、大都督曹真とともに祁山の前に陣し、孔明の本軍と対峙していたが、街亭陥

（司馬懿ひとりの功にさせるは癪だ）

との報せを聞いて、

と、いうような卑劣な気持から、にわかに列柳城を取りにきたものだった。魏延や高

翔は、

「この新手と戦うのは自殺するも同じである」

となして、急に道をかえて、陽平関へ走り、一まずそこを守っていた。郭淮はそれを

知って、難なく列柳城へ入れるものと思い、城下まで来ると、城頭から爆煙石砲の音を

あげ、おびただしい旗がうごくのを見た。

「や、まだ蜀軍がいるのか」

と、よく見ると、みな魏旗であり、一きわ目立つ紅の大旗には、金繍の文字あざや

かに、平西都督驃騎将軍司馬懿と読まれた。

「郭淮。何しに見えられたか」

と、その辺りから声がするのでよく見ると、まぎれもない司馬懿仲達が、櫓の高欄に

倚って、疎髯を風になぶらせながら、呵々と大笑しているではないか。

郭淮は大いに驚き、心ひそかに、われ到底この人に及ばずと、内に入って対面を遂

げ、心服をあらわして敬拝した。

「街亭の破れた上は、孔明も逃げ走るほかないであろう。貴下はすみやかに貴下の軍勢

をもって孔明を追い崩し給え」

仲達の言葉に、郭淮は唯々諾々ふたたび城を出た。つづいて彼は麾下の張郃を招いて

云った。

「敵の魏延、王平の徒は、敗軍をひいて、陽平関を守るであろうが、それに釣られて、軽々しく追い攻めをかけるとか、たちまち孔明が後を取って、大勢の挽回を計るにちがいない。兵法にも――帰ル師ヲ掩ウコト勿レ、窮マル寇ヲ追ウ勿レ――と戒めている。故に、われはかえって今、小路から蜀勢のうしろへ廻ろう。ご辺は山路を経て箕谷へすすめ、そして蜀軍が滔々と崩れ立っても、これを全滅せんなどと急に追うな。武器、兵糧、馬、物具などを収めて、駸々と斜谷を取りひろげ、やがて西城を占領して後、さらに次の作戦に入ろう。――西城は山間の小県ではあるが、あれには蜀の兵糧が蓄えてあるに相違ない。遠征流浪の蜀軍から糧食をとりあげてしまえば、彼らの敗退は必然的で、敢えて、わが軍が多くの犠牲をはらう必要もない」

張郃は、命をうけて、おびただしい魏兵を箕谷へ率いて行った。

申耽、申儀のふたりを、列柳城にとどめて、司馬懿自身も前進した。

彼の戦法は、勝てば勝つほど、堅実を加えていた。

この頃、孔明の立場と、その胸中の遺憾はどうであったろうか。いや、それより前に、王平の急使が街亭の布陣の模様を、書簡と共に図面として添えてきたので、彼は一見するとともに、

「あっ。馬謖のばか者」

と、はたとばかり当惑の眉をひそめたのであった。

六

「あれほど申し含めたのに」
と、事に悔いぬ孔明も、このときばかりは、
「馬謖匹夫。ついにわが軍を求めて陥罪に陥らしめたか——」
と、惨涙独語して、その下唇を血のにじむほど噛みしめていた。
長史楊儀は、まだかつて見たこともない孔明の無念そうな容子に、畏る畏る、
「何をそのように恨嘆なされますか」
と、慰める気で訊ねた。
「これを見よ」と、王平の書簡と、布陣図を投げてやって、
「若輩馬謖めは、要道の守りをすてて、わざわざ山上の危地に陣取ってしまった。何たる愚だ。魏軍が麓を取巻いて水の手を切り取ったらそれまでではないか。いくら若いにせよ、こうまで浅慮者とは思わなかった」
「いや、それならば直ちに、私が参って、丞相の命令なりと、急いで布陣を変えましょう」
「さ。——それが間にあえばよいが。——敵は司馬懿仲達、おそらくは」
「でも、昼夜を通して急げば」
と、楊儀が、軍をととのえているまに、すでに早馬また早馬が殺到し、街亭の敗れ、

列柳城の喪失をつづいて告げた。

孔明は天を仰いで痛哭した。

「——大事去れり矣。ああ、大事去る」

と、そして、一言、

「わが過ちであった！」と、ひとり叫んだ。

「関興やある。張苞やある」

あわただしく呼ばれて、二将は孔明のまえに立った。

「何事ですか」

「各〻、三千騎をひきい、武功山の小路に拠れ。魏軍を見ても、これを討つな。ただ鼓を轟かせ喊声を張れ。敵おのずから走るであろうが、なお追うな、また討つな。そしていよいよ敵の影なきを見とどけた後、陽平関へ入れ。陽平関へ」

「承知いたしました」

孔明はつづいて、

「張翼、来れ」

と、帷幕へよびつけ、汝は一軍を引率して、剣閣（陝西・甘粛の省界）の道なき山に道を作れと命じ、悲調な語気で、

「——われこれより回らん」と、いった。

彼はすでに総退却のほかなきを覚ったのである。密々、触れをまわして引揚げの準備

をさせ、一面、馬岱と姜維のふた手を殿軍に選び、

「そち達は、山間に潜み、敵来らば防ぎ、逃げつづいて来る味方を容れ、その後、頃を測って引揚げよ」

と、悲痛な面で云い渡した。

また、馬忠の一軍には、

「曹真の陣を横ざまに攻め立てておれ。彼はその気勢に怖れて、よもや圧倒的な行動には出てきまい。……その間に、われは人を派して、天水、南安、安定の三郡の軍官民のすべてをほかへ移し、それを漢中へ入れるであろう」

退却の手筈はここに調った。

かくて孔明自身は、五千余騎をつれ、真先に、西城県へ行った。そしてそこに蓄えてある兵糧をどしどし漢中へ移送していると、たちまち、報ずる者あって、

「たいへんです。司馬懿みずから、およそ十五万の大軍をひきい、真直ぐにこれへ襲せてくる様子です」と、声を大にして伝えた。

孔明は愕然と色をうしなった。――左右をかえりみるに、力とたのむ大将の主なる者はほとんど諸方へ分けてこれという者もいない。残っているのはみな文官ばかりである。

のみならず、さきに従えてきた五千余の兵力も、その半分は、兵糧移送の輜重につけて、漢中へ先発させ、西城県の小城のうち、見わたせば、寥々たる兵力しか数えられ

なかった。

「魏の大軍が、雲霞のように見えた。あれよ、麓から三道に潮のごとく見えるものすべて魏の兵、魏の旗だ。……」

城兵はうろたえるというよりは、むしろ呆れて、人心地もなく、顔の血も去喪してただふるえていた。

「ああ、寄せも寄せたり。揃えも揃えたり。なんと、おびただしくも物々しい魏の軍立てよ」

孔明は、櫓に立って、敵ながら見事と、寄手の潮を眺めていた。

七

この小城、この寡兵。

いかに防げばとて、戦えばとて、眼にあまる魏の大軍に対しては、海嘯の前の土塀ほどな支えもおぼつかない。

孔明は櫓の高楼から身を臨ませて、喪心狼狽、墓場の風のごとく去喪している城兵に向って、こう凛と、命を下した。

「四門を開けよ。開け放て。――門々には、水を打ち、篝を明々と焚き、貴人を迎えるごとく清掃せよ」

そしてまた、いちだん声たかく、

「みだりに立騒ぐ者は斬らん。整々粛々、旗の下をうごくな
かれ。静かなること林のごとくあれ。——門ごとの守りの兵は、わけて長閑に団欒し
て、敵近づくも居眠るがごとくしてあれ」

命を終ると、彼は、日頃いただいている綸巾を華陽巾にあらため、また衣も新しき鶴
氅に着かえて、

「琴を持て」

と、ふたりの童子を従えて、櫓の一番上へのぼって行った。
そして高楼の四障も開け払い、香を燻き、琴をすえて端然と坐した。
はやくも、ひたひたと襲せてきた魏の先陣は、遠くこれを望見して、怪しみ疑い、直
ちに、中軍の司馬懿に様子を訴えた。

「なに。琴を弾いている?」

仲達は信じなかった。

自身、馬をとばして、先陣へ臨み、近々と城の下まで来て眺めた。

「おお。……諸葛亮」

仰ぐと、高楼の一層、月あかるき処、香を燻き、琴を調べ、従容として、独り笑める
かのような人影がある。まさに孔明その人にちがいない。

清麗な琴の音は、風に遊んで欄をめぐり、夜空の月に吹かれては、また満地の兵の耳
へ、露のごとくこぼれてきた。

「……?」

司馬懿仲達は、なぜともなく、ぶるぶると身を慄わせた。

――いざ、通られよ。

と誰か迎え出ぬばかり目の前の城門は八文字に開放されてあるではないか。

しかもそここと水を打って清掃してあるあたり、篝の火も清らかに、門を守る兵ま

でが、膝を組み合ってみな居眠っている様子である。

彼は、ひやにわに、

「――退けっ。退けっ」

と先陣の上に鞭を振った。

驚いて、次男の司馬昭が云った。

「父上、父上。――敵の詭計に相違ありません。何で退けと仰せられますか」

「否々」

司馬懿はつよくかぶりを振った。

「四門を開き、あの態たらくは、我を怒らせ、我を誘い入れんの計と思われる。迂潤す

な。相手は諸葛亮。――測り難し測り難し、退くに如くはない」

遂に魏の大軍は夜どおし続々と引き退いてしまった。

孔明は手を打って笑った。

「さしもの司馬懿も、まんまと自己の智に負けた。もし十五万の彼の兵が城に入ってき

たら、一琴の力何かせん。　天佑、天佑
且つなお部下へいった。

「城兵わずか二千、もし恐れて逃げ走っていたら、今頃はもう生擒られていたであろう。――さるを司馬懿は今頃、ここを退いて道を北山に取っているにちがいないから、かねて伏せておいた我が関興、張苞らの軍に襲われ、痛い目に遭うているにちがいない」

彼は即時、西城を出て、漢中へ移って行った。西城の官民も、徳を慕って、あらかた漢中へ去った。

孔明の先見にたがわず、司馬懿軍は北山の峡谷にかかるや蜀の伏勢に襲撃された。ここで一勝を博した関興と張苞は、敢えて追わず、ただ敵が捨て去ったおびただしい兵器糧食を収めて漢中へいそいだ。

また祁山の前面にあった曹真の魏本軍も、孔明ついに奔ると聞くや、にわかに揺るぎだして追撃にかかろうとしたが、馬岱、姜維の二軍に待たれて、これも強か不意を討たれた。

その折、魏は大将陳造を失った。

八

漢中に入ると、孔明はすぐ伝令を派して、箕谷の山中にある趙雲と鄧芝へ、

「予は、つつがなく漢中へ退いたことを祈る」と、云い送った。

ここは国境第一の峻路である。加うるに友軍はみな漢中へ退いて、いわば掩護のために、山中の孤軍となった二将であったが、趙雲子龍はさすがに千軍万馬の老将、おもむろに退却の準備にかかった。

まず、鄧芝の軍を先発させ、彼はとどまって谷のうちに潜んだ。

「祁山の捨て児が退ぎだしたぞ。ひとりも漢中へかえすな」と、魏の副都督郭淮は、猛然追撃にかかり、部下の将、蘇顒をして、軽騎三千ばかりひきい、さしもの細道を、飛ぶが如くいそがせた。

「趙雲はここにおる。来れるものは何奴か」

突如として、神異の相をそなえた一老将が、槍を構えて、彼の前にあらわれた。

「や。趙雲がここにもいた」

と、蘇顒はふるい恐れつつも兵を励まして戦ったが、ついに趙雲に打たれてしまった。

「口ほどもない」

と、趙雲はしずしず後退をつづけていた。すると、また、郭淮の一手の大将万政が、前にもまさる兵力で追いついてきた。

「足場は絶好だ」

　趙雲は、ひきいている部下に向って、
「汝らは、三十里先の峰で待っておれ。あとから行く」

　と、旗本数名を身辺にのこしたのみで、全部先へやってしまった。
　そして嶮しい細道の坂上に、作りつけの武者人形のように構えていた。

　万政はやって来たが、これを仰ぐと、近づき得なかった。で、郭淮に会って、
「趙子龍は、まだ以前の面影を失っていません。恐らくは、大なる損害を求めましょう」

　と訴えたが、郭淮は、
「麒麟も老ゆれば、駑馬*というではないか、そのむかしの豪雄とて何ほどのことがあるものか」

　と、強って、それに当らせた。

　道の左右は砥の如き絶壁だし、彼は坂の上に立って、狭い口を塞いでいるので、大兵もついに用をなさない。

　駈け上がる者、当る者、みな趙雲の槍に血を煙らせて仆れた。

　日が暮れた。敵が怯むのを見て、趙雲は、馬を先へすすめて行く。
「それうごいたぞ」

　万政は追いかけた。
　一林の中まで来ると、

「来たか」

趙雲の影が、ふいに、跳びかかってきた。万政はうろたえたあまり、馬もろとも、谷間へ落ちた。

「そこまで、命をとりにゆくのは面倒だ。陣へもどったら郭淮にいえ。またいつかきっと会うぞと」

趙雲はついに味方の一兵も損せず、しずかに漢中へひきあげた。

その後──

司馬懿仲達は、蜀軍すべて、旗を捲いて、漢中へ逃げ籠ったのを見とどけてから、やがて西城へ軍を移して、なおその地に残っていた百姓たちを呼びあつめ、

「敵を慕って、漢中へ逃散した百姓どもは魏の仁徳を知らないのだ。おまえたちは先祖からの地をうごいてはならぬ」と、訓誡を与え、その後で孔明の施政ぶりや、また孔明がこの城にいたときの容子をいろいろ訊ねた。

ひとりの老百姓がいった。

「都督様が大軍をひきいてこの西城をお攻めになろうとした時、孔明の下には、弱そうな蜀兵が、わずか二千ほどしかおりませんでした。どうして急にあのときお引揚げになってしまわれたのでしょう。てまえどもはふしぎに存じておりました」

初めて、孔明の計と知った司馬懿は、その時には、何の顔いろも見せなかったが、後、独り天を仰いで長嘆し、

「我勝てり。併しついに、我孔明に及ばずであった」

と、嘯った。そしていよいよ各所の要害を厳重に守り固めさせ、やがて長安へ向って凱旋の途についた。

馬謖を斬る

一

長安に還ると、司馬懿は、帝曹叡にまみえて、直ちに奏した。

「隴西諸郡の敵はことごとく掃討しましたが、蜀の兵馬はなお漢中に留っています。必ずしもこれで魏の安泰が確保されたものとはいえません。故にもし臣をして、さらにそれを期せよと勅し給わるならば、不肖、天下の兵馬をひきい、進んで蜀に入って、寇の根を絶ちましょう」

帝は、然るべしと、彼の献言を嘉納されんとしたが、尚書の孫資が大いに諫めた。

「むかし太祖武祖（曹操のこと）が張魯を平げたもう折、群臣を戒められて、――南鄭の地は天獄たり、斜谷は五百里の石穴、武を用うる地にあらず――と仰せられたお言葉

があります。いまその難を踏み、蜀に入らんか、内政の困難をうかがって、呉がわが国の虚を衝いてくることは必然だといえましょう。如かず、なお諸境を堅守して、ひたすら国力を充実し、蜀呉の破綻を待つべきではありますまいか」

帝は、両説に迷って、

「司馬懿。如何に」

と、たずねた。仲達は、

「それもまた公論、易安の一理です」

と、あえて逆らわなかった。

そこで孫資の方針が採りあげられ、長安の守備には郭淮、張郃をとどめ、そのほか要路の固めも万全を尽くして、帝は洛陽へ還幸した。

ときに孔明は漢中にあり、彼としてはかつて覚えなき敗軍の苦杯をなめ、総崩れの後始末をととのえていた。

すでに、各部隊のあらかたは、続々、漢中へ引揚げていたが、まだ趙雲と鄧芝の二部隊がかえって来ない。

その無事を見るまでは、彼はなお一身の労れをいたわるべきでないと、日々、

「まだか……」と、待ち案じていた。

趙、鄧の二部隊は、やがて全軍すべてが漢中に集まった最後になって、ようやく嶮路をこえてこれへ着いた。その困難と苦戦を極めた様子は、部隊そのものの惨たるすがた

にも見てとれた。

孔明はみずから出迎えて、

「聞けば将軍は鄧芝の隊を先へ歩ませ、自軍は後にし、さらに自身はつねに敵と接し、以てよく最後の殿を果されて来たそうな。老いていよいよ薫しき武門の華、あなた如き人こそ真の大将軍というものであろう」

と、斜めならず、その労をねぎらい、なお庫内の黄金五十斤と絹一万疋を賞として贈った。

けれど趙雲は固く辞してそれを受けない。そしていうには、

「三軍いま尺寸の功もなく、帰するところそれがしらの罪も軽くありません。さるをかえって恩賞にあずかりなどしては、丞相の賞罰あきらかならずなどと誹りの因にもなりましょう。金品はしばらく庫内にお返しをねがって、やがて冬の頃ともなり、なにかと物不自由になった時分、これを諸軍勢に少しずつでも頒ち給われば、寒軍の中に一脈の暖気を催しましょう」

孔明はふかく感嘆した。かつて故主玄徳が、この人をあつく重用し、この人にふかく信任していたことをさすがにいま新たに思い出された。

このような麗しい感動に反して、彼の胸にはまたべつに、先頃からまだ解決をつけていない一つの苦しい宿題があった。馬謖の問題である。

馬謖をいかに処分すべきかということだった。

「王平を呼べ」

ついに処断を決するため、彼は一日、重々しい語気を以て命じ、軍法裁きを開いた。

王平がやがて見えた。孔明は、街亭の敗因を、王平の罪とは見ていないが、副将として、馬謖へつけてやった者なので、

「——前後の事情を申せ。つつまず当時のいきさつを申し述べよ」

と厳かに、まず彼の陳述からさきに訊いたのであった。

二

王平はつつまず申し立てた。

「——街亭の布陣には、その現地へ臨む前から、篤と丞相のお指図もありましたゆえ、それがしとしては、万遺漏なきことを期したつもりであります。けれど、何分にも、てまえは副将の位置にあり、馬謖は主将たるために、自分の言も聞かれなかったのであります」

軍法裁判である。王平としては身の大事でもあったから、馬謖を庇っていられなかった。なお忌憚なく述べ立てた。

「初め、現地に赴くと、馬謖は何と思ったか、山上に陣を取るというので、それがしは、極力、その非を主張し、ついに彼の怒りにふれてしまい、やむなくそれがしの軍のみ、山麓の西十里に踏みとどまりました。けれどひとたび魏の勢が雲霞のごとく攻め来

ったときは、五千の小勢は、到底、その抗戦に当り得ず、山上の本軍も、水を断たれて、まったく士気を失い、続々、蜀を脱して魏の降人に出る者があとを絶たない有様となりました。……まことに、街亭は全作戦地域の急所でした。一たんここの防ぎが破れだすと、魏延、高翔、その他の援けも、ほとんど、どうすることもできません。——以後の惨澹たる情況はなお諸将よりお訊き願わしゅうぞんじます。それがしとしては唯、その初めより終りまで、丞相のお旨をあやまらず、また最善の注意を以て事に当ったつもりで、そのことだけは、誓って、天地に辱じるものではございません」

「よし。退がれ」

口書を取って、さらに、孔明は魏延や高翔を呼出して、一応の調べをとげ、最後に、

「馬謖をこれへ」

と、更に命じて、連れてこさせた。

馬謖は、帳前に畏まった。見るからに打ちしおれている姿である。

「……馬謖」

「はい」

「汝は、いとけなき頃より兵書を読んで、才秀で、よく戦策を暗誦じ、儂もまた、教うるに咨かでなかった。しかるに、このたび街亭の守りは、儂が丁寧にその大綱を授けつかわしたにもかかわらず、ついに取り返しのつかぬ大過を犯したのはいかなるわけか」

「……はい」

「はい、ではないっ。あれほど、街亭はこれわが軍の喉にもあたる所ぞ、一期の命にかけても重任を慎しみ守れと、口のすっぱくなるばかり門出にもいい与えておいたではないか」

「面目次第もありませんっ」

「咄。乳臭児。──汝もはやもう少しは成人していたかと思っていたが、案外なるわけ者であった」

憮然として痛嘆する孔明の呟きを聞くと、馬謖は日頃の馴れた心を勃然と呼び起して、その面にかっと血の色をみなぎらして叫んだ。

「王平は、何と申し立てたか知りませんが、あれ程な魏の大兵力が来たんでは、誰が当ってもとても防ぐことは難しいでしょう」

「だまれ」

睨めつけて、

「その王平の戦いぶりと、汝の敗北とは、問題にならない程ちがう。彼は、麓に小塞を築いて、すでに蜀軍が総崩れとなっても、小隊の隊伍を以て、整々とみだれず、よく進退していたため、敵も一時は彼に伏兵やある、なんらかの詭策やある、と疑って敢えて近づかなかった程だったという。──これは蜀全軍に対して後の掩護となっておる。

──それにひきかえ汝は備えの初めに、王平の諫めも用いず、我意を張って、山上に拠るの愚を敢えてしているではないか」

「そうです。けれど兵法にも……高キニ拠ッテ低キヲ視ルハ勢イスデニ破竹……とあり

ますから」

「ばかっ」

孔明は耳をふさぎたいような顔をしていった。

「＊生兵法。まさに汝のためにあることばだ。今は何をかいわん。――馬謖よ。おまえの

遺族は死後も孔明がつつがなく養ってとらせるであろう。……汝は。汝は。……死刑に

処す」

いい渡すと、孔明は、面をそむけて、武士たちの溜りへ向い、

「すみやかに、軍法を正せ。この者を曳き出して、＊轅門の外において斬れ」

と、命じた。

　　　　三

馬謖は声を放って哭いた。

「丞相、丞相。私が悪うございました。もし私をお斬りになることが、大義を正すこと

になるならば、謖は死すともお恨みはいたしません」

死をいい渡されてから、彼は善性をあらわした。それを聞くと孔明も涙を垂れずには

いられなかった。

仮借なき武士たちは、ひとたび命をうくるや、馬謖を拉して轅門の外へ引っ立てたち

まちこれを斬罪に処そうとした。

「待て。しばし猶予せい」

これは折ふし外から来合せた成都の使い、蔣琬の声だった。彼はちょうどこの場へ来合せ、倉皇、営中へ入って、すぐ孔明を諫めた。

「閣下、この天下多事の際、なぜ馬謖のような有能の士をお斬りになるのか。国家の損失ではありませんか」

「おお、蔣琬か、君のごとき人物がそんな事を予に質問するのこそ心得ぬ。孫子もいった。──勝チヲ天下ニ制スルモノハ法ヲ用ウルコト明ラカナルニ依ル──と。四海わかれ争い、人と人との道みな紊るるとき、法をすて、何をか世を正し得べき……ふかく思い給え、ふかく」

「でも、馬謖は惜しい、実に惜しいものだ。……そうお思いになりませんか」

「その私情こそ尤なる罪であって、馬謖の犯した罪はむしろそれより軽い。けれど、惜しむべきほどな者なればこそ、なお断じて斬らなければならぬ。……まだ斬らんのか。何をしておる。早く、首をみせよ」

孔明は、侍臣を走らして、さらに催促させた。──と、間もなく、変り果てた馬謖の首となってそこへ供えられた。ひと目見ると、孔明は、

「ゆるせ、罪は、予の不明にあるものを」

と、面を袖におおうて、床に哭き伏した。

すがたが、首となってそこへ供えられた。ひと目見ると、孔明は、

とき蜀の建興六年夏五月。若き馬謖はまだ三十九であったという。

首はただちに、陣々に梟示され、また、軍律の一文が掲げられた。

その後、糸をもって、胴に縫いつけ、棺にそなえて、あつく葬られた。かつ、その遺族は、長く孔明の保護によって、不自由なき生活を約されたが、孔明の心は、決して、慰められなかった。

——罪、我にあり。

孔明の自責は、みずから刃を身に加えたいほどだった。しかし蜀の危急はさし迫っている。なおかつ先帝の遺託もある。彼は身の重責を思うと死ぬにも死ねない思いを新たに持つ。そして遂に、こういう形をとるほかなかった。

成都へ帰る蔣琬に託して、彼は一文を表して、蜀帝に奏した。

それは全章、慚愧にあることをいうべきものだった。このたびの大敗が、帰するところまったく自己の不明にあることを深く詫び、国家の兵を多大に損じた罪を謝して、

（——臣亮は三軍の最高に在りますために、たれも臣の罪は罰するものがありません。故に、自分みずから臣職の位を三等貶して、丞相の職称は宮中へお返し申しあげたいとぞんじます。ねがわくはしばし亮の寸命だけはおゆるしおき希います）

という意味のものだった。

帝は大敗の報に非常に胸をいためておられたところであるが、孔明の表を読むやなお心を悩まされ、勅使を派して、

「丞相は国の大老である。一失ありとて、何で官位を貶（おと）してよいものぞ。どうか旧の職（もと）にとどまってさらに、士気を養い、国を治めよ」

と、伝えさせたが、

「すでに、馬謖（ばしょく）を斬って、法の尊厳をあきらかにしたものを、私みずからそれを曖昧（あいまい）にするようなことでは、到底、このさきの軍紀を正し、蜀の国政にあずかることもできません」

孔明はそう拝答するのみで、どうしても旧職に復さなかった。

やむなく朝廷でも、ついに彼の希（ねが）いを容れ、同時に丞相の称を廃して、

「以後は、右将軍（うしょうぐん）として、兵を総督せよ」

と、任命した。

孔明はつつしんで拝受した。

四

いかなる強国でも、大きな一敗をうけると、その後は当然、士気も衰え、民心を銷沈（しょうちん）するのが常である。

しかし蜀の民は気を落さなかった。士気もまた、

「見ろ、この次は」

と、かえって烈々たる敵愾心（てきがいしん）を燃えあがらせた。

孔明が涙をふるって馬謖を斬ったことは、彼の一死を、万世に活かした。

（――時ニ三十万ノ兵、コレヲ聞イテミナ垂泣ス）と「襄陽記」の内にも見える。

そのため、敗軍の常とされている軍令紀律の怠りは厳正にひきしめられ、また孔明自身が官位を貶して、ふかく自己の責任をおそれている態度も、全軍の将士の心に、

「総帥の咎は、全兵の咎だ。わが諸葛亮ひとりに罪を帰してはおけない。今に見ろ」

という敵愾心をいよいよ深めた。

馬謖の死は、犬死でない、と共に、孔明はなお善行を顕賞した。さきには老将軍の趙雲をねぎらったが、王平が街亭の戦に、軍令に忠実であった点を賞して、彼を新たに参軍へ昇進させた。

勅令をおびて漢中に来ていた費褘が、ある時、彼をなぐさめる気でいった。

「西城の多くの百姓が、閣下を慕って、漢中へ移ってきたと聞いて、蜀中の百姓はみなよろこんでおりますよ」

孔明は、苦々しそうに、つぶやいた。

「普天の下、漢土でないところはない。あなたの言は、国家の威力がなお足らないことをいっているのと同じだ」

「姜維という大将を獲られたそうではありませんか。帝にもたいへんおよろこびでした」

「お追従は止して下さい。ひとりの姜維を得たとて、街亭の大敗は補えません。いわん

や失った蜀兵をや。詬いは軍中の禁物です」

はたから見ると、度が過ぎると思われる程、

また、ある人が、孔明にこういったこともある。

「神算ある閣下のこと、再び兵を出して魏に返報をすることはもうお胸にあるでしょう」

「いや、そうもいかん」

孔明はかぶりを振った。

「そもそも、智謀ばかりでは戦に勝てない。また、先頃の大戦では、蜀は魏よりも兵力は多かったが、負けてしまった。量るに、智でもなく数でもない」

彼はそこで恥をふさぎ、しずかな呼吸を幾つか数えてから次のような言をもらした。

「大兵を要しない。むしろ将兵の数を簡にして練磨を尊ぼう。また軍紀が第一だ。……諸子以上のことを鉄心一体に持てば、いつか今日の辱をぬぐえるであろう」

それが忠誠である。

漢中の軍民は、伝え聞いて皆、孔明とともに自己を責めた。そして練武研心、後図を抱いて、毎日、魏の空を睨まえない日はなかった。

もちろん孔明その人も、捲土重来をふかく期していたのである。彼は、そのまま漢中にとどまった。そして汲々として明日のそなえに心魂を傾けた。

（――民ミナ敗ヲ忘レテ励ム）

髪を捧ぐ

当時、蜀の国情と士気とは、まさにこの語のとおりであった。真の敗れは、その国の内より敗れたときである。たとい一敗を外にうけても、敗れを忘れて、より強く結束した蜀国家には、なお赫々たる生命があった。

一

街亭の大捷は、魏の強大をいよいよ誇らしめた。魏の国内では、その頃戦捷気分に拍車をかけて、

「この際、蜀へ攻め入って、禍根を断て」

という輿論さえ興ったほどである。司馬懿仲達は、帝がそれにうごかされんことをおそれて、

「蜀に孔明あり、剣閣の難所あり、決してさような妄論にお耳をかし給わぬように」

と、常に軽挙を押えていた。

しかし、彼はただ安愉を求めているのではない。さきに孔明は街亭へ出て失敗してい

から、次にはかならず陳倉道へ出てくるであろうと予想した。で、帝にすすめて、不落の一城をその道に築き、雑覇将軍郝昭に守備を命じた。その士卒もみな強く、赴くに先だって、鎮西将軍の印綬を拝し、

郝昭は太原の人、忠心凛々たる武人の典型である。

「不肖、陳倉を守りおる以上は、長安も洛陽も高きに在って洪水をご覧ぜられる如く、お心のどかにおわしませ」と、闕下に誓って出発した。

蜀境の国防方針がひとまず定まったと思うと、呉に面している揚州の司馬大都督曹休から上表があって、

（呉の鄱陽の太守周魴は、かねてから魏の臣に列したい望みをもらしていたが、今、密使をもって、七ヵ条の利害を挙げ、呉をやぶる計を自分の手許まで送ってきた。右、ご一閲を仰ぐ）

と、奏達してきた。

これは朝議に付せられて、

「果たして、周魴の言が、真実かどうか」が、入念に検討された。司馬懿は、意見を求められると、

「周魴は呉でも智ある良将だから詐りの内通ではないかとも思われる。しかしまたこれが真実だったら、この時節もまた捨て難い。──故に、大軍をもって三道にわかち、たとえ彼に詐りがあるとも決して敗れぬ態勢をもって臨むならば、兵を派してもさしつか

えはないし、事実に当った上で、さらに、如何ような策も取れましょう」と、いった。

皖城、東関、江陵の三道へ向って、洛陽の軍隊が続々と南下して行ったのは、それか

ら約一ヵ月後だった。

この動きは、すぐ呉に漏れていた。呉ではむしろ期して待っていたような観すらあ

る。

すなわち呉の建業もまた活潑なる軍事的のうごきを示し、輔国大将軍平北都元帥に封

ぜられた陸遜は、呉郡の朱桓、銭塘の全琮を左右の都督となし、江南八十一州の精兵を

擁して、三道三手にわかれて北上した。

途中、朱桓が、思うところを、陸遜にのべた。

「曹休は魏朝廷の一門で、いわば金枝玉葉のひとりであるため揚州に鎮守していました

が、門地と天質とは別もので、必ずしも彼は智勇兼備ではありません。――聞く所によ

ればすでに彼はわが周魴の反間に計られて、もうその進退を制せられている形勢とか。

……さすれば彼が逃げ道はおよそ二条しかありません。一は、夾石道、二は桂車の路で

す。しかもその二路とも嶮隘で奇計を伏せて打つには絶好なところですから、もしお許

しを得るならばそれがしと全琮とで協力して、曹休を擒人にしてお目にかけます。――

それさえ成就すれば、寿春城を取ることも、手に唾して一気に遂げることができま

しょう」

陸遜はよく聞いていた。

けれど、答えたことばは、

「まあ待て、ほかに思案がないことでもないからな」

であった。

そして彼は、諸葛瑾の一軍をもって、べつに江陵地方へ下って来た司馬懿仲達の兵を防がせた。

序戦——焦眉の危急はまず呉の周魴にあざむかれている、魏の都督曹休の位置にあるものと観られた。

二

曹休とてそう迂濶に敵の謀略にかかるわけはない。周魴は長い間にわたって、根気よく彼を信じさせたのであった。

で、周魴の反謀に応じて、魏の大軍が南下することも中央で決定を見たので、彼もまた大軍をひきい、皖城へ来て、周魴と会見した。

そのとき彼は、なおわずかな疑いも一掃しておきたい気持から、周魴にこう念を押した。

「貴公から呈出した七ヵ条の計は、中央でも容れることになって、わが魏の大軍が三路から南下することになったが、よもや君の献言に間違いはあるまいな」

「もしお疑いならば、人質でもなんでもお求め下さい」

「いや、疑うわけじゃないが、なににせよ問題は大きいからな。これがうまく図にあたって、呉を打破ることができたら君の功労は一躍、魏で重きをなすだろう。同時に、かくいう曹休も名誉にあずかるわけだから」

「都督には、なおまだいささかのお疑いを抱かれておられるとみえる」

「それは察し給え。もし君の言に少しの嘘でもあったら、吾輩の立場はどうなると思う？」

「ごもっともです」

いったかと思うと、周魴はやにわに、小剣を抜いて、自分の 髻 をぶつりと切り落し、曹休の前にさし置いたまま、嗚咽を嚙んでうつ向いた。

曹休は仰天して、

「あっ、飛んでもないことをしたではないか。なんだ？　髪などを……」

「いや、てまえの気持では、みずから首を刎ね離し、一死をもって示したい程でありす。この忠胆、この誠心、天も照覧あれ。……髪を捧げてお誓い奉りまする」

周魴は、肩をふるわせて哭いた。曹休もつい眼を熱くしてしまった。

「申し訳ない。つい、つまらん戯言をなして、なんとも済まん。……どうか心を取り直してくれ」

彼はすっかり疑いをはらして、ともに酒宴にのぞみ、東関へ進出の打ち合わせなどして、自陣へもどった。

すると、友軍の建威将軍賈逵（かき）が訪ねてきて云った。

「どうもおかしい。髪を断って異心なきを示すなんていうのは、ちと眉唾（まゆつば）な心地がする。都督、うかつに出ないことですな」

「出るなとは？」

「彼が、先導となって、東関へ進もうというご予定でしょう」

「もちろんである」

「この辺にとどまって、もうすこし情勢をながめておいでになっては如何ですか」

曹休は皮肉の皺（わ）を小鼻の片一方によせて、嘲う如く、揶揄（やゆ）する如く、こういった。

「ふム。……その間に足下が東関へ出て功を挙げるか。それもよかろう」

次の日、曹休は、断乎、

「東関へ進むのだ」

と、諸将へ令して、続々、軍馬を押し出した。賈逵（かき）は、譴責（けんせき）をうけて、あとに残されてしまった。

周魴（しゅうほう）も、家中の兵をひきいて途上に出迎え、先に立って攻め口の案内を勤めた。

馬上で、曹休が訊ねた。

「彼方に見えだしてきた嶮（けわ）しそうな山はどこかね？」

「石亭であります」

「東関は」

「あれを越えると、測茫の果てに、かすかに指さすことができます。　お味方の大軍をあれに分配すれば、東関は手に唾して取ることができましょう」

曹休は満足な態を見せた。そして石亭の山上から要所に兵を配したが、二日の後、斥候の兵が、

「西南の麓あたりに、多少は分りませんが、呉の兵がいる様子です」

と、報らせてきた。

曹休は怪しんだ。　周魴のことばによれば、この辺には呉勢は一騎もいないと聞いていたからである。　ところが、また一報があった。

「昨夜、夜のうちに、周魴以下数十人が皆、行方知れずになりました」

三

「なに、周魴が見えないと？」

曹休は大いに後悔して叫んだ。

「稀代な曲者め。　この曹休を偽くため、己の髪まで切って謀略の具に用いたか……ウム何の、たとい計るとて何ほどのことやあるべき。　張普、麓に見える呉兵どもを蹴ちらして来い」

すでに危地を覚りながら、彼はまだ事態の重大を正視していなかった。　張普もまた、命をうけるや否、

「多寡の知れたもの」という意気込みで、直ちに、一軍をひきいて駆け下った。

ところが、偵察の見てきたその呉軍というのは、予想以上、有力なものだった。しかも精鋭をもって鳴る呉の徐盛軍だったのである。

「いけません。所詮小勢では歯も立ちません」

張普は間もなく散々に打ち負けて引揚げてきた。

曹休の面色もその時からまるで日頃のものでなくなった。けれど彼はなお自軍の大兵力を恃んで、「われ奇兵を以て勝つべし」といい、「明日の辰の刻を期し、自身二千余騎でこの山を下って、わざと逃げ走るから、汝らは薛喬の部隊そのほかと三万余人で、石亭の南北にわかれ、山添いに埋伏しておれ。——徐盛を捕えんこと掌であろう」と、その準備をしていた。

ところが、明日ともいわず、その晩のうちに、呉軍のほうから積極的作戦に出てきたので、曹休の計は、それを行う前に、根本から齟齬を来してしまった。

要するに、曹休軍をここに引き入れたのは、呉の周魴が初めから陸遜と諜し合せていたことなので、呉はこの好餌を完全に捕捉殲滅し去るべく、疾くから圧倒的な兵力をもって包囲環を作りつつあったのである。

すなわち、陸遜は、

「魏軍の盲動近し」と覚るや、その前夜、兵を分配して、石亭のうしろへ廻し、南北の麓にも堅陣をつらね、自身采配を振って、その正面から攻め上る態をなしたのである。

それより少し前に、呉の朱桓は、石亭の裏山に攀じて、潜行していたが、折ふし魏の張普が附近の味方の伏兵を巡視して来るものと遭遇していた。

張普は初め、味方の兵と思っていたらしく、夜中でもあり真暗な山腹なので、

「どこの隊だ。大将は何者だ」

などと誰何していた。

「されば、この隊は、呉の精鋭、大将はかくいう朱桓だ」

と、暗闇まぎれに近寄って答えるやいな、朱桓は一剣のもとに、張普を斬ってしまった。

暗夜の奇襲戦は、この手から突然開始されたのであり、明日を待って行動を期していた魏本軍の混乱も同時に起った。

ために、曹休も防ぐ術なく、雪崩るる味方と共に、夾石道方面へ逃げ降った。

しかし呉の備えは、この方面にも充分だったので、いわゆるお誂え向きな戦態をもってこの好餌をおおい包み、敵の首打つこと無数、投降者約一万を獲た。

たまたま、重囲をのがれ得た魏兵も、馬、物の具を振り捨て素裸同様なすがたとなり、辛くも主将曹休につづいていた。そして後に、

「ふしぎにも命が助かった」と、慄然としたが、実にこの危地から彼を救った者は、さきに彼の忌諱にふれて、陣後に残された賈逵であった。曹休の前途を案ずる余り、賈逵が一軍をひきいて後より駆けつけ、石亭の北山に来合せたため、あやうくも曹休を救出

して帰ることができたのだ。

この一角に魏が大敗を招いたので、他の二方面にあった司馬懿軍も万寵軍も、甚だしく不利な戦態に入り、ついに三方とも引き退くのやむなきに至った。

陸遜は、多大な鹵獲品と、数万にのぼる降人をひきつれて、建業へ還った。孫権は自身宮門まで出て、

「このたびの功や大なり。呉の柱ともいうべきである」

と傘蓋を傾けてこれを迎え入れたという。

わが髪を切って謀計の功をあげた周魴も、

「汝の功は、長く竹帛に記さん」

と賞されて、のち一躍、関内侯に封ぜられた。

二次出師表

一

蜀呉の同盟はここしばらく何の変更も見せていない。

孔明が南蛮に遠征する以前、魏の曹丕が大船艦を建造して呉への侵寇を企てた以前において、かの鄧芝を使いとして、呉に修交を求め、呉も張蘊を答礼によこして、それを機会にむすばれた両国の唇歯の誼みは、いまなお持続されている。

これをもって観ると、

魏が、街亭に勝って、蜀を退けた後、また直ちに反転して、呉と戦わざるを得なくなった理由は、ただ単に、曹休の献言や呉の周魴の巧みな誘計によって軍をうごかしたものとはいえない。

もっと大きな原因は、蜀呉の盟約にある。

（魏が呉を侵すときは、蜀は直ちに、魏の背後を脅かさん。もしまた、魏と蜀とが相たたかう場合は、呉は魏の側面からこれを撃つの義務を持つ）

というその折の条文によって、祁山、街亭の戦いが開始されるや、呉は当然、どういう形をとっても、魏の側面へ向って軍事行動を起さなければならない立場にあったのである。

これに対して、魏もまた、充分なる警戒を払っていたにちがいない。そうした空気において、たまたま周魴の詭計が行われたので、それを口火として、時を移さず魏呉の戦端がひらかれたものと、正しくは観るべきものであろう。

だから曹休が敗れ去ると共に、呉軍の引揚げも早かった。さらになお、呉の孫権は、この戦果と、義務の完遂を、書簡

のうちに誇張して、成都へ使いを派し、蜀の劉禅にむかって、

「呉が、盟約を重んずることは、かくの如くである。貴国はなお安んじて、孔明をし
て、魏を攻めさせ給え。呉はつねに盟国の信義をもって、魏の諸境を脅かし、ついに彼
をして首尾両面の奔命に疲らせ、いかに魏が強大を誇るも敗るるほかなきまで撃ち叩く
であろう」

と、云い送った。

その後、魏の動静を見ていると、曹休は、石亭の大敗を、ふかく辱じ恐れて、洛陽へ
逃げもどっていたが、間もなく癰疽を病んで死んでしまった。

彼は国の元老であり帝族の一人である。曹叡は、勅して厚く葬らせた。すると、その
大葬を機として、呉の抑えとして、南の境にいた司馬懿仲達が取るものも取りあえず都
へ上って来た。諸大将はあやしんで、

「都督は何故にそんなに慌てて上洛されたのか」と、彼に問う者が多かった。

司馬懿は、それに答えて、

「お味方は、街亭に一勝はしたが、その代りに、呉に一敗をうけてしもうた、孔明はか
ならず、お味方のこの敗色をうかがって、ふたたび迅速な行動を起してくるにちがいな
い。――隴西の地、急なるとき、誰がよく孔明を防ぎますか。かくいう司馬懿のほか人
はないと思う。それ故にいそぎ上って参った」

聞く者は嗤った。

「彼は案外、卑怯だぞ。呉は強い、蜀は弱い。そう見ておるのだ。さきの一戦に味をしめて、呉には勝てんが、蜀になら勝てるつもりでおるのだろう」

しかしこういう毀誉褒貶を気にかける司馬懿でもない。彼は彼として深く信ずるものあるが如く、折々、悠々と朝に上り、また洛内に自適していた。

ときに孔明もまた、以来漢中にあって軍の再編制を遂げ、その装備軍糧なども、まず計画どおり進んだのでおもむろに魏の間隙をうかがっていた。

呉の大捷を伝えて、成都から三軍へ酒を賜った。孔明は、一夜盛宴を張って、恩賜を披露し、あわせて将士の忍苦精励をなぐさめた。

すると、宴たけなわの頃、一陣の風がふいて、庭上の老松の枝が折れた。孔明はふと眉を曇らせたが、なお将士の歓を興醒めさせまいと、何気ない態で杯をかさねている

と、侍中の一士が、

「ただ今、趙雲の子趙統と趙広が、二人して参りましたが、これへ召しましょうか」

と、取り次いできた。

聞くと、孔明は、はっとした顔色をして、

「ああ、いけない。趙雲の子が訪ねきたか、……老松の梢はついに折れたそうな」

と、嗟嘆しながら、手の盃を床に投げてしまった。

二

彼の予感はあたっていた。

果たして、やがてそこへ導かれて来た趙雲の二人の子は、

「昨夜、父が亡くなりました」

と、父趙雲子龍の病歿を報せにきたのであった。

孔明は耳をそばだてて惜しんだ。

「趙雲は、先帝以来の功臣、蜀の棟梁たる者であった。大きくは国家の損失であるし、

小さくは、わが片臂を落されたようなここちがする」

彼は、潸然と涙した。

直ちに、この悲しみは、成都へも報じられた。

当陽の乱軍中に、趙雲の腕に救われなかったら、朕が今日のいのちはなかったものであ

る。悲しいかな、いまその人は逝く」

勅して、順平侯と諡し、成都郊外の錦屏山に、国葬をもって厚く祭らしめた。ま

た、その遺子趙統を、虎賁中郎に封じ、弟の趙広を、牙門の将に任じて、父の墳を守ら

せた。

ときに、近臣は奏して、

「漢中の諸葛亮から、ただ今、楊儀が使いとして、到着いたしました」

という趣を上聞に達した。

楊儀は闕下に伏して、うやうやしく孔明の一書を捧呈した。これなん孔明がふたたび悲壮なる第二次北伐の決意を披瀝したいわゆる「後出師表」であった。

帝は、御案の上にひらいた。

表にいう。

（——漢と賊とは両立しない。王業はまた偏安すべきものでない。これを討たざるは、座して亡ぶを待つにひとしい。坐して亡びんよりは、むしろ出でて討つべきである。そのいずれがよいかなど、議論の余地はない）

孔明は表の冒頭にまずこう大正案を下していた。彼の抱持する理想とその主戦論にたいし、いまなお、成都の文官中には、消極論がまま出るからであった。

しかし彼は筆をすすめて、

（この業たるや、けだし一朝一夕に成るものでなく、魏を撃滅することの困難と百忍を要することはいうまでもない）

と、慎重にしてかつ悲調なる語気をもって、魏の強大な戦力と、蜀の不利な地勢弱点を正論し、なお今日、自己が漢中にとどまって、戦衣を解かないでいる理由を六ヵ条にわけて記し、不撓不屈、ただ先帝の遺託にこたえ奉るの一心と国あるのみの赤心を吐露し、その末尾の一章には、

今、民窮シ、兵疲ルルモ、事熄ムベカラズ、僅ニ二州ノ地ヲ以テ、吾レニ十倍ノ

賊ト持久セントス。コレ臣ガマダ解カザルノ（戦袍ノ意）一也。臣、タダ鞠躬尽力、死シテ後已マンノミ。成敗利鈍ニイタリテハ、臣ガ明ノヨク及ブトコロニ非ザル也。謹ンデ表ヲタテマツッテ聖断ヲ仰グ。

建興六年冬十一月

と悲壮極まることばが読まれた。

先頃。

魏はおびただしい軍隊を呉の境に派して、しかも戦い利あらず、のち曹休も歿し、以後、魏の関中にはかつての如き勢いなくまた戦気も見えず、西域の守りも自然脆弱たるをまぬがれまい——と見て孔明が、この再挙の機をとらえて、表を上せてきたものであることは、すでに言外にあふれている。

もとより帝はこれをゆるした。

楊儀は直ちに漢中へ急ぎ帰った。

詔を拝すと、孔明は、

「いざ、征かん」

約半歳余の慎重な再備と軍紀に結集された蜀の士馬三十万を直ちに起して、陳倉道へ向って進発した。

この年、孔明四十八歳。——時は沍寒の真冬、天下に聞ゆる陳倉道（沔県の東北二十里）の峻と、四山の峨々は、万丈の白雪につつまれ、眉も息も凍てつき、馬の手綱も氷

の棒になるような寒さであった。

三

魏の境界にある常備隊は、漢中のうごきを見るや、大いに愕ろいて、

「孔明ふたたび侵寇す。蜀の大軍無慮数十万。いそぎ防戦のお手配あれ」

と、この由を、都洛陽へ伝令した。

洛陽の空気もこのところ決して楽観的なものでなかった。呉からうけた一敗の打撃は
たしかにこたえている。蜀に全力を傾けんか、呉のうかがうものあらんことが思われ、
呉へ向わんか、蜀のうごきが見遁しがたい。そういう精神的な両面戦への気づかいに加
えて、先頃の曹休が招いた大敗とは、すくなからずその自信を失墜させていた。

「――果たして、孔明はまた襲ってきた。長安の一線を堅守して、国防の完きを保つに
はそも、たれを大将としたらよいか」

魏帝曹叡は、群臣をあつめて問うた。席には、大将軍曹真もいた。曹真は面目なげに
こういった。

「臣、さきに隴西に派せられ、祁山において孔明と対陣し、功すくなく、罪は大でし
た。ひそかに慙愧して、いまだ忠を擴ぶることができないのを辱かしく思っておりま
す。ところが、近ごろ一人のたのもしき大将を得ました。彼はよく六十斤にあまる大刀
を使い、千里の征馬に乗ってもなお鉄胎の強弓をひき、身には二箇の流星鎚を秘し持っ

て、一放すればいかなる豪敵も倒し、百たび発して百たびはずすことがありません。
——ねがわくはこの者こそ、このたびは臣の先鋒にお命じ賜わらんことを」

善智の材、猛勇の質を求めること、今ほど急なるときはない。魏帝は勅してすぐその者を呼ばせた。殿上に一怪雄があらわれた。身の丈七尺、眼は黄、面は黒く、腰は熊のごとく背中は虎に似ている。しかもそれに盛装環帯して、傲岸世に人なきが如き大風貌をしている。

「おお、偉なり偉なり」
と曹叡は歓び眺めて、
「彼の産はどこか」
と曹真へたずねた。曹真は、わがことのように誇って、
「王双、直答申しあげよ」
と、促した。

王双は伏して奉答した。
「隴西狄道の生れ、王双、あざなは子全と申す者であります」
「すでにこの猛将を得、全軍の吉兆といわずしてなんぞ、蜀軍来るも、また患はない」
魏帝は、即座に、彼を前部大先鋒に任じ、また虎威将軍の号を以てその職に封じた。
さらに、また、
「これは汝の偉軀に似合うであろう」

と、鮮やかな錦の戦袍と黄金の鎧とを、王双に賜わった。

そして、曹真になお、

「辱じて辱に怯むな。ふたたび大都督として戦場に征き、さきの戦訓を生かして、孔明をやぶれ」

と、前のとおり総司令官たるの印綬をさずけた。

曹真は、恩を謝して、洛陽の兵十五万をひきつれ、長安へ行って、郭淮や張郃らの軍勢と合した。そして前線諸所の要害に配し、防戦のそなえを万端とととのえ終った。

すでに漢中を発した蜀軍は、陳倉道を進んでくるうちに、ここの隘路と三方の嶮を負って、

（通れるものなら通ってみよ）

といわんばかりに要害を構えている一城にぶつかっていた。これなん先に魏が孔明の再征を見越して、早くも築いておいた陳倉の城で、そこを守る者も、忠胆鉄心の良将、かの郝昭なのであった。

「この大雪。この嶮路。加うるに魏の郝昭が要害に籠っていては、とても往来はなりますまい。如かず、道をかえて、太白嶺の鳥道をこえ、祁山へ打って出てはいかがでしょう」

蜀の諸将は孔明にいった。

孔明は容れない。

「この一城をだに攻め陥せないようなことでは、祁山へ出た所で、魏の大軍には剋てまい。陳倉道の北は街亭にあたる。この城を落して、味方の足溜りとなせ」

すなわち魏延に攻撃の命を下し、連日これを攻めさせたが、城はゆるぎもしなかった。

四

ときに陣中に勤祥という者があった。その勤祥は、城方の守将、郝昭とは、もともと同郷の友であったと、自ら名乗り出て、孔明に献言した。

「ひとつ私を、城下まで出して下さい。郝昭とは、ずいぶん親しかった間がらでしたが、自分が西川に流落して以来、つい無沙汰のままに過ぎていました。懇々、利害を説いて、彼に降伏するように勧めてみます」

孔明は、望むところと、その乞いをゆるした。

勤祥は、城門の下へ行って、

「友人の勤祥である。久しぶりに郝昭に会いたくてやって来た」

と城中へ申し入れた。

郝昭は、櫓から一見して後、昔の友と見さだめると、門を開いて、なつかしげに迎え入れた。

「ずいぶん久しかったなあ」

「足下も達者で何よりだ」

「ときに君は、いったい何しにやって来たのかね？」

「ぜひ、足下に、ひき会わせたい人があるからだ」

「ほう。誰を」

「もちろん、それはわが諸葛孔明だがね」

聞くと共に郝昭は、勃然と色を変じて、

「帰ってくれ給え。帰れ」

「足下は何を怒るのか」

「我は魏に仕え、君は蜀に仕えておる。その語をあらわすなら、友として会うことはできない」

「いや、友なればこそ、こうして足下のために来たのじゃないか。一体、足下は、この城中に何千の兵を擁して、不落を誇っているのか、そしてわが蜀軍が何十万あるか、足下はその眼で見ないのか。勝敗はすでに知れておる。可惜、足下ほどな英質を持って」

「だまれっ」

郝昭はやにわに席を突っ立ち、城門のほうを指さした。

「帰り給え。足もとの明るいうちに」

「いや、このままでは帰らん。それがしも、この友情と、味方の嘱をうけて来たものだ」

「よろしい。——おいっ、誰か来い」

郝昭は、部下の将を呼んで、眼の前で命じた。

「お客様を馬の背に縛りつけてあげろ」

「はっ」

部将は、馬をひいて来て、有無をいわせず、郝昭自身、槍の柄でその馬の尻をなぐった。

馬は城外へ向ってすっ飛んで行った。勤祥はありのままを孔明に復命し、そして、城門を開けさせると、

「いやどうも、むかしながら義の固い男です」

と、懲々したように云った。

しかし孔明は、もう一度行ってさらに利害を説けと命じた。郝昭の人物が惜しまれていたのである。勤祥は、甲衣馬装を飾って、今度は堂々と城の壕ぎわに立った。

「郝伯道やある。ふたたび、われの忠言を聞け」

こう城へ向っていうと、やがて郝昭は、櫓の上に姿をあらわして、

「孺子。何の用やある」と、いった。

勤祥は、また説いた。

「量るに、この一孤城、いかんぞ蜀の大軍の大軍を防ぎ得べき。わが丞相は、足下の英才を惜しんでやまぬゆえに、ふたたびそれがしをこれへ差向けられたものだ。この機を逸せず、門を開いて、蜀に降り、また、この勤祥とも、長く交友の楽しみを保て」

「いうをやめよ。汝とそれがしとは、なるほど、かつては相識の友であったが、弓矢の

道では、知り合いでもない。いったん魏の印綬をうけ、たとえ一百の寡兵なりと、この身を信じて預け賜ったからには、その信に答うる義のなかるべきや。われは武門、汝は匹夫。いま一矢を汝に与えぬのも、武士のなさけだ。戦の邪魔、疾く疾く失せよ」

姿を櫓の上からかくすと、忽ちおびただしい矢弾が空に唸った。勤祥はぜひなく立ち戻って、

「私の手にはおえません」

と、ついに孔明の前で匙を投げてしまった。孔明は、一言に決した。

「よし、この上は、自身指揮して踏みやぶるまでのことだ」

二度祁山に出づ

一

漢中滞陣の一ヵ年のうちに、孔明は軍の機構からその整備や兵器にまで、大改善を加えていた。

たとえば突撃や速度の必要には、散騎隊武騎隊を新たに編制して、馬に練達した将校

をその部に配属し、また従来、弩弓手（どきゆうしゆ）として位置も活用も低かったものを、新たに孔明が発明した偉力ある新武器を加えて、独立した一部隊をつくり、この部将を「連弩士（れんどし）」とよんだ。

連弩というのは、まったく彼が発明した新鋭器で、鉄箭（てつせん）八寸ほどの短い矢が、一弩を放つと、十矢ずつ飛ぶのである。

また大連弩は、飛槍弦（そうげん）ともいい、これは一槍よく鉄甲も透し、五人掛りで弦（つる）を引いて放つ。べつに、石弾を撃つ石弩（せきど）もある。

輜重（しちよう）には、木牛流馬と称する、特殊な運輸車が考案され、兵の鉄帽（鉄かぶと）から鎧（よろい）にいたるまで改良された。

そのほか、孔明の智嚢（ちのう）から出たと後世に伝わっている武器は数かぎりなくあるが、何よりも大きなものは、彼によってなされた兵学の進歩である。八陣の法そのほか、従来の孫呉や六韜（りくとう）にも著しい新味が顕わされ、それは後代の戦争様相にも劃期的な変革をもたらした。

ところで。

郝昭（かくしよう）のこもった陳倉（ちんそう）の小城は、わずか三、四千の寡兵（かへい）をもって、その装備ある蜀の大軍に囲まれたのであるから、苦戦なことはいうまでもない。

にもかかわらず、容易に抜かせなかったのは、実に、主将郝昭の惑いなき義胆忠魂の働きであり、また名将の下に弱卒なしの城兵三千が、一心一体よくこれを防ぎ得たもの

というほかない。

「――かくて魏の援軍が来ては一大事である」

孔明はついに自身陣頭に出て、苛烈なる総攻撃を開始した。

雲梯衝車の新兵器まで押し出して用いた。雲梯――雲の梯――とは、高さあくまで高い梯子櫓である。

櫓の上は、楯をもって囲み、その上から城壁の中を見おろして、連弩石弩を撃ちこみ、敵怯むとみれば、その上からまた、べつの短い梯子を無数に張り出して、ちょうど宙に橋を架けるような形を作り、兵は、猿の如く渡って、城中へ突入してゆく。――そういう器械であった。

また、衝車というのは、それを自由に押す車である。この車にはまた、起重機のような鈎がついている。台上の歯車を兵が三人掛りで廻すと、綱によって、地上の何でも雲梯の上に運び得る仕掛になっていた。

これが何百台となく、城壁の四方から迫ってきたのを見て、郝昭は立ちどころに、火箭を備えて待っていた。

そして、鼓を合図に、たちまち火箭を放ち、油の壺を、投げ始めた。

そのため、雲梯も衝車も、ことごとく、焔の柱となってしまい、蜀兵の焼け死ぬこと酸鼻を極めた。

「この上は、壕を埋めろ」

孔明は、下知して、土を掘らせ、昼夜わかたず、壕埋めにかからせた。

すると、城兵もまた、その方面の城壁を、いやが上にも高く築いた。

「さらば、地の底から」

地下道を掘鑿させて、地底から城中へ入ろうとすると、郝昭もまた、それを覚って、城中から坑道を作り、その坑を横に長く掘って、それへ水を流し入れた。

さしもの孔明も攻めあぐねた。およそ彼がこれほど頭を悩ました城攻めは前後にない。

「すでに二十日になる」

攻めこじれた城をながめ、われながらこう嘆声を発しているところへ、前方から早馬で急報してきた。

「魏の先鋒王双の旗が近づきつつあります」

孔明は、足ずりした。

「早くも、敵の援軍が来たか。——謝雄。謝雄。汝行け」

副将には、龔起をえらび、各三千騎を附して、にわかに、それへ差し向けると共に、

孔明は、城兵の突出をおそれて、陣を二十里外へ退いた。

二

ひとまず陣容をあらためて、自重していると孔明の危惧は、果たしてあたっていた。

——以後、刻々来る報は、ことごとく、事態の悪化を伝えるものでないものはない。

そのうちに、さきに出向いた蜀勢はさんざんな姿となって逃げ帰ってきた。——そして、各〻、声もただならず伝えることには、

「わが大将謝雄も、敵の王双に斬って落され、二陣に続いて行ったわが襲起将軍も、王双のために一刀両断にされました。——魏の王双は抜群で、とても当り得る者はありません」

孔明は大いに驚いて、

「猶予はならず、彼の軍と城中の兵力との聯絡がならば、わが大事は去らん」

と、廖化、王平、張嶷に命じて、さらに新手の軍勢をさし向けた。

その間にも、陳倉の一城を救うべく、大挙急いできた魏の援軍は、猛勇王双を先鋒として、折から真冬の猛寒も、悪路山嶮ものかは、昼夜、道をいそいで、刻々急行軍を続けつつあった。

それを通さじと、防ぎに馳せ向った蜀軍は、第一回にまず撃攘をうけ、第二回に衝突した廖化、王平などの軍勢も、ほとんど怒濤の前に手をもって戸を立て並べるが如き脆さでしかなかった。

乱軍中、またしても、蜀将張嶷は、魏の王双に追いかけられ、彼が誇るところの重さ六十斤という大刀を頭上に見——あやうく逃げんとした背中へ、たちまち、流星鎚を叩きつけられたのである。

流星鎚というのは、重い鉄丸を鎖につけた一種の分銅なのだった。王双はこれを肌身に数個持っていて、ここぞと思うとき、突然、敵に投げつけるのだった。

王平、廖化は、張嶷の身を救い出して退却したが、張嶷は血を吐いて、生命のほども

どうかと危ぶまれる容態だった。

こうした有様なので、蜀軍はとみに振わず、魏軍は勢いに乗ることいよいよ甚だしい。

前進、前進、王双軍二万の先鋒は、当るものなき勢いで、すでに陳倉城に近づき、のろしを揚げて城中の者へ、

（――援軍着いたぞ）

と、連絡の合図を遂げ、蜀兵を一掃して、城外一帯に布陣を終った。

その態を見るに――

蜿蜒、大小の車を連ね、上に材木を積み、柵を結び、また塹壕をめぐらし、その堅固なこと、比類もない。

これを眺めては孔明も、手を下す術もなかったろう。いわゆる百計窮まるの日を幾日か空しく過ごした。

「丞相、ちとお気をお晴らし遊ばしませ、余りに拘泥するはよくありません」

「おお姜維か、何の感やあって、その言をなすのか」

「それがしの思うに、かかるときは、むしろ『離』ということが大事ではないかと考え

られます。ご執着から離れることです。この大軍を擁しつつ空しく陳倉の一城に拘泥して心まで囚わるるこそ、まんまと敵の思うつぼに落ちているものではございますまいか」

「そうか、おお、離こそ――離こそ――大事だった」

姜維の一言に孔明も大いに悟るところがあった。一転、彼は方針をかえた。

すなわち、陳倉の谷には、魏延の一軍をとどめて、対峙の堅陣を張らせ、また、近き街亭方面の要路には、王平と李恢に命じて、これを固く守らせておいて、孔明自身は、夜ひそかに陳倉を脱し、馬岱、関興、張苞などの大軍をつれて遠く山また山の間道を斜め谷を越え、祁山へ出て行ったのである。

一面。――魏の長安大本営では、大都督曹真が、王双からの捷報を聞いて、

「孔明もその第一歩からつまずくようでは、もう往年のような勢威もないとみゆる。戦の先は見えたぞ」と、歓ぶこと限りなく、営中勝ち色に満ちていた。

ところへ、先鋒の中護軍費耀から、祁山の谷あいで、一名のうろついている蜀兵を生捕ってきた。

曹真は、必定、敵の間諜であろうと、面前に引かせ、自身これを調べた。

すると、その蜀兵は、

「自分は決して、細作のものではありません。……実は」

とおずおず、左右の人々を見まわして、

「一大事をお告げしたいのですが、人のおるところでは申し兼ねまする。どうか、ご推

量くださいまし」と、平伏して云った。

乞いを容れて、曹真は左右の者をしりぞけた。蜀兵は、初めて、

「私は、姜維の従者です」

と、打ち明けて、懐中から一書を取りだした。

曹真がひらいてみると、まぎれなき姜維の文字だ。読み下すに、誤って、孔明の詭計に陥ち、世々魏の禄を喰みながら、いま蜀人のうちに在るも、その高恩と、天水郡にある郷里の老母とは、忘れんとしても忘るることができない――と言々句々、涙を以て綴ってある。

そして、終りには。

――しかし、待ちに待っていた時は今眼前に来ている。もし姜維の微心を憐れみ、この衷情を信じ賜るならば、別紙の計を用いて、蜀軍を討ちたまえ。自分は身をひるがえして、諸葛亮を擒人となし、これを貴陣へ献じておみせする。ただ願わくは、その功を以て、どうか再び魏に仕えることができるように、おとりなしを仰ぎたい。

――縷々と、陳べてあるほかに、内応の密計が、べつの一葉に、仔細に記してあったのである。

曹真はうごかされた。たとえ孔明までは捕えられないまでも、いま蜀軍を破って、あ

三

の姜維を味方に取り戻せば、一石二鳥の戦果である。

「よろしい。よく伝えよ」と、その使いをねぎらい、日を約して帰した。そのあとで彼は費耀を呼んで、姜維の計を示した。

「つまり魏から兵を進めて、蜀軍を攻め、詐り負けて逃げろと、彼はいうのだ。——そのとき姜維が蜀陣の中から火の手をあげるゆえ、それを合図に、攻め返し、挟み撃とうという策略。何と、またなき兵機ではないか」

「さあ。如何なものでしょう」

「なぜそちはよろこばんか」

「でも、孔明は智者です。姜維も隅におけない人物です。恐らくは詐術でしょう」

「そう疑ったら限りがない」

「ともあれ、都督ご自身、おうごきあることは、賛成できません。まず、それがしが一軍を以て試みましょう。もし功ある時は、その功は都督に帰し、咎めある時は、私が責めを負います」

費耀は、五万の兵をうけて、斜谷の道へ進発した。

峡谷で、蜀の哨兵に出会った。その逃げるを追って、なお進むと、やや有力な蜀勢が寄せ返してきた。一進一退。数日は小競り合いに過ぎた。

ところが、日の経つに従って水の浸むように、いつの間にか、蜀軍は増大していた。

反対に、魏軍は、敵の奇襲戦略に、昼夜、気をつかうので、全軍ようやく疲れかけてい

た。

するとその日、四峡の谷に、鼓角のひびき、旗の嵐が、忽然と吹き起って、一輛の四輪車が、金鎧鉄甲の騎馬武者にかこまれて突出してきた。

「すわや。孔明」と、魏はおそれ崩れた。

費耀は、はるかに、それを望んで、

「何で恐れることがある。彼にまみゆる日こそ待っていたのだ。やよ者ども」

と、左右の部将をかえりみて、

「一当て強く押して戦え。そして頃合いよく詐り逃げろ。その退くのはこちらの計略だ。やがて敵の後陣から、濛々と火の手があがるだろう。それを見たら、金鼓一声、猛然と引っ返して撃滅にかかれ。——敵の中には魏に応ずる者があるゆえ、わが勝利は疑いない」

云いふくめて、すぐ応戦にかかった。

費耀は馬をすすめて、孔明の四輪車にむかい、

「敗軍の将は兵を語らずというに、恥も知らず、これへ来たか」

と、罵った。

孔明は、車上、一眄を投げて、

「汝なにものぞ。曹真にこそいうべきことあり」

と、相手にもせぬ顔だった。

費耀は、怒り猛って、

「曹都督は、金枝玉葉、なんぞ恥知らずの汝ごときに出会おうか」

と、やり返した。

孔明は、羽扇をあげて、三面の山を呼んで、たちまち、馬岱、張嶷などの軍が、そこ

から雪崩れおりて来た。

魏勢は、早くも、予定の退却にかかった。

四

戦っては逃げ、戦うと見せては逃げ、魏勢は、うしろばかり振り向いていた。

いまに、蜀陣の後方から、火の手が揚るか、煙がのぼるかと。

費耀も馬上そればかり期待しながら、峡山のあいだを、約三十里ほども退却し続けて

いたが、そのうちに、蜀の後陣から、黒煙の立ち昇るのが見えた。

「しめた。すわや姜維が内応して、合図の火を放ったとみえるぞ」

鞍つぼ叩いて、費耀は馬上に躍り上がった。そして、一転、馬首を向け直すや否、

「それっ、取ってかえせ。引っ返して、蜀勢を挟撃しろ」

と、大号令した。

それまで追撃してきた蜀勢へ、急に、怒濤となって吠えかかった。

大将の予言が的中したので、魏の将士は、勇気百倍した。たちまち踵をめぐらして、

蜀勢は喰い止められた。いや魏兵の猛烈な反撃に遭って、形勢はまったく逆転した。

うしおのような声をあげて、われ先にと、逃げ始めたのである。

「孔明の車はどこへ失せたか」

と、費耀は剣をひっさげて、いよいよそれを急追した。このぶんでは馬の脚力次第

で、孔明の車に追いつき、その首を一刃に切って落すも至難でないと考えたのである。

「追えや、急げ、雑兵などに眼をくるるな」

五万の兵はまるで山海嘯（やまつなみ）の如く谷を縫って流れた。すでにして姜維（きょうい）が火をかけた山々

の火気が身近く感じられてきた。枯木生木を焼く猛烈な炎はバリバリと天地に鳴って、

四山の雪を解かし、それは濁流となって谷へそそいでくる。

――だが、敵は遂に、その影を絶って、どこへ隠れたか見えなくなった。行き当った

谷口は、岩石や巨材を積んで封鎖されている。

「はてな。第一、姜維の反軍はどう行動しているのだろう？」

ふとこう疑ったとき、突如、彼は身ぶるいに襲われた。――計られたかと、感じたか

らである。

けれど、すでに遅かった。大木、大石、油柴（ゆしば）、硝薬（しょうやく）などが、轟々（ごうごう）と、左右の山から降

ってきた。馬も砕け、人もつぶされ、阿鼻叫喚（あびきょうかん）がこだました。

「し、しまった。さては、敵の謀略」

費耀のおどろきは絵にも描けないほどである。先を争う味方の中を押し揉まれなが

ら、山間の細道を見つけて奔りこんだ。

すると、その谷ふところから、一彪の軍馬が、金鼓の響きも正しく駆け出して来た。

これなん彼の待っていた姜維である。費耀は、一目見るや、怒髪をついて、遠くから罵った。

「不忠不孝の賊子め、かつよくもわれをあざむいたな。思い知れよ、青二才」

姜維は満顔に、笑みを作りながら、はや近々馬を駆けよせて、

「誰かと思えば、費耀であったか。この腕に捻じ捕えたいと思っていたのは、曹真であったのに、鶴の罠に、鴉のかかる腹立たしさよ。戦うのも面倒なり、盔を脱いで、降参してしまえ」

「何を、忘恩の徒が」

喚きかかったが、到底、姜維の前に刃の立つわけもない。彼はふたたび、それから、汚く逃げ出した。

しかし、帰る道も、いつの間にかふさがっていた。山の上から沢山な車輛を投げおろし、それへ油や柴を投げ積んで、それへまた松明を抛ったので、その焔は山の高さほども燃え上がっているのである。

「残念」

費耀は立往生したが、空しく焼け死にはしなかった。その剣を頸に加えて、自ら首を刎ねたのだった。

「降伏するものはこれへすがれ」と、絶壁から幾筋もの助け綱が垂れていた。魏の兵は、われ先にと、その綱につかまったが、半数も助からなかった。

後、姜維は、孔明の前に出て謝した。

「この計は、私の案でしたが、どうも少しやり損ないました。かんじんな曹真を打ち洩らしましたから」

孔明はそれを評していった。

「そうだな。惜しむらくは、大計を用いすぎた。大計はよいが、それを少し用いて、大なる戦果を獲ることが、機略の妙味だが」

食

一

呉の境から退いて、司馬懿が洛陽に留っているのを、時の魏人は、この時勢に閑を偸むものなりと非難していたが、ここ数日にわたってまた、魏の先鋒の大将は幾人も戦死した）

（孔明がふたたび祁山に出てきた。ために、

という情報が、旋風のように聞えてくると、仲達への非難はぴったりやんでしまった。やはり司馬懿仲達は凡眼でないと、謂わず語らず、その先見にみな服したかたちであった。

どんな時にも、何かに対して、誹謗やあげつらいの目標を持たなければ淋しいような一種の知識人や門外政客が洛陽にもたくさんいる。それらの内からは今度は向きをかえて、

「いったい総兵都督はいるのか、いないのか。曹真は何をしているか」

という非難がごうごうと起ってきた。

曹真は魏の帝族である。それだけに叡帝は心を悩ました。帝は、司馬懿を召して、対策を下問した。

「怖るべきは蜀と呼ばんよりむしろ孔明そのものの存在である。どうしたらよいであろう」

「さほどご宸念には及ばないでしょう」

仲達はおっとり答えた。

「――自然に、蜀軍をして、退くのほかなからしめればよいのですから」

「そんな最上な方法があるだろうか」

「ございます。臣が量るに、孔明の軍勢は、およそ一ヵ月ぐらいな兵糧しか持たないに違いござりませぬ。なぜならば、季節は雪多く、道は山嶮です。故に、彼の望むところ

は速戦即決にありましょう。我のとる策は長期持久です。朝廷から使いを派して、総兵都督へその由を仰せつけられ、諸所の攻め口を固くして、めったに曹真が戦わないようにお命じあることが肝要です」

「いかにも。さっそくさような方針をとらせよ」

「山嶮の雪解ける頃ともなれば、蜀兵の糧も尽きて、いやでも総退却を開始しましょう。虚はそのときにあります。追撃を加えて大捷を獲ることまちがいござりませぬ」

「それほど卿に先見があるならば、なぜ卿みずから陣頭に出て計策をなさないのか」

「仲達はまだ洛陽に老いを養うほどな者でもありませんが、さりとてまた、生命を惜しんでいるわけでもござりませぬ。要は、呉のうごきがまだ見とおしをつきかねるからです」

「呉はなお変を計ろうか」

「もちろん、油断もすきもなりますまい。なぜならば、呉は呉に依ってうごくものに非ず、一に蜀の動静をにらみ合わせているものです」

以後、数日のあいだにも、曹真の軍から来る報告は、ことごとく魏に利のないことのみであった。そしてようやく曹真は、その自信まで失ってきたものの如く、

「とうてい、現状のままでは、守りにたえません。ひとえに、聖慮を仰ぐ」

と、暗に魏帝の出馬なり、司馬懿の援助を求めてきた。けれど仲達は、何か思うところあるらしく容易に起たない。そして魏帝にむかっては、

「このときこそ、総兵都督の頑張るべきときです。お使いをもって、丁寧にいましめられ、孔明の虚実にかかるな、深入りして重地に陥るなと、くれぐれも、持久をおとらせなさるように」

と、献言ばかりしていた。

そうした仲達の態度には、自分が総都督たるならば大いに格別、さもなくては働けないとしているような腹蔵があるのではないかと考えられるふしもある。何しても孔明の正面に立った曹真の苦戦は思いやられるものがある。

朝廷では、韓暨を使いとして、曹真にそれらの方針を伝えさせることになった。すると司馬仲達はその韓暨をわざわざ洛外の城下はずれまで見送りに行って、その別れに臨み、

「云い忘れたが、これは曹真総兵都督の功をねがうために、ぜひ注意してあげておいてくれ。それは蜀勢が退くとき、決して、性質の短慮な者や狂躁な人物に追わせてはいけない。軽々しく追えば必ず彼の計に陥る。——このことを、朝廷の命として、付け加えておいてもらいたい」

と、いかにも真情らしく言伝を頼んだ。そのくせ、それほどの魏軍の苦境を知りながら、彼は車をめぐらして、悠々、洛陽へもどるのであった。

大常卿韓曁は、やがて総兵都督本部に着き、曹真に、魏廷の方針をもたらした。

曹真は謹んで詔詞を奉じ、韓曁の帰るを送ったが、後、この由を副都督の郭淮に語る

と、

「それは朝廷のご意見でも何でもない。すなわち司馬懿仲達の見ですよ」

と、穿って笑った。

「誰の見でもよいが、この見解の可否はどうだ」

「悪くはありません。よく孔明の兵を観ています」

「が、もし、蜀の勢が、こちらの思うように退かなかった場合は」

「王双に計をさずけ、小道小道の往来を封じさせれば、いやでも蜀軍の兵糧は途絶え

て、退かざるを得なくなるにきまっています」

「そうゆけばしめたものだが」

「なお、それがしに、別に妙策がひとつあります」

郭淮は、洛陽の使いがもたらした司馬懿の方針には、充分感心していたが、さりとて

その通りに行っているのも、この総司令部に人なきようでいやだった。彼のささやいた

彼自身の一策は、これまた曹真を動かすに足りた。曹真も何かで連戦連敗の汚名からま

ぬかれたいのである。――で、その計画は徐々に実行されだしていた。

事実、蜀軍の大なる欠陥は、大兵を養う「食」にあることは万目一致していた。いま
や日を経るに従って彼が「食」の徴発に奔命しつつあるは必定であるから、敵の求める
それを好餌に用いて、罠にかけようというのが郭淮の着想だった。

それから一ヵ月ほど後。

すなわち魏の孫礼は、兵糧を満載したように見せかけた車輌を何千となく連れて、祁
山の西にあたる山岳地帯を蜿蜒と行軍していた。

（陳倉の城と、王双の陣へ、後方から運輸してゆくもの）とは一見誰でもわかる。

けれど車輌の上にはみな青い布がかぶせてあって、その下には硫黄、焔硝、また油や
柴などがかくしてあった。これが郭淮の考えた蜀軍を釣る餌なのである。

一面。その郭淮は、箕谷と街亭の二要地へ大兵を配して、自身その指揮に臨み、また
張遼の子張虎、楽進の子楽綝、このふたりを先鋒として、あらかじめある下知を附し
ておいた。

さらになお、陳倉道の王双軍とも聯絡をとって、蜀軍みだるるときの配置を万全にし
ておいたことはいうまでもない。

「隴西から祁山の西を越えて、数千輌の車が、陳倉道へ兵糧を運んでゆく様子に見えま
する」

蜀の物見は、鬼の首でも取ったように、これをすぐ孔明の本陣へ達した。

蜀軍の将は、聞くとみな、

「なに、兵糧の車輌か」

と、はやその好餌に目色をかがやかした。

蜀軍の糧は、各方面の間道国道から、極めて微々たる量を、しかも艱難辛苦してこれ
へ寄せている状態だったし、その予備量もすでに一ヵ月分となかったところなので無理
はない。

だが、孔明は、まったく別なことを左右に訊ねていた。

「兵糧隊の敵将は、誰だといったな?」

「物見の言葉では、孫礼字は徳達だといいましたが」

「孫礼の人物を知るものはないか」

「されば彼は、魏王にも重んぜられている上将軍です」と、むかし魏にいて精通してい
た一将が話した。

「かつて魏王が大石山に狩猟をなしたとき、一匹の大きな虎がたちまち魏王へ向って飛
びかかって来たのを、孫礼が、いきなり楯となって、大虎に組みつき、剣をもって、つ
いにその虎を刺し殺したことから非常に魏王の信寵をうけて今日に至った人物です」

「そうか……」と孔明は謎のとけたように笑って、さて諸将へいうには、

「兵糧を運送するに、それほどな上将をつけるわけはない。思うに車輌の被いの下に
は、火薬、枯れ柴などが積んであるだろう。嗤うべし、わが胃へ火を喰わせんとは」

彼はこれを全く無視したが、しかし、ただ無視し去ることはしなかった。たちまち帷

幕に将星を集め、敵の計を用いて敵を計るの機をつかみにかかった。

三

情報があつめられた。

風のごとく物見が出入りした。

その帷幕のうちから孔明の迅速な命令は次々に発せられていた。馬岱が真先に、三千の軽兵をひきいてどこかへ走った。次に、馬忠と張嶷が各〻五千騎を持って出動した。呉班、呉懿らの軍も何か任を帯びて出た。そのほか関興、張苞などもことごとく兵をひきいて出払い、しかも孔明自身もまた床几を祁山のいただきに移し、しきりと西の方面を望んでいた。

魏の車輛隊の行軍は、すこぶる遅々であった。

二里行っては、物見を放ち、五里行っては物見を放った。

さながら、蜀魏の間諜戦でもあったわけだ。

魏の物見は告げた。

「孔明の本陣は動きだしました」

「まぎれもなく、この兵糧輸送を嗅ぎつけて、これを奪えと、手分けにかかったように
うかがわれます」

「馬岱、馬忠、張嶷など、続々と蜀陣を出ました」

孫礼は、得たりと思って、直ちにこの旨を、曹真の陣へ急報した。曹真はまた張虎、楽綝の先鋒へ向って、

「こよい、祁山の西方に炎々の火光を見る時こそ、蜀兵がわが火計にかかって、その本陣を空虚にした時である。空赤く染まる時を合図として、孔明の拠陣へ向って突っ込め」と、激励した。

すでにその日も暮れようとして、祁山の西に停まった孫礼の運送部隊は、夜営の支度にかかるとみせて、実は千余輌の火攻め車を、あなたこなたに屯させて、蜀兵を焼き殺す配置をおえていた。

発火、埋兵、殲滅の三段に手筈を定めて、全軍ひそと、仮寝のしじまを装っている

と、やがて果たして、人馬の音が、粛々と夜気を忍んでくる様子だった。

折節、西南の山風がつよい。孫礼は、

「――敵来たらば」

と、手に唾して待っていた。

ところが、未だ魏軍の起たないうちに、その風上から、火を放った者がある。何ぞは知らん、敵の蜀兵だ。

孫礼は初め味方の手ちがいかと狼狽したのであったが、さはなくて蜀兵自身が火を放ったものと知ると、しまったと叫んで、

「孔明はすでに看破しているぞ、我が事破る」

と、躍り上がって無念がった。

千余の車輛を焼き立て焼き立て、すでにして蜀兵は二手に分れて矢を送り石を飛ばし

て来た。

鼓角夜空にひびき、火光天を焦がし、魏兵の混乱ぶりは一方でない。

風上から攻め来るもの、蜀の張嶷、馬忠などである。風下から同じく馬岱の一軍が鼓

噪（そう）して攻めかかった。

自ら設けた火陣の死陣の中に魏兵は火をかぶって戦うほかなかった。のみならず魏勢

は谷間や山陰の狭路に埋伏していたので、その力は分裂しているし、主将の命令は各個

に一貫していない。

火の光の中に、討たれる数もおびただしかったが、踏み迷い、逃げまどい、自ら焼け

死ぬ者や、火傷（やけど）を負って狂う者数知れなかった。──かくてこの一計は、見事、魏の失

敗に終ったのみならず、自ら火を以て自ら焼き亡ぶの惨禍を招いたのであったが、当

夜、かかる不測が起っているとも知らず、ただ空を焦がす火光を望んで、

「時こそ到る」

と、いたずらに行動を開始してしまったのは、曹真から命ぜられていた楽綝（がくりん）、張虎の

二隊だった。

──これは予期したところだが、孔明の本陣へ、突入してしまったのである。

危ういかな、盲進して、須臾（しゅゆ）にして、陣営のまわりから、突然、湧いて出たよ

うな蜀軍の鬨の声が起った。蜀の呉班、呉懿の軍だ。——釜中の魚はまさに煮られる如く逃げまどった。

ここでも、魏勢は残り少なに討たれた上、さんざんの態で逃げ崩れてくる道を、さらに、関興、張苞の二軍に、完膚なきまで、痛撃された。

夜明けと共に曹真の本陣に、西から南から北からと、落ち集まってきた残軍と敗将のすがたこそ見るかげもないものだった。

四

食うか食われるか、戦の様相はつねに苛烈である。この苛烈を肝に銘じていながら曹真の軽挙はふたたび重ね重ねの惨敗を自軍に見てしまった。

彼の落胆は、恐怖に近づいた。いまは郭淮の献策をうらむこともできない。彼は総兵大都督である。

「以後は、かならずみだりにうごくな。敵の誘いにのるな。ただ守れ、固く守備せよ」

以後の警戒は非常なものである。むしろ度の過ぎるほど堅固に堅固を取った。ために、祁山の草は幾十日も兵に踏まるることなく、雪は解けて、山野は靉靆たる春霞をほの紅く染めて来た。

霞を横切る一羽の鳥がある。孔明は日々悠久なる天地をながめ、あたかも霞を喰うて生きている天仙か地仙のごとく物静かに日々を黙して送っていたが、一日、書をしたた

めて、ひそかに陳倉道にある魏延の陣へ使いを出した。

楊儀があやしんで訊ねた。

「魏延の陣へ、お引揚げを命ぜられたそうですが、なぜですか」

「そうだ。陳倉道のほうばかりでなく、ここの陣地も引き払おうと思う」

「そして、どこへ進発なさいますか」

「いや、進むのではない、漢中へしりぞくのだ」

「はて。それがてまえには解せません」

「なぜな?」

「でも、かくの如く、蜀は勝っているところを、しかも万山の雪は解け、いよいよ士気

旺盛たろうとしている矢先ではございませんか」

「さればこそ今を退く時と思うのである。魏がいたずらに守って、戦わないのは、わが

病を深く知らないからだ。わが病とはほかでもない兵糧の不足。如何ともなし難い重患

だが、幸いにも、敵はただその涸渇を待っていて、積極的に、わが通路を断とうとしな

い。——これなおわが余命のある所以だ。もし今のうちに療養に還らなければ、この大

軍をして、救い難い重態に墜すであろう」

「その点は、われわれも絶えず腐心しているところですが、先頃の大捷に、だいぶ戦利

品も加えましたから、なおしばらくは支えられないこともありません。そのうちに勝ち

続けて、自然活路に出れば、敵産をもって、長安に攻め入るまで、食い続けられないこ

ともないと思いますが……」

「否とよ。草は食えるが、敵の死屍は糧にならない。ここ魏の陣気をはるかにうかがうに、おそらく大敗のこと、洛陽に聞えて、敵は思いきった大軍をもって、ここを援けにくるにちがいない。……さもあらばまた、彼は新手、彼は後方にいくらでも運輸の道を持つ大軍。いかにして、わが勝利をなお保ち得よう。――敗れて退くにあらず、勝って去るのである。退くとは戦いの中のこと、去るとは作戦による行動にほかならない。さように歯がみして無念がるな」

楊儀の口をもって、諸将の不満へもいわせようとするのであろう、孔明の諭示は嚙んで含めるようだった。

「――しかし、魏延へやった使いも、一計をさずけてつかわしてあるから、引揚げるといっても、無為に退くわけではない。見よ、やがてあすこにある魏の王双の首は、魏延のよい土産となるであろう」

孔明はそうも言った。

関興、張苞などの若手組は、案のごとく、この陣払いにたいして、不満を表示したが、それも楊儀になだめられて、着々ここを引揚げにかかりだした。

とはいえ勿論、それはひそかに行われたものであることはいうまでもない。水の乾くように、徐々兵数を減じて、後退させていた。そして最後にいたるまで、鉦鼓の者は残して、常と変るところなく、調練の螺を吹き時の鉦を鳴らし、旗々はなお大軍そこにと

どまるものの如く装っていた。

——一方、魏の曹真は、その後、守るに専念して、とみに気勢も昂らずにいたが、折から、左将軍張郃が洛陽から一軍をひきいて来て味方の陣に参加した。

曹真は、彼を見ると、

「貴所は都を立つとき、司馬懿には、お会いにならなかったのか」

すると彼は答えた。

「いや、会わないどころではありません。それがしが加勢に下ってきたのも、ひとえに司馬仲達の計らいによるものです」

　　　五

「ほほう。……では、やはり仲達のはからいで来られたわけか」

「いや、洛陽の上下でも、先頃以来、だいぶ当地の敗戦を心痛しています」

「まことに予の不徳のいたすところだ。国内に対して面目もない」

「勝敗は兵家のつね。敗るるも次の勝ちを期しておればご苦慮にも及びません。……が、この頃の戦況はどうですか」

張郃にこう問われると、曹真は初めて少しにこっとして、

「この数日は、大いに戦況が味方の有利に転回してきた。以後まだ大合戦はないが、諸所において、いつも味方が勝ちつつある」

「……あっ。それはいかん」

「な、なぜだ？」

「そのことも、それがしが離京の際に、司馬仲達がくれぐれも警戒せよといっていました」

「なに。味方の勝つのはいけないといったのか」

「そうした意味ではありませんが。……つまり、こう申されたのです。……蜀軍はたとえ兵糧が欠乏しだしても、決して軽々しくは退くまい。だが、彼の兵がしばしば小勢で出没してそのたび負けて逃げるような時は、大いに機微を見ていないといけない。反対に、彼が大軍をうごかすか、大いに強味のあるときは、まだ退陣の時は遠いと見ていてまちがいない。この辺が、兵家の玄妙であるから、よくよく曹真閣下におつたえしておくがいいと附言された次第です」

「……ははあ、なるほど。すると過日からの味方の勝ち色はあまりあてにならんかしら」

何か思い当るものがあるらしく、曹真は急に間諜の上手な者数名を放って、孔明の本陣をうかがわせた。

間諜は帰ってきて報告した。

「祁山（きざん）の上にも下にも、敵は一兵もおりません。ただ備えの旗と囲いだけが残っているだけであります」

次に帰ってきた者もいった。

「孔明は、漢中さして、総引揚げを行ったようです」

曹真は頭を掻いて後悔した。

「また、彼奴に騙されていたのだ」

聞くや否、張郃はすぐ新手の勢をもって、孔明のあとを急追してみたが、時すでに甚だ遅かった。

また、陳倉道の口に残って、久しい間、魏の猛将王双をそこに支えていた魏延は、孔明の書簡に接すると、これもたちまち、陣払いを開始していた。

当然、それはすぐ王双の知るところとなり、王双はいとまをおかず追撃した。

そして、蜀兵に近づくや、

「魏延、いずこに帰るぞ、王双これにあり、返せ返せ」

と馬の上から呼ばわりつつあくまで追った。王双の追うこと余りに急なので、彼の周囲には、ようやく

蜀兵の逃げ足も早かった。王双の追うこと余りに急なので、彼の周囲には、ようやく

旗本の騎馬武者二、三十騎しか続いて来られなかった。

すると、後から駈けてきた一騎が、

「わが大将、ちと急ぎ過ぎましたぞ、敵将魏延はまだうしろのほうにいる」と、注意した。

「そんなはずはないが?」

と、振り向くと、どうしたことか、陳倉城外にある自分の陣営から黒煙が上がってい

る。

「さては、うしろへ出たか」と、あわてて引っ返して、途中の有名な嶮路陳倉峡口の洞門まで来ると、上から大岩石が落ちてきて、彼の部下、彼の馬、みな挫きつぶされた。

「王双、どこへ行く」

突如、彼のうしろに、一彪の軍が見え、その中に、魏延の声がした。

いちど、馬上からもんどり打ったため、王双は逃げきれず、またその武力もあらわにいとまなく、ついに魏延の大剣に、その首を委ねてしまった。

魏延はその首を、高々と槍のさきに掲げさせて、悠々、漢中への引揚げを仕果した。

——王双の死が、曹真の本営へ知らされてからいくばくもなく、陳倉城の守将郝昭の死がまた報じられてきた。郝昭は病死であったが、曹真にとり、また魏にとっては、重ね重ねの凶事ばかりだった。

総兵之印

一

蜀魏両国の消耗をよろこんで、その大戦のいよいよ長くいよいよ酷烈になるのを希っていたのは、いうまでもなく呉であった。

この時に当って、呉王孫権は、宿年の野望をついに表面にした。すなわち彼もまた、魏や蜀にならって、皇帝を僭称したのである。

四月。武昌の南郊に盛大な壇をきずいて、大礼の式典を行い、天下に大赦を令し、即日、黄武八年の年号を、黄龍元年とあらため、先王孫堅に対しては、武烈皇帝と諡し

て、ここに、呉皇帝の即位は終った。

嫡子の孫登ももちろん同時に皇太子にのぼった。そしてその輔育の任には、諸葛瑾の子諸葛恪を太子左輔とし、張昭の子張休が太子右弼を命ぜられた。

諸葛恪は、血からいえば、孔明の甥にあたるものである。資質聡明、声は甚だ清高であったといわれる。幼時から夙に、神異の才をたたえられ、その六歳の時に、こんなこともあった。

或る折、呉王孫権が戯れに、一匹の驢馬を宮苑にひき出させ、驢の面に、白粉を塗ら

せて、それへ、

　諸葛子瑜

という四文字を書いた。

けだし、それは、諸葛瑾の顔が、人いちばい長面なので、それを揶揄して笑ったのである。

だが、君公の戯れなので、当人も頭をかいて共に苦笑していた。

すると父のそばにいたまだ六歳の諸葛恪が、いきなり筆を持って庭へとび降り、驢の前に背伸びして、その面の四字の下へ、また二字を書き加えた。

人々が見ると、すなわち、

諸葛子瑜之驢

と、読まれた。見事、からかわれている父の面の辱をそそいだのである。現今中国人のあいだでよくいわれる「面子」なることばの語源がこの故事からきているものか否かは知らない。

この輔弼に加えて、さらに、丞相顧雍、上将軍陸遜をつけて共に太子を守らせ、武昌城において、孫権はまた、建業に還った。

かくて魏蜀戦えば戦うほど、呉の強大と国力は日を逐うて優位になるばかりなので、宿老張昭はかたく、兵をいましめ、産業を興し、学校を創て、農を励まし、馬を養って、ひたすら、他日にそなえながら、一面、特使を蜀へ派して、なおなお善戦を慫慂していた。

また、その特使の使命には、

「このたび、わが呉においても、前王孫権が登極して、皇帝の位に即かれました」

という発表を伝えて、国際的にこれを承認させる副意義もあったこと、もちろんである。

その特使は、成都へも、漢中の孔明の所へも同様に臨んだ。孔明は心のうちに安から

ぬものを抱いたにちがいない。なぜといえば、彼の理想は、漢朝の統一にあるからである。天に二つの日なしという信念が、彼の天下観だからである。しかし今はそれを唱えていられない時であった。ひとたび呉が離脱せんか、魏と結ぶことは必然である。かくては永遠に蜀の興隆はない。蜀亡ぶときは、彼の理想もついに行い得ないことになる。

「それは実に慶祝にたえない。いよいよ呉蜀両帝国の共栄を確約するものです」

孔明も直ちに、漢中の礼物を山と積ませて、呉へ賀使を送り、慶びの表を呈した。

そして、ついでに。

「いま貴国の強兵を以て魏を攻めらるれば、魏は必ず崩壊を兆すであろう。わが蜀軍が不断に彼を打ち叩いて、疲弊に導きつつあるは申すまでもありません」

と呉へ申し入れ、また朝野に向って、時は今なることを、大いに鼓欣宣伝させた。

陸遜は、にわかに建業へ召還された。彼の意見を徴すべく呉帝は待ちわびていた。

「どうしたものだろう、蜀の要請は」

「修好の約ある以上、容れなければなりますまい。けれど、多くを蜀に労させて、呉はもっぱら虚をうかがい、いよいよという時、洛陽へ入城するものは、孔明より一足先に、わが呉軍であれば最上でありましょう」

「そうありたいのだ」

孫権はこころよげに笑った。

二

孔明は三度目の祁山出兵を決行した。

その動機は、陳倉の守将郝昭が、このところ病に罹って重態だという確報を得たからであった。

郝昭は、洛陽へ急を報じ、自分に代る大将の援軍を仰いだ。

長安にある郭淮は、

「それでは遅い。奏上はあとでするから、ご辺はすぐ向え」

と、張郃に三千騎を附して、すぐ陳倉城へ援けに向わせた。

が、この時はもう遅かったのである。郝昭は死し、陳倉は陷ちていた。

どうしてこう迅速だったかといえば、しきりに孔明の来襲を伝えたものは、実は姜維、魏延などの一軍で、その本軍は疾くひそかに漢中を発し、間道をとって、世上の耳目も気づかぬうちに、陳倉城の搦手に迫り、夜中、乱波を放って、城内に火をかけ、混乱に乗じて、雪崩れ入ったものだった。

だから味方の姜維や魏延が城中へ来たときですらすでに落城のあとだった。いかに魏の張郃が急いで救援に来たところで、とうてい、間にあうわけはなかったのである。

「丞相の神算は、つねに畏服しているところですが、かかる電撃的な行動は、われらも初めて見るところでした」

姜維、魏延たちは城中に入って、孔明の車を拝すと、心からそういって、それに額ずかずにいられなかった。

孔明は、落去の跡を視察して、火中に死んだ郝昭の屍を捜させ、

「この人は敵ながら、その忠魂は見上げたものだ。死すとも朽ちさすべき人ではない」

と、兵を用いて手篤く弔えと命じた。

孔明はまた、二人へむかい、

「ここは陥ちたが、両所ともにまだ甲を解くな。直ちに、この先の散関へ馳けよ。もし時移さば、魏の兵馬充満して、第二の陳倉となるであろう」と、いった。

姜維、魏延は、畏まって候、とばかり息つく間もなく散関へいそいだ。

関は手薄だった。

ために難なく乗っ取ることを得たが、蜀旗を掲げてわずか半日ともたたないうちに、士気すこぶる旺な魏軍が、えいえいと武者声あわせて襲せ返してきた。

「すわや、丞相の先見あやまたず、魏の大軍がはや来たとみえる」

望楼にのぼって、これを望み見るに、軍中あざやかに、魏にその人ありとかねて聞く「左将軍張郃」の旗が戦気を孕んでひらめいていた。

しかし、これまで来てみると、すでに散関すら蜀軍に奪られていたので、いたく失望したものであろう、やがて張郃の軍は、にわかに後へかえってゆく様子だった。

「追い崩せ」

蜀勢は、関を出て、これを追った。ために張郃の勢は、若干の損害をうけたのみなら
ず、むなしく長安へ潰走した。

「この方面の態勢は、まず定まりました」

姜維、魏延から孔明へすぐ戦況をつたえた。

孔明は、この報らせをつかむと、

「よし、機は熟す」となして、いよいよ総兵力をあげて、陳倉から斜谷へすすみ、建威
を攻め取って、祁山へ出馬した。

ここは二度の旧戦場だ。しかもその両度とも蜀軍は戦い利あらず、退却のやむなきを
見ているのである。孔明にとっては実に痛恨の深い地であるにちがいない。彼は、帷幕
の将星をあつめて告げた。

「魏は二度の勝利に味をしめて、このたびも旧時の例にならい、我かならず雍・郿の二
郡をうかがうであろうとなして、そこを防ぎ固めるにちがいない。……ゆえに我は、鉾
を転じて陰平、武都の二郡を急襲せん」

孔明の作戦は、その陰、武二郡を取って、敵の勢力をその方面へ分散させようとする
にあったらしい。しかし敵の兵力を分けさせるためには、自己もまた兵力を分けねばな
らなかった。それにさし向けた蜀軍の兵力は、王平の一万騎と、姜維の一万騎、あわせ
て二万の数だった。

三

長安に引っかえした張郃の報告を聞き、また孔明の祁山出陣を聞いて、郭淮は驚きに打たれた。

「さもあらば、蜀勢はまた雍・郿の二郡へ攻めかかるだろう。　張郃、足下はこの長安を守れ、われは郿城を固め、雍城へは孫礼をやって防がせよう」

即座に彼は、兵を分けて、その方面へ急行した。

張郃は、早馬に次ぐ早馬をもって、祁山一帯の戦況を洛陽へ告げ、

「大兵と軍馬を、ぞくぞく下し給え、さもなくば、事態予測をゆるさず」と、要請した。

魏朝廷の狼狽はただならぬものがあった。何となれば、この時すでに、呉の孫権の帝位登極のことが伝わっていたし、続いて、蜀呉の特使交換やら、さらには蜀の要請に従って、武昌の陸遜が、大兵力をととのえ、今にも魏へ攻め入ろうとする空気が濃厚にみなぎっているなどという――魏にとって不気味きわまる情報がやたらに入っているからであった。

蜀も強敵。呉もいうまでもなく大敵。こうなるといずれに重点をおいてよいのか。魏廷の軍政方針は紛々議論のみに終って、その実策を見失っているのであった。

「司馬懿に問うしかない」

重将宿将多しといえども魏帝もついにはひとりの仲達に恃みを帰するしかなかった。闕下に伏

「いそぎ参朝せよ」と、召せばいつでも、素直に出てくる司馬懿であったが、

しても、この頃の風雲にはまるで聾のような顔をしていた。

けれど、帝が下問すると、

「そんなことは、深くお迷いになるまでもないことかと思います」

と、その定見を、するすると糸を吐くように述べた。

「孔明が呉をけしかけたのは当り前な考えです。呉がこれに応じるのもまず修交上当然といえましょう。けれど呉には陸遜という偉物が軍をにぎっています。また、呉が率先挺身しなければ、条約に違うという理由はありませんから、攻めんといい、攻めるぞとみせ、実は軍備ばかりしていて、容易にうごかず、蜀の戦いと、魏の防ぎを、睨み合わせて、ひたすら機を測っているものにちがいありません。──故に、呉の態勢は虚です。蜀の襲攻は実です。まずもって、実に全力をそそぎ、後、虚を始末すればよろしいでしょう」

「なるほど、実にも、そうであった」

いわれてみると、こんな分りきっていることを、なんで迷っていたのかと魏帝は膝を打って嘆じた。

「卿はまことに大将軍の才だ。卿をおいては孔明を破るものはない」

嘆賞のあまり魏帝はその場で彼を大都督に封じ、あわせて、総兵之印をも取り上げ

て、汝にさずけんと詔りした。

仲達は甚だ迷惑そうな顔をした。なぜならばその総兵之印は、全軍総司令たる曹真が

持っているものである。——が、勅命いかに難しとおうけはしたものの、

「勅を以て取り上げらるるはお気の毒の限りですし、それでは当人の面子もありません

から私が参ってみずから頂戴しましょう」

と、長安へ立った。そして府中に病臥中の曹真に会い、病を見舞って四方山のはなし

の後、

「時に、呉の陸遜、蜀の孔明が、緊密に機を結びあって、同時に、わが国の境へ攻め入

ってきたのをご存じですか」

「えっ。そんな事態ですか」

——曹真は愕然として、

「何しろ、この病体なので、誰もほんとのことを知らしてくれない」と、痛涙にむせん

だ。

「からだにお毒ですよ」

と仲達はなぐさめて——

「それがしがお扶けしますから帷幕のことはあまりご痛心なさらぬがよい」といった。

「いや、いや、この病身では、ついに国家の大危局を救う力など到底わしにはない。ど

うかご辺がこれを譲りうけて、この大艱難に当ってくれい」

と、総兵之印をとりだして、たって、司馬懿に押しつけた。司馬懿は、再三辞退した

が、

「朝廷へは、わしから後に奏聞しておく。決して、卿に咎はかけない」

といって、どうしても肯かないのである。仲達も断りあぐねた態をなして、それでは

一応お預かりしておくと答えて受け取った。

司馬仲達計らる

一

蜀の諸葛亮孔明と、魏の司馬懿仲達とが、堂々と正面切って対峙するの壮観を展開し

たのは、実にこの建興七年四月の、祁山夏の陣をもって最初とする。

それまでの戦いでは仲達はもっぱら洛陽にあって陣頭に立たなかったといってよい。

序戦の街亭の役には、自身陽平関にまで迫ったが、孔明は楼上に琴を弾じて、彼の疑い

退くを見るや、風の如く漢中へ去ってしまい、両々相布陣して、乾坤一擲に勝敗を決せ

んとするような大戦的構想は、遂にその折には実現されずにしまった。

孔明も仲達の非凡を知り、仲達ももとより孔明の大器はよくわきまえている。

——その上での対陣である。しかも司馬懿軍十万余騎は、まだ傷つかざる魏の新鋭であるし、その先鋒の張郃も百戦を経た雄将だった。

「一望するところ、彼がここへ出て以来、幾度かその戦意を試みていたか」

孔明は祁山の三ヵ所に陣を構え、旗旛整々たるものが見えるが、貴公たちは、

祁山に着いた日、仲達は、郭淮と孫礼のふたりにこう質問した。

「いや、ご下向を待って、親しくご指揮を仰いだ上でと考えて、まだ一度も戦っておりません」

「孔明としては、必ず速戦即決を希望しているだろうに、敵も悠々とあるは、何か大なる計があるものと観ねばならぬ。——隴西の諸郡からは、何の情報もないか」

「諸所みな守り努めているようです。ただ武都、陰平の二郡へやった連絡の者だけ、今もって帰ってきません」

「さてこそ。孔明はその二郡を攻めようとしているのだ。貴公らは、間道からすぐ二郡へ救援に行け。そして守備を固めた後、祁山のうしろへ出よ」

郭淮と孫礼は、即夜、数千の兵をひきいて、隴西の小道を迂回した。

途中ふたりは、馬上で語り合った。

「貴公は、孔明と仲達と、いずれが優れた英才と思うか」

「さあ？　どちらともいえないが、敵ながら孔明が少しすぐれておりはせぬかな？」

「しかし、こんどの作戦などは、孔明より仲達のほうが、鋭い所を観ているようだ。祁山のうしろへ出られたら、孔明とて狼狽するだろう」

すると夜の明けがた頃。

先頭の兵馬が急に騒ぎだしたので、何事かと見ると、一山の松林の中に、「漢の丞相諸葛亮」としるした大旗がひるがえり、霧か軍馬か濛々たるものが山上からなだれて来る。

「や。おかしいぞ」

云っているまに、一発の山砲が轟いた。それを合図に、四山金鼓の声をあげ、郭淮、孫礼の四、五千人は、完全に包囲された形となった。

「夜来の旅人。もはや先へ行くは無用。隴西の二郡はすでに陥ちてわが手にあり、汝らも無益な戦いやめて、わが前に盗を投げよ」

孔明は四輪車のうえから呼ばわりつつ、むらがる敵を前後の旗本に討たせながら、郭淮、孫礼のほうへそれを押しすすめて来た。

「よし、この眼に孔明を見たからには、討ちもらしてなるものか」

二将は喚き合って血の中へ挺身してきたが、王平、姜維の二軍に阻まれ、かつ手勢を討ち減らされて、

「いまは、ぜひなし」と、無我夢中、逃げ出した。

「待てっ。なおここに、蜀の張苞あるを知らないか。

張飛の子、張苞に面識をとげて行

かぬは、冥加でないぞ」

追いかけた者は、名乗るが如き張苞だった。しかし、彼の急迫も余りに無茶だったので、松山の近い岩角に向いたとたん、馬もろとも、張苞は谷へころげ落ちてしまった。

あとに続いていた蜀兵は、それを見ると、

「やや。張将軍が谷へ落ちた——」と、逃げる敵もさておいて、みな谷底へおりて行った。

あわれ張苞、岩角に頭を打ちつけたため重傷を負い、流れのそばに昏絶していた。

二

郭淮と孫礼が惨たる姿で逃げ帰ってきたのを見ると、仲達は慙愧して、かえって、ふたりへ詫びた。

「この失敗はまったく貴公の罪ではない。孔明の智謀がわれに超えていたからだ。しかし、この仲達にもなおべつに勝算がないでもない。貴公たちは雍・郿の二城へわかれて堅く守っておれ」

司馬懿は一日沈思していたが、やがて張郃と戴陵を招いて、

「武都・陰平の二城を取った孔明は、さしずめ戦後の経略と撫民のため、そのほうへ出向いているにちがいない。祁山の本陣には依然、孔明がいるような旌旗が望まれるが、おそらく擬勢であろう。汝らはおのおの一万騎をつれて、今夜、側面から祁山の本陣へ

かかれ。儂は正面から当って、一挙に彼の中核をつき崩さん」と、云った。

張郃はかねて調べておいた間道を縫い、夜の二更から三更にかけて、馬は枚をふくみ、兵は軽装捷駆して、祁山の側面に迂回しにかかった。

途中は峨々たる岩山のせまい道ばかりだった。行くこと半途にして、その道も重畳たる柴や木材や車の山で塞がっていた。敵が作っておいた防塞だろうが、これしきの妨げは、物ともするな、踏みこえて進めと張郃が励ましていると、たちまち、四方から火が揚がって。魏兵の進路を危うくした。

「愚や、愚や。司馬懿の浅慮者が、前にも懲りず、ふたたび同じ敗戦を部下にくり返させている。――見ずや、孔明は武、陰にあらず、ここに在るぞ」

山の上で高らかに云っているのは、まぎれもない孔明の声である。張郃は、怒って、

「わが大国を恐れず、度々境を侵す山野の匹夫。そこを動くな」

と、ほとんど胸衝きにひとしい嶮路へ、無理に馬を立てて馳け上がろうとすると、山上にもう一声、呵々と大笑する孔明の声がひびいて、

「匹夫の勇とは、それ汝自身の今の姿だ。求むるはこれか」と、左右に下知すると、同時に、巨木大石が流れを下るごとく落ちてきた。彼は乗り換え馬を拾って麓へ逃げ退いたが、友軍の戴陵が、敵の重囲に脚を挫いて仆れた。彼は乗り換え馬を拾って麓へ逃げ退いたが、友軍の戴陵が、敵の重囲に落ちているのを知ると、ふたたび取って返して戴陵を救い出し、ついにもとの道へ引っ返した様子である。

孔明は、あとで云った。

「むかし当陽の激戦で、わが張飛とかの張郃とが、いずれ劣らぬ善戦をなしたので、当時、魏に張郃ありと、大いに聞えたものだが、その理由なきに非ざるものを、今夜の彼の態度にも見た。やがて彼は蜀にとって油断のならぬ存在になろう。折あらば、かならず討ってしまわねばならない害敵の一人だ」

一方、魏の本陣では、この惨退を知った司馬懿仲達が、手を額にあて、色を失って、

「またわが考えの先を越されていたか。──孔明の用兵は、まさに神通のものだ。凡慮を超えている」と、その敵たることを忘れて、ただただ嘆じていたということである。

いわゆる肚の底から「負けた」という感じを抱いたものだった。

「──さもあらばあれ、彼も人なり、我も人なり、司馬懿仲達ともあるものが、いかでこれしきの敗れに屈せんや」と、彼は自らの気を振って、さらに心を落着け、昼夜、肝胆を練りくだいて、次の作戦を案じていた。

序戦二度の大捷に、蜀軍は大いに士気を昂げたばかりでなく、魏軍の豊かな装備や馬匹武具などの戦利品も多く獲た。けれど、司馬懿の軍は、それきり容易にうごかなかった。

孔明もやむなく滞陣のまま半月の余を過した。孔明は託ち顔に、

「うごく敵は計り易いが、全くうごかぬ敵には施す手がない。かかるうち味方は運送に、兵糧の枯渇に当面しては、自然、形勢は逆転せざるを得まい。はて、何とすべきだ

「ろうか」
幕々の諸将と評議していると、そこへ成都から費褘が勅使として下ってきた。

天血の如し

一

さきに街亭の責めを負うて、孔明は丞相の職を朝廷に返していた。今度、成都からの詔書は、その儀について、ふたたび旧の丞相の任に復すべしという、彼への恩命にほかならなかった。

「国事いまだ成らず、また以後、大した功もないのに、何で丞相の職に復することができよう」

孔明は依然固辞したが、

「それでは、将士の心が奮いません」

という人々の再三なすすめに従って、ついに朝命を拝して、勅使費褘の都へ還るを送った。それから後、間もなく、

「われわれもひとまず還ろう」と突然、漢中への総引揚げを発令した。

敵の司馬懿は、これを聞くや直ちに、

「追わばかならず孔明の計にあたろう。守って動くな」

かえって堅く自戒していた。

しかし、張郃などの徒は、

「敵は兵糧につまったのだ。追撃して完滅を下すのはこの時ではありませんか」

と、むずむずして云った。

「いやいや漢中は去年も豊作だったし、今年も麦は熟している。兵糧がないのではなく、ただ運輸の労に困難しているに過ぎない。――量るに孔明はみずから動いて、われを動かさんと、誘うものであろう。しばらく物見の報告を待て」

仲達は諸将をなだめた。

情報は、次々に聞え、

「――孔明の大陣、三十里往いてしばらく駐る」

と、聞えたが、その以後は、約十日ばかり何の変化も伝えてこない。

すると、やがて、

「蜀軍すべて、さらに遠く行く」と報らせて来た。

司馬懿は、諸将にいった。

「見よ三十里ごとに、計をうかがい、変を案じ、ひたすらわれの追撃を誘っている。危

うし危うし。

次の日も、また三十里行軍して停まっています」という物見のことばだった。

幕将たちの観察と、司馬懿の見方とは、だいぶ相違があった。幕将たちは躍起となって再び彼に迫った。

「孔明の退く手口を見ると、緩歩退軍の策です。一面退却一面対峙の陣形をとりながら、極めて平凡な代りに、また極めて損害のないような、正退法によっているものでしかありません。——これを見過して撃たずんば、天下の笑い草になりましょう」

そうまでいわれると、司馬懿もいささか動かされた。わけて張郃は極力、追撃を望んでやまない。で遂に、

「然らば、ご辺は、もっとも勇猛なる一軍をひきいて追え。ただし、途中、一夜を野営して、兵馬の足を充分に休ませ、然る後猛然と蜀軍へ突っこめ。——儂もまた強兵をひぐって第二陣に続くであろう」と、にわかに考えを一転した。

精兵三万、つづいて仲達の中軍五千騎、弦を離れた如く、急追を開始した。しかしその速度を、ぴたと止めると、全軍、その日のつかれを休め、明日の英気を養って、概すでに敵を呑むものがあった。

かくと殿軍の物見から聞くと、孔明は初めて、うすい微笑を面に持った。生唾を呑むように、待ちに待っていたものなのである。

孔明はその夜、諸将をあつめて、悲壮なる訓示をなした。

「この一戦の大事は、いうまでもない。蜀の運命を決するは、まさに今日にある。　卿ら
みな命をすてて戦え。味方一人に敵数十人をひきうけて当るほどな覚悟をもて」

孔明はさらに云った。この強敵の背後へ迂回して、かえって、敵のうしろを脅かす良
将がここに欲しい。それには誰がよいか。みずからこの必死至難な目的に当ってよくな
し遂げんと名乗って出る者はいないか。　――と座中を見まわした。

「卿らのうちに、われこそと名乗りでて、その至難に赴こうという者がない。――孔明は、この大事におもむく者は、智勇胆略の兼ね備わっている
良将でなければ用い難い――と前提しているのである。

誰も答える者もない。われこそと名乗りでて、その至難に赴こうという者がない。
それもその筈。　――孔明は、この大事におもむく者は、智勇胆略の兼ね備わっている

　二

「…………」

孔明のひとみは、魏延の顔を見た。しかしその魏延ですら首を垂れて無言だった。
――と、王平がつと進んで、

「丞相。それがしが赴きましょう」と思い切った語調でいった。

孔明は、敢えて歓びもせず、

「もし仕損じたらどうするか」と、反問した。

王平は悲壮な面色で、

「成功するや否やなどは考えておりません。ただ今、丞相のおことばには、この一戦こそ、蜀の興亡にも関わる大事と仰せられましたゆえ、不才を顧みるいとまなくただ一死を以て国に報ぜんとするあるのみです」

「王平は平時の良才、戦時の忠将。その一言でよし。しかし魏の大軍は、二段にわかれ、前軍張郃、後陣司馬懿のあいだは、まさにおのずから死地そのものだ。わが命じるところはその死地の間に入って、戦えという無理な兵法なのである。いわゆる捨身の戦いだ。なお赴くか」

「断じて赴きます」

「では、もう一軍添えてやろう。たれか王平の副将として赴く者はいないか」

「それがしにお命じ下さい」

聞くと張翼は、残念がって、奮い立った。

「せっかくだが、敵の副将張郃は、万夫不当の勇、張翼では相手に立てまい」

「前軍都督張翼です」

「だれだ、名乗った者は」

「丞相には何事を仰せある。それがしとて死をもって当れば恐るる者を知りません。もし、卑怯があったら、後、この首をお刎ね下さい」

「それ程いうならば、望みにまかせてやろう。王平と汝と、おのおの一万騎をつれて、今宵のうちにひそかに道を引っかえし、途中の山に潜め。そして明日、魏の前軍がわれ

を追撃にかかり、通り過ぎるを見たら、司馬懿の第二軍が続く前に――その間へ――突として討って出で、王平は張部軍のうしろへかかり、張翼は司馬懿の出ばなへぶっつかって戦え。……あとは孔明にべつの計りもあれば、味方を思わず、その一ヵ所を一期の戦場として死志を励め」

令をうけると、二将は、孔明の前に立って、

「では、お別れいたします」

と、暗に死別を告げて、すぐにその行についた。

孔明は、うしろ姿を見送っていた。そしてすぐその後で、

「姜維、廖化を、これへ」と、さし招き、各自に各三千騎をひっさげて、王平、張翼の後を追い、その戦場となるべき附近の山上に登って、待機せよといい渡した。

そして、二人が行く前に、

「ここぞと、戦機の大事を見極めたら策をこの囊に聞け」

と、錦の囊を渡した。いわゆる智囊である。

次に。

呉班、呉懿、馬忠、張嶷の順に呼ばれた。

「その方たちは、正陣をもって、寄せ来る敵の前面に当れ。壁となって防ぎ戦え。しかし明日の魏軍の猛気はおそらく必殺必勝の気で来るであろうゆえ、無碍に支えれば、必定、支えきれなくもなる。一突一退、緩急の呼吸をはかって、やがて関興の一軍が討っ

て出るのを見たら、そのとき初めて、一斉に奮力をあげて死戦せい」

孔明は、また、最後に関興へこういう命令を与えた。

「汝は、一軍をもって、この附近の山間にひそみ、明日、予が山上にあって、紅の旗をうごかすのを見たら、一度に出て、敵とまみえよ。かならず日頃の戦いと思うな」

かくてすべてに渡って手筈が整うと、孔明は、一睡をとって、黎明早くも山上へ登って行った。この日、朝雲は低く、日輪は雲表を真紅に染め、未だ万地の血にならない前に、天すでに血の如しであった。

三

両軍の決戦的意気といい、その精猛を挙げつくしている点といい、また戦場の地勢から観ても、終日にわたったその日の激戦は、まさに蜀魏の関ヶ原ともいえるものであった。

蜀の馬忠、張嶷、呉懿、呉班などが、まず四陣を展いて、

「来れ。――来らば」

と、手具脛ひいて待つ所へ、魏軍三万の張郃、戴陵はほとんど鎧袖一触の勢いでこれへ当ってきた。

時は大夏六月。人馬は汗にぬれ、草は血に燃え、一進一退、叫殺、天に満つばかりだった。

　蜀は、時に急に、時に緩に、やがて約二十里もくずれ、さらに五十里も追われた。朝から急歩調で、追迫をつづけ、かつ、攻勢をゆるめずにあった魏は、炎日と奮闘に、ようやく疲れを示した。刻、陽も中天の午の刻に近かった。

　すると、一峰の上で、突として紅の旗がうごいた。

　孔明の下せる大号令のしるしである。

「今か。今か——」と、それを待っていた関興の五千騎は、疾風のごとく、谷の内から出て、魏勢の横を衝いた。

　いったん退いた蜀の四軍も、たちまちひるがえって、張郃、戴陵へ大反撃を捲き起してくる。

　凄愴なる血の雲霧が、眼のとどくかぎりの山野にみなぎった。

　屍山血河。馬さえ敵の馬を咬かんで闘い狂う。

　蜀の損害も甚だしいが、魏の精兵もこの一刻においておびただしく撃たれた。その上、蜀の張翼、王平の二手がうしろへまわって出たため、三万の兵ことごとく潰滅し去るかと危ぶまれた。

　ところへ、魏の主力、司馬懿仲達の主力が着いた。

　蜀の王平と張翼とは、初めから進んでその危地に入っていたので、彼らは覚悟の前とし、直ちに、

「諸軍、命をすてて戦え」と、この新手へ向き直って奮迅した。

鼓声叫喚は天地を晦うし、血はこんこん馬蹄を浸し、屍は積んで累々山をなしてゆく。

時に、蜀の姜維と廖化は、

「今こそ、あれを」と、かねて孔明から授けられていた錦の嚢を解いて見た。令札に一行の命令がしたためてあった。曰く。

――汝ラ二隊ハココヨリ捨テテ司馬懿ガ後ニセル渭水ノ魏本陣ヲ衝ケ。

山伝い、峰伝いに姜維と廖化の二隊は、逆に、渭水方面へ駈けた。

司馬懿仲達は、これを知ると、色を失った。

「あ。――。長安の途が危うくなる！」

魏はにわかに総退却の命をうけた。すなわち仲達の主力以下、眼前の惨敗を打ちすてて、急遽、渭水の固めに引っ返したのである。

さしもの大戦も暮れた。

夜に入るも月は赤く、草に伏す両軍の屍は、実に、万余の数を超えていたといわれる。

「勝った。わが軍の捷だ」

魏は云った。蜀も唱えた。

要するに、損害は互角だった。またその戦力も伯仲していたものといえよう。

けれどこの一戦で魏将の討たれた数は蜀以上のものがあり、史上、記すにいとまなき

ほどであるといわれている。

しかし、すぐこの後において、蜀にも一悲報が来た。それはさきに負傷して成都へ還っていた張飛の子張苞の死であった。破傷風を併発してついに歿したという知らせが孔明の手もとに届いた。

「ああ。……張苞も死んだか」

孔明は声を放って哭いたが、とたんに血を吐いて昏絶した。その後、十日を経て、ようやくすこし元気をとりもどしたが、年来のつかれも出たか、容易に以前のような健康にかえらなかった。

「かなしむな。予の憂いを陣上にあらわすな。われ病むことを、もし仲達が知ったら、大挙してふたたびこれへ来るだろう」

孔明はそう戒めて、旌旗肅々、漢中へ帰った。後で、知った仲達は、機を覚らなかったことを大いに悔い、また顧みて、「彼の神謀は、とうてい、人智を以て測りがたいものがある」と、以後いよいよ要害を固め、洛陽に還って委細を魏帝に奏した。その頃また孔明も久しぶりに成都へもどり、劉禅を拝して、相府に退き、しばし病を養っていた。

長雨

一

秋七月。魏の曹真は、

「国家多事の秋。久しく病に伏して、ご軫念を煩わし奉りましたが、すでに身も健康に復しましたゆえ、ふたたび軍務を命ぜられたく存じます」

と、朝廷にその姿を見せ、また表を奉って、

——秋すずしく、人馬安閑、聞くならく孔明病み、漢中に精鋭なしという。蜀、いま討つべし。

という意見をすすめた。

魏帝は、侍中の劉曄に諮った。

「蜀を伐たん乎。それとも、止めたほうがよいか」

劉曄はすぐ答えた。

「伐たざれば百年の悔いです」

その劉曄が、わが邸に帰っていると、朝廷の武人や、大官が、入れ代り立ち代り来て、彼へただした。

「この秋こそ、大兵を起して、年来の魏の患いたる宿敵蜀を伐つのだと、帝には仰せられている。その事はほんとうでしょうか」

すると劉曄は一笑のもとに、

「君らは蜀の山川がいかなる嶮岨か知らないとみえる。いったい蜀を過小評価していることが、魏の患いというべきだ。帝にはよくご存じあるはずである。なんでさような軽挙を敢えてして、この上軍馬の損傷をねがわれるものか」

と否定し去って、まるで顔でも洗って来給え、といわぬばかりの返辞だった。

楊暨という一官人が、この矛盾を訝かって、こんどは直接、魏帝曹叡にこれをただしてみた。

「蜀を伐つ儀はご中止なされたのですか」

「汝は書生だ。兵法を語る相手ではない」

「でも劉曄が、そんなばか軍はせぬといっていますから」

「劉曄がそういっておると?」

「はい。何せい、劉曄は先帝の謀士でしたから、みな彼の言を信じております」

「はての?」

帝はさっそく劉曄を召して、さきには朕に蜀伐つべしとすすめ、宮廷の外では反対

に、伐つべからずと唱えているそうだが、汝の本心はいったい何処にあるのかと詰問された。と劉曄はけろりとして、

「何かのお聞き違いでございましょう。臣の考えは決して変っておりません。蜀山、蜀川の嶮を冒し、無碍に兵馬を進めるなどは、我から求めて国力を消耗し、魏を危うきへ押しこむようなものです。彼から来るなら仕方がありませんが、我から攻めるべきではありません。蜀伐つべからずであります」

帝は妙な顔して、彼の弁にまかせていた。やがて話がほかにそれると、侍座に佇っていた楊曁はどこかへ立ち去った。

楊曁がいなくなると、劉曄は声をひそめて、

「陛下はまだ兵法の玄機をお悟りになっていないと見えます。蜀を伐つことは大事中の大事です。何ゆえ楊曁や宮中の者にそんな秘事をおんみずからお洩らしになりましたか」

「あ、そうか。……以後は慎もう」

曹叡は初めて覚った。

荊州へ行っていた司馬懿が帰ってきた。彼も同意見であった。荊州ではもっぱら呉の動静を視察してきたのである。司馬懿仲達の観るところでは、

「呉は蜀を助けそうに見せているが、それはいつでも条約に対する表情だけで、本腰なものではない」という見解が確かめられていた。

号して八十万、実数四十万の大軍が、蜀境の剣門関へ押し寄せたのは、わずか十月の後で、洛陽の上下は呆気にとられたほど迅速かつ驚くべき大兵のうごきだった。

このとき、幸いにも、孔明の病はすでに恢復していた。

「——血を吐いて昏絶す」というとよほどの重態か不治の難病にでも罹ったように聞えるが、「血を吐く」も「昏絶」も原書のよく用いている驚愕の極致をいう形容詞であることはいうまでもない。

孔明は、王平と張嶷を招き、

「汝らおのおの千騎をひっさげ、陳倉道の嶮に拠って、魏の難所を支えよ」と、命じた。

二将は唖然とした。いや哀しみ�"うな"顧いた。——敵は実数四十万という大軍、わずか二千騎でどうして喰い止められよう。死にに行けというのと同じであると思った。

二

孔明のむごい命令に、ふたりとも悴然としたまま、その無慈悲をうらんでいるかのような容子なので孔明は自分の言にまた説明を加えた。

「この頃、天文を観ていると、太陰畢星に濃密な雨気がある。おそらくここ十年来の大雨がこの月中にあるのではないかと考えられる。魏軍何十万騎、剣門関をうかがうも、陳倉道の隘路、途上の幾難所、加うるにその大雨にあえば、とうてい、軍馬をすすめ得

るものではない。──故に、われは敢えてその困難に当る要はない。まず汝らの軽兵を

さし向けておいて、後、彼の疲労困憊を見すましてからいちどに大軍をおしすすめて伐

つ。予も、やがて漢中へ行くであろう」

そう聞くと、王平も張嶷も、

「お疑いして申し訳ありません。では、即刻これから」と勇躍して、陳倉道へいそい

だ。そして彼らは軽兵二千をもって、高地を選び長雨の凌ぎを考慮し、かつ一ヵ月余の

食糧を持って滞陣していた。

魏の四十万騎は、曹真を大司馬征西大都督にいただき、司馬懿は大将軍副都督に、ま

た劉曄を軍師として壮観極まる大進軍をつづけて来た。

ところが、陳倉の道に入ると、途々の部落は例外なく焼き払われていて、籾一俵鶏一

羽獲られなかった。

「これも孔明の周到な手まわしとみゆる。心憎い用意ではある」と語らい合って、なお

数日を進むうちに、一日、司馬懿は突然、曹真や劉曄にこう云い出した。

「これから先へは、もう絶対に進軍してはなりませぬ。昨夜、天文を案じてみるに、ど

うも近いうちに大雨が来そうです」

「そうかなあ？」

曹真も劉曄も疑うような顔をしていたが、司馬懿仲達の言であるし、万一のことも考

慮して、その日から前進を見あわせた。

竹木を伐って、急ごしらえの仮屋を作り、十数日ほど滞陣していると、果たして、きょうも雨、次の日も雨、明けても暮れても、雨ばかりの日がつづいた。

その雨量も驚かれるばかりである。車軸を流すという形容もおろか、馬も流され人も漂い、軍器も食糧もみな水漬いてしまう。いや仮屋もたちまち水中に没し、山の上へ上へと移って行った。

しかも、道も激流となり、絶壁も滝となり、谷を覗けば谷も湖と化している。ほとんど、夜も眠れない有様である。

こうした大雨が三十余日もひっきりなしに続いた。病人溺死者は続出し、食糧は途絶え、後方への連絡もつかず、四十万の軍馬はここに水ぶくれとなってしまいそうであった。

この事、洛陽に聞えたので、魏帝の心痛もひとかたでない。壇を築いて、

「雨、やめかし」

と、天に禱ったが、そのかいも見えない。

太尉華歆、城門校尉楊阜、散騎黄門侍郎王肅たちは、初めから出兵に反対の輩だったので、民の声として、

「早々、師を召し還し給え」

と、帝にいさめた。

詔は、陳倉に達した。

その頃、ようやく、雨はあがっていたが、全軍の惨状は形容の辞もないほどである。

勅使は哭き、曹真、劉曄も哭いた。

司馬懿は、慙愧（ざんき）して、

「天を恨むよりは、自分の不明を恨むしかありません。この上は、帰路に際して、しんがり殿軍（でんぐん）を配し、主力の退軍もふた手に分けて、一隊が退いてから、次を退くというふうに、あくまで緻密（ちみつ）にひきあげた。

孔明は、蜀の主力を、赤坡（せきは）という所まで出して、この秋ばれに、心地よい報告をうけとっていたが、

「病みつかれ果て、ただ今、魏の全軍が、続々ひきあげて帰ります」

と聞いても、

「追えば必ず仲達の計にあたるであろう。この天災による敗れを、蜀に報復して、面目を立てて帰らんとしている必勝の心ある者へ、われから追うのは愚である。帰るにまかせておけばよい」

そういって、すこしも意（こころ）をうごかさなかった。

賭

一

魏の総勢が遠く退いた後、孔明は八部の大軍をわけて箕谷と斜谷の両道からすすませ、四度祁山へ出て戦列を布かんと云った。

「長安へ出る道はほかにも幾条もあるのに、丞相には、なぜいつもきまって、祁山へ進み出られるのですか」

諸将の問に答えて、

「祁山は長安の首である」と、孔明は教えた。

「見よ隴西の諸郡から、長安へ行くには、かならず通らねばならぬ地勢にあることを、しかも、前は渭水にのぞみ、うしろは斜谷に靠り、重畳の山、起伏する丘、また谷々の隠見する自然は、ことごとくみな絶好の楯であり壁であり石垣であり塹壕であり塁である。右に入り、左に出で、よく兵を現わし得るところ、かくの如き戦場はすくない。

──ゆえに長安を望むにはまず祁山の地の利を占めないわけにはいかないのだ」

「なるほど」と、人々ははじめて会得した。また数次の苦戦を重ねながらも、地の利に惑ったり、地を変えてみたりしない孔明の信念に心服した。

その頃、魏軍はようやく、難所を脱して遠く引き退き、ほっと一息ついていた。

途々、残してきた伏勢も、追々ひきあげてきて、

「四日あまり潜んでいましたが、いっこう蜀軍の追ってくる気配もありませんので、立ち帰りました」という報告であった。

そこで約七日ほど滞在して、蜀軍の動静をうかがっていたが、いっこう何のおとずれもない。

曹真は、司馬懿に語った。

「察するに、先頃の長雨で、山々の桟も損じ、崖道も雪崩のため蜀兵もうごくことならず、遂に、われわれの退軍したのもまだ知らずにおるのではあるまいか」

「いやいや、そんなはずはないでしょう。蜀軍はかならずわれわれの跡をしたって出てくるにちがいない」

「どうしてそういえるか」

「孔明が追撃を加えてこないわけは、われの伏兵を恐れたからです、思うに彼はこの晴天を望んで、一転、祁山方面へすすんでいるのでしょう」

「さあ、その説にはちと服しかねるな」

「いや、きっと彼は、祁山へ出てきますよ。おそらく全軍を二手に分けて、箕谷、斜谷

の両道から」

「ははは。お疑いあるべからずです。――今からでも、箕谷、斜谷の途中へ、急兵をさ

「決して、お疑いあるべからずです。――今からでも、箕谷、斜谷の途中へ、急兵をさ

しむけ、道に伏せておけば、彼の出鼻を叩くには充分間に合いましょう」

司馬懿は力説したが、曹真は信じない。

「迂愚な戦法は取るまいというのである。やって来るほどなら、孔明たる者が、そんな

だから、急迫また急迫、これへ迫ってくるのがほんとうだと主張して譲らない。

「では、こうしましょう」と、司馬懿も自説を固執してついにこう云いだした。

「いま閣下と私で、おのおの二軍を編制し、箕谷と斜谷にわかれて、おたがいに狭路を

擁し、彼の通過を待ち伏せます。そしてもしこれから十日の後まで、孔明がそれへ来な

かったら、仲達はいかなるお詫びでもいたしますが」

「どういう謝罪の法をとるかね」

「この面に紅粉を塗り、女の衣裳を着て、閣下の前にお辞儀いたします」

「それはおもしろい」

「しかし、もし閣下のお説がまちがっていたらどうなさいますか」

「さよう。どうするかな」

「これは大きな賭ですから、片方だけの罰則では意味をなしますまい」

「然らば、もし貴説があたったときには、予は魏帝から拝領した玉帯一条と名馬一頭を

「ご辺に贈ろう」

「ありがとうございます」

「まだ、お礼は早いよ」

「いや戴いたのも同じことでしょう」と、仲達は呵々と笑った。

その夕べ、彼は祁山の東にあたる箕谷に向い、曹真も一軍をひきいて、祁山の西方、斜谷の口に伏せた。

二

伏勢の任務は戦うときよりはるかに苦しい。来るか来ないか知れない敵に備えて、じっと昼夜すこしの油断もならないし、火気はもちろん厳禁だし、害虫毒蛇に襲われながら身動きもならない忍耐一点ばりである。

「なんたるこった。敵も来ないのに幾日も気力を費やしているなどとは。——一体、主将たる者が、無用の意地を張って、物賭などして多くの兵をみだりに動かすということからして怪しからぬ沙汰だ」

慨然と、ひとりの部将が、部下に不平をもらしていた。

折ふし陣地を見廻っていた司馬懿仲達が、ふとその声を聞きとめた。仲達は営所に帰るやいなすぐ左右の者を派してその部将を床几の前に求めた。

「汝だな。先ほど、不平を唱えていたのは」

「いや、そんな、不平などは」

「だまれ、予の耳にははいっておる」

「………」

部将は恐れ入って沈黙した。

司馬懿は面を改めて云った。

「賭事をなすために兵を動かしたと汝は曲解しておるらしいが、それは予の上官たる曹真を励ますためであり、またただ、魏の仇たる蜀を防がん希いのほかに私心あるものもない。もし敵に勝たば、汝らの功もみな帝に奏し、魏の国福を共によろこぶ存念であるのだ。──然るに、みだりに上将の言行を批判し、あまっさえ怨言を部下に唱えて士気を弱むるなど、言語道断である」

直ちに、彼は、打首を命じた。

部将の首が陣門に梟けられたのを見て、多少、ほかにも同じ気持を抱いていた者もあったので、諸将みな胆を冷やし、一倍、油断なく、埋伏の辛さを耐えて、孔明軍が来るのを今か今かと待っていた。

折しも、蜀の魏延、張嶷、陳式、杜瓊などの四将二万騎は、この一道へさしかかって来たが、たまたま斜谷の道を別に進軍している孔明のほうから聯絡があって、

「丞相の仰せには、箕谷を通る者は、くれぐれも敵の伏勢に心をつけ、一歩一歩もかりそめに進まれるな、とのご注意でありました」と、伝言して来た。

使者は鄧芝である。聞いた者は陳式と魏延で、またいつものもの用心深いお疑いが始まっ

たことよと一笑に附して、

「魏軍は三十余日も水びたしになったあげく、病人もふえ、軍器も役立たず、ことごと

く引き退いてしまったものなのに、何でこれへ出直してくる余力などあるものではな

い」と、二人して云った。

鄧芝は、使いとして当然、

「いや丞相の洞察に、過ったことはありませぬぞ」

と、戒めたが、魏延はなお、

「それほど達見の丞相ならば、街亭であんな敗れを取るわけもないではないか」

と、皮肉を弄した上、

「さもあらんか」と、何事か思い当っているらしく、さしても意外とせず、こういっ

た。

「一気、祁山に出て、人より先に陣を構えてみせる。そのとき丞相が羞じるか羞じない

でいるか、その顔を足下も見ていやい給え」と、いった。

鄧芝はいろいろ諫めたが、この人の頑冥さを度しがたしと思ったので、大急ぎで斜谷

の道へ引っ返し、これを孔明に復命した。孔明はそれを聞くと、

「魏延は近頃、予を軽んじている。魏と戦って幾度か利あらず、ようやくこの孔明にあ

いそをつかしておるものと思われる。……ぜひもない」と、自己の不徳を嘆じ、やがて

またこう託った。

「むかし先帝も仰せられたことがある。魏延は勇猛ではあるが、叛骨の士であると。予もそれを知らないではないが、つい彼の勇を惜しんで今日に至った。……いまはこれを除かねばならないだろう」

ところへ、早馬が来た。

「昨夜、箕谷の道で、真先に進んでいた陳式が、敵の伏勢に囲まれてその兵五千は殲滅され、残るものわずかに八百名、つづいて魏延の部隊も危ぶまれております」

孔明はかろく舌打ちして、

「鄧芝。もう一度、箕谷へ急げ。そして陳式をよくなぐさめておけ。うっかりすると、罪を恐れて、かえって豹変するおそれがある」

と、まず何よりも先に、彼はそれに対する一策を急いだ。

三

鄧芝を使いに奔らせた後、孔明はややしばし眉をよせて苦吟していた。

やがて静かに、眼をひらくと、

「馬岱、王平。――馬忠、張翼にも、すぐ参れと伝えよ」

伝令に云って、一同が揃うと、何事か秘策をさずけ、

「各〻。すぐ行け」と、急がせた。

また関興、呉懿、呉班、廖化などを招いて、それぞれ密計をふくませ、後、彼自身も

また大軍をひきいて堂々前進した。

　一方——魏の大都督曹真は、斜谷方面の要路へ出て、ここ七日ばかり伏勢の構えを持していたが、いっこう蜀軍に出会わないので、彼の意思の対象は蜀軍よりも、むしろ司馬懿との「司馬懿との賭けはもう自分の勝ちである」

と、そろそろたかをくくっていた。いや自己の小さい意地や面子にとらわれていたというほうが適切であろう。

賭にあった。

「自分の勝ちになったら、司馬懿がどんなに恥じ入るか、ひとつ彼が面に紅粉を塗って、女の着物を着てあやまる恰好を見てやらねばならん」

などと小我の快感を空想していた。

　そのうちに、約束の十日近くである。物見の者が、

「兵数はよく分りませんが、蜀の兵がちらちらこの先の谷間に出没しているふうです」

と、告げて来た。

「たかの知れたものだろう」

と、曹真は秦良という大将に約五千騎ほど授けて、谷口をふさがせ、

「十日の期が満つれば、賭はわが勝ちとなる。だからあと二日ほどは、旗を伏せ鼓をひそめ、ただそこを塞ぎ止めておれ」と、命じた。

　秦良は命令を守っていたが、広い谷あいを覗くと、四山の水が溜るように、刻々と蜀

の軍馬がふえてくる。しかも侮りがたい気勢なので、「これは」と、急に自分のほうからも、おびただしい旗風を揚げて、ここには備えがあるぞと、堅陣を誇示した。すると

蜀勢は、その夜から翌日へかけて、続々と退いてゆく様子である。さては恐れをなして道を変更したなと見たので、秦良は、この図をはずすなと、にわかに、追撃をかけた。

谷道を縫って五、六里も駆け、ひろやかな懐へ出た。けれど蜀兵はどこへ去ったか影も形もなくなった。秦良はひと息入れて、

「何だ、容態ばかり物々しくやって来て、みえほどもない腰抜け軍隊だ」と、あざ笑っていた。

その声も止まないうちである。四方から喊声が起った。急鼓地をゆるがし、激箭風を切って、秦良軍五千を蔽いつつんだ。

馬煙と共に近づく旗々は、蜀の呉班であり、関興であり、また廖化であった。

魏兵は胆をひやして四散したが、ここは完全な山ふところ、逃げ奔ろうとする道はことごとく蜀軍で埋まっている。秦良も囲みを突いて一方へ逃走を試みたが、追いしたった廖化のため一刀のもとに斬り落された。

「降伏する者は助けん。盜を捨てよ、甲を投げよ」

高き所から声がした。孔明とその幕将たちである。見るまに魏兵の捨てた武器や旗が山をなした。

彼らは唯々として降兵の扱いを待つのである。

孔明は、屍を谷へ捨てさせたが、その物の具や旗印は、これを取って、自軍の兵に装

わせた。つまり敵の具を以て全軍偽装したのである。

かくとも知らない曹真は、それから後、秦良の部下と称する伝令からこんな報告を聞いていた。

「昨日、谷間にうごめいていた敵は、奇計を以てみな討ち取りましたからご安心下さるように」

その日の後刻。司馬懿仲達からも使いが来た。これはほんものであった。口上でいう。

「箕谷のほうでは、蜀軍の先鋒、陳式の四、五千騎がすでに現われ、これは殲滅いたしましたが、閣下のほうは如何ですか」

曹真は、嘘を答えた。

「いや、我が方には、まだ蜀軍は一兵も見ない。賭は予の勝ちであるぞと、司馬懿に申しておいてくれ」

四

十日目が来た。曹真は、幕僚たちに向って、

「賭に負けるのは辛いので、司馬懿はあんなことをいって来たが、箕谷の方面に事実蜀軍が出たかどうか知れたものではない。何としても、彼を賭に負かして、司馬懿仲達が紅白粉をつけ、女の着物を着て謝る姿を見てやらなければならん」

などとなお、興じ合っていた。

そこへ鼓角の声がしたので、何事かと陣前へ出てみると、味方の秦良軍が旗さし物を揃えてしずしずと近づいてくる。そして、

「ただ今、引揚げて候う」

と、彼方から手を振って合図していた。

曹真はすこしも疑わず、同じく手を挙げてこれを迎えた。ところが、数十歩の前まで近づくや否、味方とのみ思っていたその軍隊は一斉に槍先を揃えて、

「あれこそ大都督曹真なれ。曹真をのがすな」と、突き進んできた。

曹真は仰天して、陣中へ転げこんだ。するとほとんど同時に、営の裏手からも猛烈な火の手が揚がった。前から関興、廖化、呉班、呉懿、裏からは馬岱、王平、馬忠、張翼などが、早鼓を打って、火とともに攻め立てて来たのである。

酸鼻、いうばかりもない。焦げる血のにおい、味方が味方を踏みあう叫喚、備えも指揮もあらばこそ、総帥曹真の生死すらわからない程だった。

身ひとつ、辛くものがれて、曹真は無我夢中、鞭も折れよと、馬の背につかまって逃げ奔っていた。

蜀勢は見落さない。あれを捕れ、あれを射よ、と猟師の如く追いまくった。しかしようやく彼は一命を拾った。それは突として、山の一方から馳け降ってきたふしぎな一軍が助けたのである。後にやっと人心地がついて曹真が見まわしてみると、自分は司馬懿

仲達の軍に護られていた。

「大都督。どうなすった？」

ひとの悪い仲達は、からかい気味に、彼を見舞った。曹真は面目なげに、

「箕谷（きこく）にある筈のご身が、一体どうして予の危急を救ってくれたのじゃ。何が何やら夢のようで、さっぱり分らんが」

「よく分っている筈ではありませんか。……かならず蜀軍がこれへ来ることは」

「いや、謝った（あやまった）。賭はたしかに予の負けであった」

「そんなことはどうでもよろしいのです。けれど私から使いをさし上げたところ、斜谷（やこく）方面には何らの異状もない、また蜀の一兵も見ないとのお言葉だったということなので、これはいかん、それが真底のお心なら一大事と、取るものも取りあえず、道なき山を横ざまに越えて、お救いに来たわけでありまする」

「玉帯と名馬はご身辺へ進上する。もうこのことはいわないでくれ」

「閣下も賭物におこだわり遊ばしますな。そんな物は頂戴できません。それよりはどうか国事にいよいよご戒心ください」

曹真はふかく恥じた。そして間もなく渭水（いすい）の岸へ陣地をうつしたが、以来慙愧（ざんき）にせめられて、病に籠り、陣頭にすがたを見せなくなってしまった。

辛辣な仲達の舌が、どちらかといえば人の好い曹真をついに病気にさせたのだといえないこともない。元来仲達の皮肉と辛辣な舌は、ときに人を刺すようなところがある。

孔明は、予定のように祁山に布陣をなし遂げた。諸軍をねぎらい、賞罰をあきらかにし、全軍これで事なきかのように見えたが、彼はかねての宿題をやはり不問にはしておかなかった。

陳式と魏延が呼び出された。

孔明は、おごそかに、

「鄧芝を使いとして、敵の伏勢をかたくいましめておいたのに、わが命をかろんじて、大兵を損じたるは何事か」と果然、罪を責めた。

陳式は魏延に科をなすり、魏延は陳式に罪を押しつけた。孔明は双方の言分を聞いてから、

「陳式がなお一命を保ち、いくらかの兵でもあとに残すことができたのは、魏延が第二陣から援けたからではないか。咄、卑怯者」と、罵って、即座に、首を刎ねさせた。

しかし魏延は責めなかった。叛骨ある男と知りながら、なお助けておいたのは、国運の重大に顧みて、彼の武勇を用うる日のいよいよ多きを考えていたからであろう。実に、そうした苦衷を嘗まねばならぬ程、魏にくらべて、蜀には事実良将が少なかったのである。

八　陣展開

一

魏は渭水を前に。蜀は祁山をうしろに。——対陣のまま秋に入った。

「曹真の病は重態とみえる……」

一日、孔明は敵のほうをながめて呟いた。

斜谷から敗退以後、魏の大都督曹真が病に籠るとの風説はかねて伝わっていたが、どうしてその重態がわかりますか——と傍らの者が訊くと、孔明は、

「軽ければ長安まで帰るはずである。今なお渭水の陣中に留まっているのは、その病、甚だ重く、また士気に影響するところをおそれて、敵味方にそれを秘しているからだろう」と、いった。

「自分の考えが適中していれば、おそらく彼は十日のうちに死ぬだろう。試みにそれを問うてみよう」

彼は、曹真へ宛てて戦書（挑戦状）をしたため、軍使を派して、曹の陣営へ送りつけ

た。その辞句はすこぶる激越なものだったという。

果たして、明答がない。梨のつぶてであった。——けれど、それからわずか七日の後、黒布につつまれた柩車や、白い旗や幡を立てた寂しい兵列が、哀愁にみちた騎馬の一隊にまもられて、ひそかに長安のほうへ流れて行った——という知らせが物見の者から蜀の陣に聞えた。

「彼は遂に死んだ」

孔明は明言した。そして、

「やがて今までにない猛烈な軍容をもって魏が攻撃を取ってくるにちがいない。夢々、油断あるな」

と、諸軍へいましめていた。

魏の中には、こういう言が行われていた。——孔明は書を以て曹真を筆殺した——というのである。事実、重病だった曹真は、彼の戦書を一読したせつなから極度に昂奮して危篤におちいり、間もなく果てたものだった。

これが魏宮中に聞えるや、魏帝と門葉の激昂はただならぬものがあり、蜀に対する敵愾心（がいしん）は延いて現地の首班司馬懿（しばい）仲達への激励鞭撻（げきれいべんたつ）となって、一日もはやくこの恨みを報いよと、朝命ぞくぞく陣へ降った。

仲達は、孔明に、さき頃の戦書の答えを送った。

（曹真亡（な）けれど、司馬懿あり。軍葬のこと昨日に終る。明日は出でて、心ゆくまで会戦

せん）

孔明は一読、莞爾として、

「お待ちする、よろしく」

とのみ口上で答え、返書はかかず言伝だけで敵の軍使を帰した。

時も秋八月、両軍はこの大天地に展陣した。祁山の山は高く、渭水のながれは悠々。

河をはさんで、射戦を交え、やがて両々鼓角を鳴らして迫りあうや、魏の門旗をひらいて、司馬懿その人を中心に、諸大将一団となって、水のほとりまで進んでくるのが見えた。

時を同じゅうして、孔明も蜀軍を分けて、四輪車をすすめ、羽扇をにぎって近々とその姿を敵にみせていた。

司馬懿は大音に呼びかけた。

「もと南陽の一耕夫、身のほどを知らず、天渾の数をわきまえず、みだりに師を出して、わが平和の民を苦しむることの何ぞ屢々なるや。今にして覚らずんば、汝の腐屍もまた、祁山の鳥獣に饗さるる一朝の好餌でしかないぞ」

「そういうは仲達であるか。かつて魏の書庫に住んでいささか兵書の端をかじった鼠官の輩が、今日、戦冠をいただいてこの陣前に舌長の弁をふるうなど笑止に耐えぬ。――われ先帝より孤を託すの遺詔を畏み、魏と俱に天を戴かず、年来、暖衣を退け、飽食

を知らず、夢寐にも兵馬を磨きて熄まざるものは、ただただ反国の逆賊を誅滅し、天下をして漢朝一定の本来のすがたに回さしめんとする希いあるのみ。汝らごとき、一身の栄爵を競い、名利のために戦いを好む者とはおのずからちがうことを知れ。——故に、われは天兵、汝は邪兵、顧みてまず恥かしい気はしないか」

「吐かしたり南陽の耕夫。さればいずれが正なりや競うて見ん」

「たやすいこと。戦いに表裏二様あり。正法の戦いをなさんとするか、奇兵を求むるか」

「まず正法を以て明らかに戦おう」

「正法の戦に三態あり。大将を以て闘わしめんか、陣法を以て戦わんか、兵を以て戦わんか」

「まず陣法を以て戦わん」

「そして、汝の敗れたときは？」

「ふたたび三軍の指揮は取るまい。もしまた汝が敗れたときは、汝もいさぎよく蜀へ帰り、以後二度と魏の境を侵さぬという約束をなせ」

「よろしい、誓っておく」

孔明は、宣言して、

　　　　二

「まず、汝から一陣を布け」

と促した。

仲達は馬をかえして、中軍へ馳け入り、黄の旗を振って、兵をうごかし、各隊を分配して、すぐ戻ってきた。

「孔明、いまの陣立てを知ったるか」

「笑うべし、蜀軍の士は、大将ならずともそれくらいな陣形は誰も存じておる。即ち混元一気の陣と観る」

「然らば、汝も一陣を布いてみよ。仲達が見物せん」

孔明は車を中軍へ引かせ、羽扇をもって一たび招き、また車を進めてきた。

「仲達見たか」

「児戯にひとしい。いま汝の布いたのは八卦の陣だ」

「なおよくこれを破り得るか」

「何の造作もない」

「さらばかかってみよ」

「すでにその陣組を知るものが、なんで打破の法を知らずにいようか。見よ、わが鉄砕の指揮を」

仲達は直ちに、戴陵、張虎、楽綝の三大将をさしまねき、その法を授けた。

「いま孔明の布いた陣には八つの門がある。名づけて、休、生、傷、杜、景、死、驚、

開の八部とし、うち開と休と生の三門は吉。傷と杜と景と死と驚との五門は凶としてある。即ち東の方の生門、西南の休門、北の開門、こう三面より討って入れば、この陣からならず敗れ、味方の大勝を顕わすものとなる。構えて、惑わず、法のとおり打ってかかれ」

と、きびしく命令した。

魏の三軍は一せいに鼓を鳴らし鉦を励まし、八陣の吉門を選んで猛攻を開始した。けれど、孔明の一扇一扇は不思議な変化を八門の陣に呼んで、攻めても攻めてもそれは連城の壁をめぐるが如く、その内陣へ突き入る隙が見出せなかった。

このうちに魏軍は、重々畳々と諸所に分裂を来し、戴陵、楽綝とほか六十騎は挺身してついに蜀の中軍へ突入していたが、あたかも旋風の中へ飛び込んでしまったように、惨霧濛々と、度を失い、ここかしこに射立てられて叫喊する味方の騒乱を感じるのみで、少しも統一がとれなかった。

のみならず気がついたときは、楽綝、戴陵以下六十騎は、完全に捕虜となっていた。

重囲を圧縮されて、武装解除を受くるの地位に立っていたのである。

孔明は、車から一睨して、

「これは当然の結果で、べつに奇妙とするにも足らん。汝らはまた、司馬懿によく申し伝えよ。——かかる拙なる戦法をもって、いずくんぞわが八陣を破り得べき。もう少し兵書を読み、身に学問を加えよ」と。

戴陵、楽綝たちは恥じ入って、孔明の姿も仰げなかった。

孔明はまた云った。すでに一人でもわが陣内を踏みにじったことは無興である。生命を取るのも大人気ないが、ただこのまま返すも戒めとならぬ。擒人ども六十余名の太刀物の具をはぎ取って赤裸になし、顔に墨を塗って陣前より囃しては追い、囃しては返すべし——と。

司馬懿はこれを眺めて烈火のごとく怒った。楽綝、戴陵などに加えられた辱めは、いうまでもなく自分への嘲弄である。われこの所に出て隠忍持久、あえて軽戦小利をねがわず、今日孔明と会すや、まずこの絶大なる侮辱をうけ、何の面目あって魏の人にまみえん。この上はただ身も更なり諸軍もいのちを捨てて戦え。それあるのみと、彼はみずから剣を抜いて、左右百余騎の大将を督し、麾下数万の兵力を一手にあわせて、大山のおめき崩るるごとく蜀軍へむかって総攻撃の勢いに出た。

ところが、このとき、はからざる後方から、味方の軍とも思われぬ旺な喊声と攻め鼓を聞いた。ふりかえってみると、砂雲漠々として、こなたへ迫る二大隊がある。

「しまった」

仲達は絶叫して、にわかに指揮をかえたが、迅雷はすでに魏の後方を撃っていた。いつのまにか迂回していた蜀の姜維、関興の二将が喚きこんで来たのである。

竈 (かまど)

一

この時の会戦では、司馬懿(しばい)は全く一敗地にまみれ去ったものといえる。魏軍の損害もまたおびただしい。以来、渭水(いすい)の陣営は、内に深く守って、ふたたび鳴りをひそめてしまった。

孔明は、拠(よ)るところの祁山(きざん)へ兵を収めたが、勝ち軍に驕(おご)るなかれと、かえって全軍を戒(いまし)めていた。そしていよいよ初志の目標にむかい、長安、洛陽へ一途進撃(いくさ)して、漢朝一統の大業を果さんものとかたく期していたが、ここに測らずも軍中の一些事(さじ)から、やがて大きな蹉跌(さてつ)を来たすにいたった。

後方の増産運輸に力を入れていた李厳(りげん)が、永安城から前線へ兵糧を送らせて来た。その奉行は都尉苟安(こうあん)という男だったが、酒好きのため、途中でだいぶ遊興に日を怠り、日限を十日余りも遅れてやっと祁山(きざん)に着いた。

「はて、なんと弁解しようか」

当然な譴責を恐れて、苟安は途々考えてきたらしい。孔明の前に出ると白々しく云った。

「渭水を挟んで大会戦が行われていると途中で聞き、万一大事な兵糧を敵方に奪われてはと存じ、わざと山中に蟄伏して、戦いのを終るのを待って再び出かけました。そんなわけでありまして」

孔明はみなまで聞かず、叱って云った。

「兵糧は戦いの糧。運輸の役も戦いである。だのに、戦いを見て戦いを休めるというのは、すでに大なる怠りだ。しかも汝の言い訳は虚言に過ぎない。汝の皮膚は決して山野に蟄伏して雨を凌いできたものでなく、酒の脂に弛んでいる。すでに運輸に罰則あり、三日誤れば徒罪に処し、五日誤れば斬罪を加うべしとは、かねて明示してある通りだ。今さら、いかにことばを飾るも無用であろう」

苟安の身はすぐ断刑の武士たちへ渡された。長史楊儀は、彼が斬られることになったと聞いて、大急ぎで孔明のところへ来て諫めた。

「ご立腹はもっともですが、苟安は李厳がたいへん重用している部下ですから、彼を処刑するときっと李厳がつむじを曲げましょう。いま蜀中から銭糧の資を醸出して戦力増加に当っているのは李厳その人ですから、その当事者と丞相との間に確執が生じては、どうかここは胸を撫でて苟安の死は戦力の上に大きな影響がないわけには参りません。ゆるしてやっていただきたいと思いますが」

孔明は沈黙したまま、熱い湯を呑むような顔をしていた。さきには、あれほど惜しんでいた馬謖をすら斬らせた程、軍律にはきびしい彼なのである。けれど今はそれをすら忍んだ。

「死罪はゆるす。しかし不問に付しておくわけにはゆかない。　杖八十を加えて、将来を戒めておけ」

楊儀は、彼の胸を察して、深く謝して退がった。

苟安はそのために、八十杖のむちを打たれて、死をゆるされた。けれど彼は、楊儀の恩も、孔明の寛仁も思わなかった。反対に怒りをふくみ、深く孔明を恨んで、夜半に陣地を脱走してしまった。

家来、五、六騎と共に、そっと渭水を越えて、魏軍へ投じてしまったのである。そして司馬懿の前にひざまずいてさんざんに孔明を悪くいった。

「至極もっともらしいが、急には信用いたし難い。なぜならばそれも孔明の計かも知れないからな」

仲達は要心深く彼をながめて、

「もし真実、魏に仕えて、長くわが国に忠誠を誓う気なら、ひとつ大きな働きをして来給え。もしそれが成功したら我輩から魏帝へ奏して、足下自身も驚くような重職に推挙してやろうじゃないか」と云った。苟安は、再拝して、

「それはぜひやらせて下さい。こうなる上は何でもやります」と、いった。

司馬懿は一策を彼に授けた。

荀安は間もなく姿をかえて、蜀の成都へ入り込んだ。そして都中に諜報機関の巣をつくり、莫大な金を費って、ひたすら流言蜚語を放つことを任務としていた。この悪気流はたちまちその効をあらわし、蜀中の朝野は前線の孔明に対して、次第に正しく視る目を失ってきた。とかく邪視、疑惑で見るように傾いてきた。

二

たれ云うとなく蜀宮中に、孔明はやがて漢中に一国を建て自らその主となる肚らしい、という風説が立ち始めた。

甚だしきは、それにもっと尾鰭をつけて、

「彼の兵馬の権を以てすれば、この蜀を取ることだってできる。彼がしきりに蜀君の暗愚をなじったり怨言を撒いているのはその下心ではないか」

などと流言してはばからぬ者すらあった。

都下にも同じ声が行われたが、宮中の流言の出どころは内官であった。荀安に買収された徒が浅慮にも私利私慾に乗ぜられて、思うつぼへ落ちたものであった。

この結果はやがて、蜀帝の勅使派遣となって具体化して来た。要するに帝の後主劉禅もまたついにうごかされたのである。すなわち、節を持たせて、前線に勅命を伝え、

——朕、大機の密あり、直々、丞相に問わん、即時、成都に還れ。

と、召喚を発したのであった。

命に接するや孔明は天を仰いで大いに哭き、落涙長嘆してやまなかったという。

「主上はまだ御年もいとけなくおわすがゆえ、おそらくは佞官のみだりなる言に惑わされたものであろう。いま戦況は我に有利に展開し、ようやく長安を臨む日も近からんとするときにこの事あるは、そも天意か、はた蜀の国運の未だ開けざる約束事か。——さりとて、もし勅にそむけば、佞人の輩はいよいよ我説を虚大に伝え、この身また君を欺く不忠の臣とならざるを得ない。しかも今ここを捨ててかえるときは、再びまた祁山へ出ることは難かろう。そのひまに魏の国防はいよいよ強化され、長安、洛陽はついに不落のものとなるはいうまでもない」

かく悶々たる痛涙はながしたが、大命ぜひなく、孔明は即日、大軍を引き払った。

その際、姜維が憂えて、

「司馬懿の追撃をいかにして防がれますか」と、いった。

孔明は指令をさずけた。

「兵を五つ手に分け、それぞれ道を変えて退け。主力は、ここの陣を引くにあたり、兵一千をとどめて、二千の竈をほらせ、次の日退陣して宿る所には、また四千の竈跡を掘り残しておくがよい。かくて三日目の屯には六、七千。五日目の野営には一万と、退くに従って倍加してゆくのだ」

「むかし孫臏は、兵力を加えるたびに竈の数を減じて退却し、敵をあざむく計を用い

て、龐涓を計って大勝を得たということを聞いていますが、いま丞相に反対に、兵を減

じるたびに、竈の数をふやしておけと仰せあるのは、いかなるお考えですか」

「孫臏の計を逆に行うに過ぎない。よく物を識っている人間を計るにはその人間の持っ

ている知識の裏をゆくことも一策となる。――司馬懿もおそらく疑ってよく深追いをな

し得ないだろう」

かくて蜀軍は続々五路にわかれて引揚げを開始したが、孔明の予察どおり、司馬懿仲

達は、蜀兵の埋伏をおそれて、敢然たる急追には出なかった。

しかし、物見の報告によると、さして伏兵の計もないらしいとのことに、徐々、軍を

進ませて、蜀の駐屯した後々を見てゆくと、その場所と日を重ねるに従って、竈の数が

際立って増加している。竈の跡の多いのは当然、兵站の増量を示すものであるから、仲

達はいちいちそれを検分して、

「さては、彼は、退くに従って殿軍の兵力を強化しているな、さまで戦意の昂い軍勢

を、ただ退く敵と侮って追い討ちすれば、どんな反撃をうけるやも知れない」

と、要心ぶかく考え、

「――苟安を成都へやって行わせた、わが計画はもう大効果を挙げている。その結果、

かく孔明の召還となったものを、それ以上の慾を求むるまでもあるまい」

と、大事をとって遂に追撃を下さずにしまった。

ために、孔明は一騎も損じることなくこれほどの大兵の総引揚げを悠々なしとげた

が、後、川口の旅人が、魏へ来て洩らした噂から、竈の数に孔明の智略があったことも

やがて司馬懿の聞くところとなった。

けれど司馬懿は悔やまなかった。

彼の智謀は元来自分などの及ぶところではないのだから

「――相手がほかの者では恥にもなるが、孔明の智略にかかるのは自分だって仕方がな

い。

麦青む

一

孔明は成都に還ると、すぐ参内して、天機を奉伺し、帝劉禅へこう奏した。

「いったい如何なる大事が出来て、かくにわかに、臣をお召し還し遊ばされましたか」

もとより何の根拠もないことなので、帝はただうつ向いておられたが、やがて、

「余り久しく相父の姿を見ないので、慕わしさのあまり召し還したまでで、べつに理由

はない」

と正直に答えた。

孔明は色をあらためて恐らくはこれ何か内官の讒に依るものではありませぬかと、突っこんでたずねた。帝は黙然たるままだったが、

「いま相父に会って、初めて疑いの心も解けたが、悔ゆれども及ばず、まったく朕のあやまりであった」と深く後悔のさまを示した。

孔明は、相府へ退がると、直ちに宮中の内官たちの言動を調べさせた。出師の不在中孔明を誹謗したり、根もない流説を触れまわったりしていた悪質の者数人は前から分っていたのですぐ拉致されて来た。

孔明は彼らに詰問した。

「いやしくも卿らは、戦いの後ろにあって、国内の安定と民心の戦意を励ます重要な職にありながら、何で先に立って、不穏な流説を行い、朝野の人心を惑わしめたか」

ひとりの内官は懺悔してまっすぐに自白した。

「戦いがやみさえすれば、暮し向きも気楽になり、諸事以前のような栄耀が見られると存じまして。つい……」

「ああ、何たる浅慮な——」と、孔明は痛嘆して、彼らの小児病的な現実観をあわれんだ。

「もし蜀が卿らのような考え方でいたら、戦いはわれから避けようとしても、魏から押しつけてくるし、呉からも持ち込んできて、好むと好まざるとにかかわらず、蜀境の内において、今日の戦争をしていなければなるまい。しかもその戦いは敗るるにきまって

おり、その惨禍は、祁山へ出て戦う百倍もひどいものを見ただろう。しかのみならず、汝らはじめ蜀の民は、今日の戦後に働くどころの苦しみではなく、魏や呉の兵に、家も国土も蹂躙され掠奪凌辱のうき目にあうはいうまでもなく、永く呉の奴隷に落され、魏の牛馬にされて、こき使わるるは知れたこと。──きょうの不平と、その憂き目と思い較べて、いずれがよいと欲しているか」

内官たちは皆、ふかく頭を垂れたまま、一言の言い訳もできなかった。

「──しかし、恐らくこれは、敵国の謀略だろう。いったい、わが軍、官、民の離反を醸すような風説は、誰から出たのか。卿らは誰から聞いた」

その出所をだんだん手繰ってみると、結果、苟安という者であるということが明瞭になった。

すぐ相府から保安隊の兵がその住居へ捕縛に向ったが、時すでに遅かった。苟安は風を喰らってとうに魏の国へ逃げ失せていた。

孔明は、百官を正し、蔣琬、費褘などの大官にも厳戒を加え、ふたたび意気をあらためて、漢中へ向った。

連年の出師に兵のつかれも思われたので、今度は全軍をふたつに分けて、一半を以て、漢中にのこし、一半を祁山へ進発した。そしてこれの戦場にある期間を約三月と定め、百日交代の制を立てた。──要するに百日ごとに、二軍日月のごとく戦場に入れ代って絶えず清新な士気を保って魏の大軍を砕かんとしたものである。

蜀の建興九年は、魏の太和五年にあたる。この春の二月、またも急は洛陽の人心へ伝えられ、魏帝はさっそく力と恃む司馬懿仲達を招いて、

「孔明に当るものは、御身をおいてほかにはない。国のため、身命をつくしてくれよ」

と、軍政作戦すべてを託した。

「曹真大都督すでにみまかる。この上は微臣の力を尽して、日頃のご恩におこたえ申し奉らん」

司馬懿は早くも長安に出て、全魏軍の配備に当った。すなわち左将軍張郃を大先鋒とし、郭淮に隴西の諸軍を守らせ、彼自身の中軍は堂々、右翼左翼、前後軍に護られて、渭水の前に、大陣を布いた。

二

祁山は霞み、渭水の流れも温んできた。春日の遅々たる天、久しく両軍の鼓も鳴らなかった。

仲達は一日、張郃と会って語った。

「思うに孔明は相変らず、兵糧の悩みに種々工夫をめぐらしているだろう。麦もようやく実ってきた頃だ。彼はきっと静かに軍を向けて、麦を刈り取り、兵食の資に当てようと考えるにちがいない」

「隴西の青麦は莫大な量です。あれを刈れば優に蜀軍の食は足りましょう」

「ご辺は渭水にあって、しかと祁山へ対しておれ。司馬懿みずからこの軍を率いて、隴西に出で向う孔明の目的を挫いてみせん」

彼はこう意図した。渭水の陣には張郃と四万騎をのこしたのみで、その余の大軍すべてを動かし、彼自身、これを率いて、隴西へ向った。時しも孔明は、隴西の麦を押える目的で、鹵城を包囲し、守将の降を容れて、

仲達の六感は誤らなかった。

「麦は今、どの地方がよく熟しているか」

と、その降将に質問していた。

「ことしは隴上のほうが早く熟れているようです。それに隴上のほうが麦の質も上等です」

こう聞いたので、孔明は、占領した鹵城の守りには、張翼と馬忠をとどめ、自ら残余の軍をひきつれて、隴上へ出て行った。

すると、先駆の小隊から、

「隴上には入れません。すでに魏の軍馬が充満しており、中軍を望むと、司馬懿仲達の旗が見えます」と報じて来た。

孔明は舌打ち鳴らして、

「あれほど密に祁山を出てきたが、彼はもう我の麦を刈らんことを量り知ったか。──さもあらば仲達にも不敗の構えあることであろう。我とて世のつねの気ぐみではそれに

打ち勝てまい」

深く期して、彼はその夕べ沐浴して身を浄め、平常乗用の四輪車と同じ物を四輛も引き出させた。

やがて夜に入るや、孔明の帷幕には、三名の将が呼ばれて、何事かひそやかに、遅くまで語らっていた。

一番に姜維がそこを出て、一輛の車を引かせて自陣へ帰った。二番目に馬岱がまた一つの車を持って帰った。三番目には魏延が同じように自分の陣へ一つの車を運んで行った。

かくて残った一輛は、しばし星の下に置かれていたが、やがて営を出てきた孔明が、自身それに乗って、

「関興、用意はできたか」と、出陣を促した。

「おうっ、遠くから答えて、関興は妖しげな一軍隊をさし招いて、たちまち、車のまわりに配した。

まず、車の左右に、二十四人の屈強な武者が立ち並んで、それを押した。みな跣足であり、みな黒き戦衣を着し、みな髪を振りさばき、また皆、片手に鋭利な真剣を提げている。

さらに四人、同じ姿の者が、車の先に立ち、北斗七星の旗を護符のごとく捧げていた。そしてなお五百人の鼓兵が鼓を持ってこれに従い、槍隊千余騎は、前途幾段にもわ

かれて、孔明の車を衛星のように取り囲んだ。

孔明の装束も、常とはすこし変っている。いつもの綸巾ではなく、頭には華やかな簪冠をいただいている。衣はあくまで白く、佩剣の珠金が夜目にも燦爛としていた。

また関興やそのほかの旗本は、みな天逢の模様のある赤地錦の戦袍を着、馬を飛ばせば、さながら炎が飛ぶかと怪しまれた。

かくてこの天より降れる鬼神の陣かとも疑われるこの妖装軍は、深更に陣地を発して、隴上へ向って行った。

そのあとから約三万の歩兵が前進した。これは手に手に鎌を持っているのだ。おそらく戦いの隙を見ては麦を刈って、これを後方へ運搬する手筈のもとに組織された軍であろう。日頃の行軍編制とはまるで違う。なにしても異様なる有様であった。

魏本軍の前隊を哨戒していた物見の兵は仰天した。こけ転んで、部将に告げ、部将は

これを、中軍へ急報した。

「なに。鬼神の軍が来たと」

司馬懿は嘲笑って、陣頭へ馬をすすめて来た。　時はまさに丑の真夜中であった。

北斗七星旗（ほくとしちせいき）

一

青貝の粉を刷（は）いたような星は満天にまたたいていたが、十方の闇は果てなく広く、果てなく濃かった。陰々たる微風は面を撫で、夜気はひややかに骨に沁む。

「なるほど、妖気が吹いてくる──」

仲達は眸（ひとみ）をこらして遠くを望み見ていた。陰風を巻いて馳け来る一輌の車にはそれを囲む二十八人の黒衣の兵が見える。髪をさばき、剣を佩（は）き、みな跣足（はだし）であった。北斗七星の旗はその先頭に馳け、また炎の飛ぶが如き赤装束の騎馬武者が全軍を叱咤してくる。

「孔明だ」

仲達はなお見まもっていた。四輪の車は鳴り奔（はし）ってくる。車上、白衣簪冠（さんかん）の人影こそ、まぎれなき諸葛亮孔明にちがいなかった。夜目にも遠目にも鮮やかである。

「あはははは」

突然仲達は大笑した。そして旗本以下屈強な兵二千をうしろからさしまねいて、直ち

に号令した。

「鬼面人を嚇すというやつだ──妖しむことはない。恐れることもない。破邪の剣を揮って馳け崩してみろ。化けた孔明も跣足になって逃げ出すだろう。汝らが迅速なれば、その襟がみをつかんで、彼奴を捕虜となすこともできる。──それっ、近づいてきた。かかれっ」

二千の鉄騎は励み合って、わあっと、武者声を発しながら驀進した。すると孔明の車は、ぴたりととまり、二十八人の黒衣兵も、七星の旗も、赤装束の騎馬武者もすべてにわかに後ろを見せて、しずしずと引き退いて行く様子である。

「早くも逃げ始めたぞ。のがすな」と、魏の鉄騎隊は鞭打った。

ところが、不思議や、追えども追えども追いつかない。

妖しき霧が吹き起って、白濛々黒迷々、彼方の車は目の前にありながら、馬は口に泡を嚙み、身は汗に濡るるばかりで、少しも距離は短縮されないのであった。

「奇怪奇怪。おれたちはもう三十余里も馬を飛ばして来ているのに？」

「孔明の車はあのように急ぎもせず徐々と行くのに？」

「これで追いつけないとはどういうわけだろう」

呆れ返って、魏の勢はみな馬をとどめ、茫然、怪しみに打たれていた。

すると孔明の車とその一陣はまた此方へ向って進んでくる。魏兵はそれを望むと、

「おのれ、こんどこそは」

喚いて攻めかかったが、こっちで奔ると、彼方の影は再び後ろを見せている。しかも

悠々とさわがず乱れず逃げてゆく。

またも追うこと二十余里。鉄騎二千はみな息をきらしたが、孔明の車との隔りは、依

然すこしも変っていない。

「これはいよいよ凡事ではない」

迷いにとらわれて、一つ所に人馬の旋風を巻いていた。そこへ後ろから馬を飛ばして

きた仲達が、口々にいう嘆を聞いて、さてはと悟り顔に、

「察するにこれは、孔明のよくなす八門遁甲の一法、六甲天書のうちにいう縮地の法を

用いたものであろう。悪くすると冥闇必殺の危地へ誘いこまれ、全滅の憂き目にあうや

も測り難い。もはや追うな。もとの陣地へ退け」と、にわかに下知をあらためて、急に

馬首を向けかえた。

すると不意に西方の山から鼓が鳴った。愕然と、闇をすかして望み見ると、星あかり

の下を、一彪の軍馬が風の如く馳けてきた。たちまちその中から二十八人の黒衣の兵

と、北斗七星の旗と、火焔の如き騎馬の大将があらわれて、真先に進んでくる。

近づくを見れば、黒衣の兵はみな髪をふり乱し、白刃をひっさげ、素はだしの態であ

る。四輪車のうえの白衣簪冠の人もまた前に追いかけた者と少しもちがわない。

「や、や。ここにもまた孔明がいる?」

仲達は味方の怯むをおそれて、自身先に立って追いかけてみた。二十里、三十里と、

追いかけ追いかけ鞭打ったが、どうしてもこれに近づき得ないことも、前の時と同じだった。

「奇怪だ。これは実に不思議極まる」

と、彼すらへとへとになって引っ返してくると、また一方の山の尾根から、七星の旗と黒衣の怪兵二十八人が、同じ人を乗せた四輪車を押し進めてきた。

二

人か鬼か、実か幻か、魏の勢は駭然と慄えあがり、敢えて撃とうとする者もない。

「退けや、退けや」

と、司馬懿も今は、胆も魂も身に添わず、逃げ奔る一方だった。

するとまたまた、行く手の闇の曠野に、颯々たる旗風の声と車輪の音がしてきた。車上の人はたしかに孔明であり、左右二十余人の黒衣白人の影も、北斗七星の旗も、初めに見たものと寸分の相違もない。仲達は驚倒して眼をみはった。

「いったい孔明は何人いるのか？　この分では蜀軍の数も量り知ることができない」

彼と数千の鉄騎は、ほとんど、悪夢の中を夜どおし駆け歩いたように疲れ果てて、朝頃、ようやく上邽の城へ逃げ帰ってきた。

その日、ひとりの蜀兵が捕虜になって来た。調べてみると、青麦を刈って鹵城へ運送していた者だという。

「さてはあの隙に、多量の麦を刈り取られていたか」

とさとって、仲達がなおその兵を自身で吟味してみると、昨夜の怪しい妖陣のうちの一陣はたしかに孔明の車であったに違いはないが、あと三陣の隊伍と車は、姜維、魏延、馬岱などが偽装していたもので、孔明の影武者であったに過ぎないということが分った。

「ああそれで縮地の法の手段が読めた。同装同色同物の隊伍を四つ編制しておいて、追われて逃げる時は、曲り道の山陰や、丈高き草の道などで、近きが隠れ、遠きが現われ、いわゆる身代りの隠顕出没によって、追う者の眼を惑わし惑わし逃げていたのだ。……さすがは諸葛亮。さりとは智者なるかな」

彼は正直に孔明を懼れた。そしていよいよ守るを主としていた。

「鹵城にある蜀兵を、深く探ってみましたところ、案外少数です。大軍と見せていたは孔明の軍立てによる用兵の妙で、味方の兵力をもって包囲すれば、おそらく袋の鼠でしょう」

郭淮はしきりに主張した。良策もなきまま以後、消極的に堕し過ぎていたことを自身も反省していた仲達は、彼に説かれて、

「では、動かずと見せて、急に前進し、一挙に鹵城を包囲してしまおう。それが成功すれば、後の作戦はいくらでも立つ」

夕陽西へ沈む頃、ここの大軍はいちどに発足した。鹵城はさして遠くない。夜半まで

には難しいが、未明には着ける予定である。

途中の湿地帯と河原と山とを除くほかは、すべて熟れたる麦の畑だった。蜀の斥候兵は点々と一町おきにその中に隠れていた。

一条の縄から縄が圏城のすぐ下までつながっていた。一兵がその鳴子を引くと、次の兵から次の兵へ鳴子を伝え、電瞬の間に、（魏の襲撃あり）——は蜀軍のうちへ予報されていた。

で、孔明は、来るべき敵に対して、策を立て、配備をなし、なお充分、手具脛ひいているほどな暇を持っていた。

もとより地方の一城なので、塀は低く、濠は浅い。取りつかれては最後である。姜維、馬岱、馬忠、魏延などの諸隊はおおむね逸早く城外へ出ていた。

城外は一望麦野であった。潜むには絶好である。深夜の風は麦の穂を波立てていた。音なき怒濤のごとく魏の大軍は迫ってきた。——敵はまだ覚らず——と思ったか全軍を分散して、城の東西南北に分ち始めた。と思うまに城の上から数千の弩がいちどに弦を切って乱箭を浴びせてきた。さては敵も知ったるぞ、この上は一揉みに踏みつぶせ——と濠をこえて城壁へかかると大石巨木が雪崩れ落ちてきた。浅い濠はたちまち屍で埋まった。

「少々苦戦」と司馬懿はなお励ましていたが、一瞬の後、その少々は大々的に変った。すなわち背後の麦畑がみな蜀兵と化したのである。いかに精鋭な魏軍も乱れざるを得な

かった。

暁の頃。司馬懿仲達は一つの丘に馬を立てて唇を嚙んでいた。見事夜来の一戦も敗れたのである。損害を数えると、死傷約千余を出しているという。

以来また彼は上邽城の殻に閉じ籠る臆病なやどかりになっていた。郭淮は無念にたえず、日夜智慧をしぼって、次の一策を仲達へすすめた。その計は奇想天外であって、ようやく仲達の眉を晴れしめるに足りた。

三

鹵城は決して守るにいい所ではないが、魏軍の動向は容易に測り難いものがあるので、孔明もじっと堅守していた。

しかし彼は、この自重も決して策を得たものとはしていない。なぜならば近頃、司馬懿は雍涼に檄文を飛ばして、孫礼の軍勢を剣閣に招いているふうが見える。ひとたび魏がその厖大な兵力を分けて、蜀境の剣閣でも襲うことになろうものなら、帰路を断たれ、運輸の連絡はつかなくなり、ここの陣地にある蜀軍数万は孤立して浮いてしまう。

「——余りに動かざるは、かえって、大いなる動きあるに依るともいう。どうも近ごろ魏軍の静かなのは不審だ。姜維と魏延とは、各一万騎をつれて、剣閣へ加勢に赴け。何となく心許ないのはあの要害である」

姜維と魏延とは、彼の命をうけて、即日軍勢をととのえ、剣閣へ向って行った。

それから後のことである。長史楊儀は孔明の前へ出て、

「さきに漢中を立たれる際、丞相は、軍を二つに分けて、百日交代で休ませると宣言なされたでしょう。どうも弱ったことであります」

「楊儀。何を困ったというか」

「もはやその百日の日限がきたのです。前線の兵と交代する漢中の軍はもう彼の地を出発したといって参りました」

「すでに法令化した以上、一日も違えてはならん。早々この兵は漢中へ還せ」

「いまここに八万の軍があります。どう交代させますか」

「四万ずつ二度にわけて還すがいい」

諸軍はこれを聞いて大いに歓び、それぞれ帰還の支度をしていた。

ところへ剣閣から早馬が来た。魏の大将孫礼が、雍涼の勢を新たに二十万騎募って、郭淮と共に剣閣へ猛攻してきたというのである。

それさえあるにまたまた、司馬懿仲達が時を同じゅうして、全魏軍に総攻撃の命を発し、今しもこの所へ押し襲せてくるとも伝えてきた。

全城の蜀軍が愕きおそれたことはいうまでもない。楊儀は倉皇と孔明に告げていた。

「こうなっては交代どころではありません。帰還のことは、しばらく延期して、目前の敵の強襲を防がせねばなりますまい」

「いやいや、そうでない」孔明はつよく面を横に振っていった。

「わが師を出して、多くの大将を用い、数万の兵をうごかすも、みな信義を本としていることである。この信義を失うては、蜀軍に光彩もなく、大きな力は出せなくなる。また彼らの父母妻子も、すでに百日交代の規約を知っているゆえ、みな家郷にあって指折り数え、わが子、わが良人の帰りを門に待っているであろう。たとい今いかなる難儀におよぶとも、予はこの信義を捨てることはできない」

楊儀は、早速、孔明のことばをそのまま蜀軍の兵に告げた。

それまでは、種々に臆測して、多少動揺を見せていた兵も、孔明の心をこうと聞くと、みな涙をながして、

「丞相はそれほどまで、吾々を思っていて下されたのか」

「かくのごときご恩にたいして、何で吾々として、丞相の危急を見ながら、ここを去り得ようか」

彼らはこぞって、楊儀を通じ、孔明に願い出てきた。

「願わくは命を捨てて、丞相の高恩に報ぜん」

孔明はなお還れとすすめたが、彼らは結束して踏み止まった。そして目に余るほどな魏の大軍に反撃を加え、遂には、先を争って城外へ突出し、雍涼勢の新手をも粉砕して、数日の間に、さしもの敵を遠く退けてしまった。

けれど一難去ればまた一難。全城凱歌に沸き満ちているいとまもなく、永安城にある味方の李厳から計らずも意外な情報を急に告げてきた。

木門道

一

永安城の李厳は、増産や運輸の任に当って、もっぱら戦争の後方経営に努め、いわゆる軍需相ともいうべき要職にある蜀の大官だった。

今その李厳から来た書簡を見ると、次のようなことが急告してある。

近ゴロ聞ク東呉、人ヲシテ洛陽ニ入ラシム。魏ト連和シ、呉ヲシテ蜀ヲ取ラシメント。幸イニ呉イマダ兵ヲ起サズ、今厳哨シテ消息ヲ知ル。伏シテ望ムラクハ、丞相ノ謀リ遠キヲ慮リテ、早ク良図ヲ施シテ怠リヲ欲スルコトナカランコトヲ。

孔明は大きな衝撃をうけた。事実、この書面に見えるような兆候があるとすればこれは真に重大である。魏に対しての蜀の強味は何といっても、一面に蜀呉相侵すことなき盟約下にあることが基幹をなしているのに、その呉が今、寝返りを打って、魏と連和するような事態でも起るとしたら、これは根本的に蜀の致命とならざるを得ない。

「決して遅疑逡巡している問題ではない」

ここにおいて、彼は、大英断を以て、直ちに全戦線の総退却を決意した。

「まず、すみやかに祁山を退くべきである」

と鹵城から使いを急派して、祁山に残して来た王平、張嶷、呉班、呉懿の輩に宛て

て、

「自分がここにあるうちは、魏も迂闊には追うまい。乱れず、躁がず、順次退陣して、ひとまず漢中に帰れ」と、命を封じて云い送った。

一面、孔明はまた、楊儀、馬忠の二手を、剣閣の木門道へ急がせ、後、鹵城には擬旗を植え並べ、柴を積んで煙をあげ、あたかも、人のおるように見せておいて、急速に、彼とその麾下もことごとく木門道さして引き退いた。

渭水の張郃は、馬を打って、上邽へやって来た。司馬懿に諮るためである。

「何か起ったにちがいない。蜀軍の退陣、ただ事ではありません。今こそ急追殲滅を喰らわす時機ではないでしょうか」

「いや待て、孔明のことだ。迂闊には深入りできぬ」

「大都督はどうしてそう孔明を虎の如く恐れ給うか、天下の笑い種になろうに」

時に、一兵が来て、鹵城の変を告げた。司馬懿は張郃を伴って、高きに登り、鹵城の旗や煙をややしばし眺めていたが、突然、哄笑して、

「何様、旗も煙も、たしかに擬勢だ。鹵城は今や空城にちがいない。いざ追い撃たん」

と、彼も今は疑う余地もなしと、にわかに、上邽から奔軍を駆って急進した。

　すでに木門道に近づくと、張部はまた、司馬懿に云った。

「かかる大兵の行軍では、どうしても遅鈍ならざるを得ない。それがしが軽騎数千を
ひっさげて先駆し、まず敵を捉えて喰い下っておりますから、都督の本軍は後からおい
で下さい」

「いや、軍の速度の遅いのは、大兵なるゆえばかりではない。孔明の詭計（きけい）を慎重に打診
しながら進んでいるせいにもよるのだ」

「またしてもそのように孔明を恐れ恐れ進んでいられるのですか。それでは追撃する意
義は失（な）くなってしまう」

「大なる禍（わざわ）いに陥（おちい）るよりはましである。もし貴公のごとく功を急がば、必ず悔いを求め
るだろう」

「身を捨てて国家に報ずる時、大丈夫たる者、死すとも何の悔いがありましょうや」

「いや、貴公は性火の燃ゆるごときものあって、意気はまことに旺（さかん）ではあるが、また非
常に危険でもある。深く慎み給え」

「なんの、孝はまさに力をつくすべし、忠はまさに命を捨つるのみです。ぜひおゆるし願いたい」

「それほどにいうならば、ご辺は五千騎をもってまず急げ。別に賈翔（かしょう）、魏平（ぎへい）に二万騎を
附けて後から続かせる」

　張部はよろこび勇んで、

　手兵五千騎、みな軽捷（けいしょう）を旨とし、飛ぶが如く、敵を追った。

行くこと七十里。たちまち一簇の林のうちから、鼓鉦、喊の声があがって、

「賊将、どこへ急ぐか、蜀の魏延ならばここにおるぞ」

と、呼ばわる声がした。

二

天性火の如しという定評のある張郃だった。その張郃が、火そのものとなって、

（孔明の首級を見るはいまにある）

と誓い、畢生の勇猛をふるって、無二無三猪突してきた矢先である。

「何をっ――」と一声、喚き返すや否、魏延の兵を追い散らした。魏延はちょっと出

て、槍を合わせたが、すぐ偽り負けて逃げ奔った。

「口ほどもない木っ端どもっ」

と、張郃は眼尻で嘲りつつ、また先へ急いだ。そして約二十里ほど来ると、一山の上

から蜀の関興と名乗って駈け下ってきた軍馬がある。

張郃は憤怒して迎えた。

「かねて聞く関羽の小伜。汝また非業の死を亡父に倣うか」

関興はその勢いに恐れたかの如く逃げ出した。張郃は追い巻きして行ったが、一方に密

林が見えたので、ふと万一を思い、

「伏兵があるかも知れぬ。そこの林を掻き捜せ」

と、兵に下知して、しばし息をついでいた。

すると先に隠れた魏延が後ろから襲ってきた。魏延に当って力戦していると、関興が引っ返してきては鼓躁した。

ながら、魏延はついに目的どおり張郃を木門道の谷口まで強引に誘い込んできた。

地形の険隘に気づいて、張郃もここまで来ると、盲進するなく、一応軍勢をととのえていたが、魏延はその暇を与えず、絶えず戦いを挑んできては彼を辱めた。

「張郃張郃。初めの勢いもなく早や臆病風におそれられたか。帰り途を案じているのか」

張郃はまた火となって、

「逃げ上手め。そこを去るな」

「逃げるのではない。我は漢の名将、汝は逆門の鼠賊。刃の穢れを辱じるのだ」

「うぬ。その吠面にベソ掻くな」

遂に彼は司馬懿の戒めもわすれて、木門道の谷まで駈け込んでしまった。

しかも時はようやく薄暮に迫って、西山の肩に茜を見るほか谷の内はすでに仄暗い。

魏の将士は口々に後ろから、

「将軍、帰り給え。将軍、引っ返し給え」と呼んでいたが、張郃は、憎き魏延を打ちとめぬうちはと、奔馬の足にまかせて鞭打つ敵を追っていた。

「卑怯者っ。恥知らず、最前の口をわすれたか」

早や手も届かん間近にある魏延の背へ向って張郃は罵りやまず、いきなり馬上から槍

を投げつけた。

魏延は馬のたてがみに首をうつ伏せ、槍は彼の盔の錣を射抜いて彼方へ飛んだ。

「あっ、将軍」

味方の声に、思わず振り向くと、張郃の先途を案じて、慕ってきた百余騎の将が、一斉に山を指さして叫んだ。

「怪し火が見えますぞ。あの、山頂に」

「何かの合図やも知れません」

「夜に入ってはいよいよ大事、早々、あとへお帰りあって、明日を期せられたほうがよいでしょう」

けれどこれらの忠告すらすでに遅きに失していた。

突然、虚空に大風が起った。それは万弩の箭うなりである。たちまち絶壁は叫び、谷の岩盤はみな吼えた。それは敵の降らしてくる巨木大石の轟きである。

「や、や。さては」

気づいた時は、彼方此方に火が起っていた。低い灌木も高い木も焼け始めた。張郃は、狂い廻る馬にまかせて谷口を探したが、そこの険路もすでにふさがれていた。性火の如しといわれていた張郃は、遂に炎の中に身をも焼いてしまった。

孔明は、木門道の外廓をなす一峰に姿を現わして、うろたえ迷う魏の兵にこういった。

「きょうの狩猟に、我は、馬を得んとして、猪を獲た。次の狩猟には、仲達という稀代

な獣を生擒るだろう。汝ら帰って司馬懿に告げよ。兵法の学びは少しは進んでおるかと」

張部を亡った魏兵は、我先に逃げ帰って、その実状を司馬懿に告げた。

三

張部の戦死は惜しまれた。彼が魏でも屈指の良将軍たることは誰も認めていたし、実戦の閲歴も豊かで、曹操に仕えて以来の武勲もまた数えきれない程である。

「彼を討死させたのは、実に予の過ちであった。あくまでも彼の深入りを許さなければよかったのだ」

こう痛嘆して、誰よりもその責めを感じていたのは、勿論、司馬懿その人だった。

同時に司馬懿は、孔明の作戦が何を狙っていたものかを、今は明瞭に覚ることもできた。

——敵を嶮に誘い、味方を不敗の地に拠らせ、而して、計をうごかし、変を以て、これを充分に捕捉滅尽する。

ここに孔明の根本作戦があるものと観破した。

そう考えてくると、危険極まる蜀山蜀水のうちに踏み入りかけていることも顧みられた。

渭水から邦城、邦城からこの剣閣へと、いつか自分も次第に誘い出されて、知らず知らずに自分は彼の誘導作戦にかかっている」

「——危うい哉。

司馬懿は急に兵を返して、要所要所に諸将を配し、ただよく守れと境を厳にして、自

身はやがて洛陽へ上った。

戦況奏上のためだった。

魏帝も張郃の死をかなしみ、群臣もみな落胆して、

「敵国のまだ亡ばぬうちに、われは国の棟梁を失った。前途の難を如何にすべき」

と、嘆きの声と、沈滅の色は、魏宮中を一時沈衰の底に落した。

時に、諫議大夫の辛毗が、帝にも奏し、群臣にもいった。

「武祖文皇二代を経、今帝また龍のごとく世に興り給い、わが大魏の国家は、強大天下に比なく、文武の良臣また雨の如し。何ぞ、一張郃の戦死をさまで久しく悲しまるるか。――家人の死は一家の情を以て嘆くもよし惜しむもよろしいが、国民の死は国家の大を以てこれを悠久に崇め、これを盛葬し、これを称えて、全土の人士を振わすべきではありませんか」

「まことに、辛諫議のことばは当っておる」

やがて木門道から取り上げてきた屍に対して、帝は厚き礼を賜い、洛陽を人と弔旗に埋むるの大葬を執り行って、いよいよ、討蜀の敵愾心を振起させた。

一方、孔明は、軍を収めて、漢中の営に帰ると、すぐ諸方へ人を派して、魏呉両国間の機微をさぐらせていたが、そこへ成都から尚書費禕が来て、率直に朝廷の意をつたえた。

「何の理由もなく漢中へ兵をおかえしなされたのは何故ですか。帝もご不審を抱いておられますぞ」

「近頃、呉と魏との間に、秘密条約が結ばれた形跡ありとのことに、万一、呉が矛を逆しまにして、蜀境を衝くような事態でも起っては重大であると思うて、急遽、祁山を捨てて万全を期したまでであるが」

「おかしいですな。兵糧運輸の線は、充分に活動しておりましたか」

「とかく後方からの運送はとどこおりがちで、ために、持久を保ち、糧食を獲るためにも、種々、作戦以外の作戦と経営をなさねばならなかった」

「それでは、李厳のはなしと、まるであべこべです。李厳の申すには、このたびこそ兵糧にも困らぬほど、後方からの運輸も充分に行っているのに、孔明が突然退軍したのはいぶかしいことであるとしきりに申し触らしています」

「それは言語道断」

と、孔明もちょっと呆れ顔をして――

「魏呉両国間に、秘密外交のうごきが見ゆると、われへ報らせてきた者は、その李厳であるのに」

「ははあ。それで読めました。李厳の督しておる軍需増産の実績がここ甚だあがらないので、科を丞相に転嫁せんとしたものでしょう」

「もってのほかのことだ。もし事実とすれば、李厳たりとも、免してはおかれない」

孔明は赫怒した。

このため、彼は成都へ還って、厳密な調査を府員へ命じた。

李厳の弄策は事実とわか

った。

「本来、首を刎ねても足らない大罪であるが、李厳もまた、先帝が孤をお託し遊ばした重臣のひとりだ。官職を剝いで、一命だけは助けおく。――即日、庶人へ落して、梓潼郡へ遠流せよ」

孔明はかく断じたが、その子の李豊は留めて、長史劉琰などと共に、兵糧増産などの役に用いていた。

具眼の士

一

多年軍需相として、重要な内政の一面に才腕をふるっていた李厳の退職は、何といっても、蜀軍の一時的休養と、延いては国内諸部面の大刷新を促さずにはおかなかった。

蜀道の嶮岨は、事実、誰がその責任者に当っても、克服することのできない自然的条件であり、加うるに、蜀廷の朝臣には、孔明のほかに孔明なく、外征久しきにわたるあいだには、きまって何かの形で、その弱体な内紛が現われずにいなかった。

孔明の苦労は実にこの二つにあったといってよい。しかも帝劉禅は、甚だ英邁の資でないのである。うごかされやすくまたよく迷う。

しかし孔明がこの遺孤に仕えることは、玄徳が世にいた頃と少しも変らなかった。いやもっと切実な忠愛と敬礼を捧げきって骨も細りゆく姿だった。それだけに帝劉禅が彼を慕い彼を惜しむことも一通りでなかったが、如何せん、孔明がいないときというと群臣がうごく。群臣がうごくと帝も迷いにつつまれる。蜀朝廷は実にいつも遠きに孔明の後ろ髪を引くものであった。ここにおいて孔明は、

「三年は内政の拡充に力を注ごう」

と決意した。三年師を出さず、軍士を養い、兵器糧草を蓄積して、捲土重来、もって先帝の知遇にこたえんと考えたのである。

いかなる難事が重なろうと、中原進出の大策は、夢寐の間も忘れることなき孔明の一念だった。そのことなくしては孔明もない。彼の望み、彼の生活、彼の日々、すべては凝ってそれへの懸命に生きていた。

三年の間、彼は百姓を恤み宥わった。

百姓は天地か父母のように視た。彼はまた、教学と文化の振興に努めた。児童も道を知り礼をわきまえた。教学の根本を彼は師弟の結びにありとなし、師たるものを重んじ、その徳を涵養させた。また内治の根本は更にありとなし、吏風を醇化し吏心を高めさせた。吏にしてひとたび瀆職の辱を冒す者あれば、市に曝らして、民の刑罰よりもこれを数等厳罰に処した。

「口舌を以ていたずらに民を叱るな。むしろ良風を興して風に倣わせよ。風を興すもの師と吏にあり。吏と師にして善風を示さんか、克己の範を垂れその下に懶惰の民と悪風を見ることなけん」

孔明はつねにそういっていた。かくて三年の間に、蜀の国力は充実し、朝野の意気もまったく一新された。

「——三年経ちました——」。尺蠖の縮むは伸びんがため。いまようやく軍もととのいましたゆえ、六度征旗をすすめて中原へ出ようと思います。ただ臣亮もはや知命の年齢ですから、戦陣の不常どんなことがあろうとも知れません。……陛下も何とぞ先帝の英資にあやかり給うてよく輔弼の善言を聞き、民を慈しみ給い、社稷をお守りあって、先帝のご遺命を完う遊ばさるるよう伏しておねがい致します。——臣は、遠く戦陣におりましても、心はつねに陛下のお側におりましょう。陛下もまた、孔明はここにあらずとも、常に成都を守っているものと思い遊ばしてお心づよくおわしませ」

後主劉禅は、孔明がこう別れを奏してひれ伏すと、何のことばもなくしばし御衣の袂に面をつつんでいた。

なおこの際にも、成都人の一部では、宮門の柏樹が毎夜泣くとか、南方から飛翔してきた数千の鳥群がいちどに漢水へ落ちて死んだとか、不吉な流言をたてて、孔明の出軍を阻めようとする者もあったが、孔明の大志は、決してそんな虚誕の説に弱められるものではなかった。

彼は一日、成都郊外にある先帝の霊廟に詣でて、大牢の祭をそなえ、涙を流して、何事か久しく祈念していた。

彼が玄徳の霊にたいして、何をちかったかは、いうまでもないことであろう。数日の後、大軍は成都を発した。帝は、百官をしたがえて、城外まで送り給うた。

蜀道の嶮、蜀水の危も、踏み渉ること幾度。蜿蜒として軍馬はやがて漢中へ入った。

ところが、まだ戦わぬうちに、孔明は一つの悲報に接した。それは関興の病歿だった。

二

さきに張苞を亡い、いままた、関興の訃に接して、孔明の落胆はいうまでもないことだが、その嘆きはかえって、この時の第六次出師の雄図をしてさらにさらに、愁壮なものとしたことも疑われない。

漢中に勢揃いをし、祁山へ進発した蜀軍は、五大部隊にわかれ、総兵三十四万と号していた。

ときに魏は改元第二年を迎えて、青龍二年春二月だった。

去年、摩坡という地方から、青龍が天に昇ったという奇異があって、これ国家の吉祥なりと、改元されたものである。

また、司馬懿はよく天文を観るので、近年北方の星気盛んで、魏に吉運の見えるに反し、彗星太白を犯し、蜀天は晦く、いまや天下の洪福は、わが魏皇帝に幸いせん——と

予言していたところなので、

「孔明三年の歳月を備えに蓄えて六度祁山（きざん）に出づ」

という報に接したときには、

「明なる哉（かな）。これ蜀の敗滅、魏の隆昌。天運果たしてこの事をすでに告ぐ」

と、勇躍、詔（しょう）を拝して、かつて見ぬほどな大軍備をととのえた。

出陣にさきだって、仲達は、

「かつて父を漢中に討たれた夏侯淵の子ら四人が、常に父を蜀のために亡（うしな）った恨みを嚼（か）んで切歯扼腕（せっしやくわん）しております。ねがわくは、今度の軍（いくさ）に、その遺子四人を伴って行きたいと思いますが」

と、曹叡（そうえい）に奏して、その許しをうけていた。これらの四子は、さきに失敗を招いた夏侯楙（こうむ）や侯林駙馬（こうりんふば）などとは大いに質（たち）がちがっていて、兄の覇は弓馬武芸に達し、弟の恵は六韜三略（りくとうさんりゃく）を諳（そらん）じてよく兵法に通じ、他の二兄弟もみな俊才の聞えがあった。

長安に集結した魏下諸州の精鋭は四十四万といわれた。そして宿命の決戦場渭水（いすい）を前にして従前どおり布陣したが、祁山（きざん）の蜀勢も、この魏勢も、戦いの回を追うごとに、その経験から地略的な攻究もすすみ、また装備や兵力は逐次増強されて、これを第一回第二回ごろの対峙ごろから較べると双方の軍容にも僅かな年月のあいだに著しい進歩が見える。

作戦上から今次の相違を見ると、魏はまず五万の工兵隊を駆使して、竹木を伐採さ

せ、渭水の上流九ヵ所に浮橋を架し、夏侯覇、夏侯威のふた手は、河を渡って、河より西に陣地を張った。

これは従来に見られなかった魏の積極的攻勢を示したものであると共に、用意周到な司馬懿は、本陣の後ろにある東方の曠野に、一城を構築して、そこを恒久的な基地となした。

この恒久戦の覚悟はまた、より強く、今度は蜀軍の備えにも観取できる。祁山に構えた五ヵ所の陣屋は、これまでの規模とそう変りはないが、斜谷から剣閣へわたって十四ヵ所の陣屋を築き、この一塁一塁に強兵を籠めて、運輸の連絡と、呼応連環の態勢を作ったことは、

「魏を撃たずんば還らじ」

となす孔明の意志を無言に儼示しているものにほかならない。

時に、その一塁から一報があって、孔明に、敵陣に変化あることを告げた。

「──魏の大将、郭淮、孫礼の二軍が、隴西の軍馬を領して、北原へ進出し、何事か為すあらんとするものの如く動いています」

この情報に接した孔明は、

「それは司馬懿は、前に懲りて、隴西の道をわれに断たれんことをおそれて手配をいそいだものと思わるる。──今、詐って、蜀が彼のおそれる隴西を衝く態をなすならば、司馬懿は驚いて、その主力を応援にさし向けるだろう。敵の備えなきを撃つ──その虚

は後の渭水にある」

北原は渭水の上流である。孔明は百余座の筏に乾いた柴を満載させ、夜中、水に馴れた五千の兵をすぐって、北原を襲撃させ、魏の主力がうごくのを見たら直ちに筏に火をつけて下流へ押しながし、敵の浮橋を焼き立て、西岸の夏侯軍を捕捉し、また立ち所に、渭水の南岸へ兵を上げて、そこの魏本陣を乗っ取らんという画策を立てた。

これが果たしてうまく魏軍を計り得るかどうかは、魏の触覚たる司馬懿その人の頭脳ひとつにあった。

三

さすがに、彼は観破した。

「いま孔明が、上流に多くの筏を浮かべ、北原を攻めそうな擬勢を作っているが、虚を見て、筏を切り流し、それに積んだ松柴と油をもって、わが数条の浮橋を焼き払うつもりにに違いない」

司馬懿はこういって、夏侯覇、夏侯威に何事か命じ、郭淮、孫礼、楽綝、張虎などの諸将へもそれぞれ秘命を授けおわった。

やがて戦機は、蜀軍の北原攻撃から口火を切った。

呉懿、呉班の蜀兵は、かねての計画どおり、無数の筏に焚草を積んで、河上に待機していた。

——日が暮れてきた。

北原の戦況は、初め、魏の孫礼がうって出たが、もろくも打ち負けて退却した。そこ
へかかった蜀の魏延、馬岱は、

「負け振りがおかしい？」と見て、敢えて深追いしなかったが、それでもたちまち両岸
の物陰から魏の旗がひらめき見え、喊声、雷鼓の潮とともに、

「司馬懿、待ちうけたり」

「郭淮。これにあり」

と、両方から刺出して、半円陣を結び、敵と河とを一方に見て、圧縮して来た。

魏延と馬岱は、命をかざして奮戦したが、到底、勝ち目のない地勢にあり、河流へせ
き落されて溺れる者、つつまれて討たれる者など、大半の兵を失ってしまった。

ふたりは辛くも水上へ逃げたが、この頃、待ちきれずに、呉懿、呉班の手勢も、大量
な筏を流し始めていた。

しかしそれらの筏群が、魏陣の架けた浮橋まで流れてこないうちに、張虎、楽綝など
の手勢がべつな筏で縄を張りめぐらし、蜀の筏をことごとく堰きとめて、それを足場に
矢戦をしかけて来た。

蜀兵はこの際なんらの飛道具も備えていなかったので、筏を寄せて、斬り結ぶしか手
がなかったのである。それを寄せつけ寄せつけ魏は雨の如く矢を浴びせた。その上、火計はまったく失

蜀将のひとり呉班もついに一矢をうけて水中に落命した。その上、火計はまったく失

敗に帰し、蜀軍の敗亡惨たるものだった。

ここの失敗は、当然別働隊たる王平、張嶷のほうへも狂いを生じていないはずはない。

二軍は、孔明の命によって、渭水の対岸をうかがい、浮橋の焼ける火を見たら、直ちに、司馬懿の本陣へ突入しようと息をこらしていたが、夜が更けても、いっこう上流に火光が揚がらないので、

「はて。どうしたものだろう?」としびれを切らしていた。

張嶷は、待ちくたびれて、

「対岸をうかがうに、魏陣はたしかに手薄らしく思われる。いっそのこと、突っ込もうか」

と逸ったが、王平が、

「敵にどんな隙があろうと、ここだけの状況で作戦の機約をかえることはできない」

と固く持して、なお根気よく、火の手を待っていた。

するとそこへ、急使が来た。馬をとばして馳けてくるなり、大声でさしまねいていう。

「平将軍も、嶷将軍も、はやはや退き給え。——丞相のご命令である。——北原も味方の敗れとなり、浮橋を焼く計もことごとく齟齬いたして、蜀勢はみな敗れ去った」

「なに。味方の大敗に終ったと」

さすがの王平もあわてた。

急に二軍が退き出したせつなである。それまで河波の音と芦荻の声しかなかった附近の闇がいちどに赤くなった。そして一発の轟音が天地のしじまを破るとともに、

「王平。逃げ出すのか」

「張嶷。いずこへ奔るか」

と、魏の伏兵が四方八方から襲いかかって来た。

はかると思いなく、事実はまったく敵の陥穽のなかにいたのである。かくては戦い得る態勢もとり得ない。王平、張嶷の二軍もさんざんにうたれて逃げ崩れた。

上流下流の全面にわたって、この夜、蜀軍のうけた兵力の損害だけでも一万をこえていた。孔明は敗軍を収めて祁山へ立ち帰ったが、彼がかくの如く計を誤ったことはめずらしい。日頃の自信にもすくなからぬ動揺を与えられたに違いあるまい。その憂いは面にもつつめなかった。

四

一日、孔明の憂色をうかがって、長史楊儀がひそかに訴えた。

「近頃、魏延が丞相の陰口を叩いて、とかく軍中の空気を濁していますが、何か原因があるのですか」

孔明は眉重くうなずいた──。

「彼の不平は今に始まったことではないよ」

楊儀はいぶかしげに、

「そこまでご承知でありながら、人一倍、軍紀にきびしい丞相が、なぜ彼の悪態を放置しておかれるのです?」

「楊儀。さようなことは、みだりに云うものではない。予が胸も察するがいい。蜀の諸将と軍力をよく観て」

楊儀は沈黙した。そして孔明の意中を酌むにつけ断腸の思いがあった。連戦多年、蜀軍の将星は相次いで墜ち、用いるに足る勇将といえば実に指折るほど少なくなっている。

　――ともあれその中にあって魏延の勇猛は断然衆を超えているものがある。いまその魏延をも除くならば、蜀陣の戦力はさらに落莫たらざるを得ない。孔明がじっと怺えているのは、そのためであろうと楊儀は察した。

時に成都からの用命をおびて、尚書費禕がこの祁山へ来た。孔明は彼に会うと告げた。

「ここにご辺ならでは能わぬ大役がある。蜀のために、予の書簡を携えて、呉へ使いに赴いてくれまいか」

「丞相の命令なれば、辞す理由はありません。どこへでも参りましょう」

「快く承知してくれて有難い。ではこの書簡を孫権に捧げ、なお卿の才を以て、呉をうごかすことに努めてもらいたい」

孔明が彼に託したものは、実に蜀呉同盟条約の発動にあった。書中、祁山の戦況を縷々と告げて、いまや魏軍の全力はほとんどこの地に牽引されてある。この際、呉がかねての条約にもとづいて、魏の一面を撃つならば、魏はたちまち両面的崩壊を来し、中原の事はたちまちに定まる。然る後は、蜀呉天下を二分して、理想的な建設を地上に興すことができよう。と切々説いているものであった。

費褘は、建業へ行った。

孫権は、孔明の書簡を見、また蜀の使いを応接するに、礼はなはだ厚かった。

そして、彼に云った。

「呉といえど、決して蜀魏の戦局に冷淡なものではない。しかしその時を見、また充分な戦力を養っていたもので、今や機は熟したと思われるゆえ、日を定めて、朕自ら水陸の軍をひきい、討魏の大旆をかかげて長江を溯るであろう」

費褘は拝謝して、

「おそらく魏の滅亡は百日を出でますまい。して、どういう進攻路をとられますか」

と、その口裡の虚実をうかがった。

孫権は、言下に、

「まず、総勢三十万を発し、居巣門から魏の合肥、彩城を取る。また陸遜、諸葛瑾らに江夏、沔口を撃たせて襄陽へ突入させ、孫韶、張承などを広陵地方から淮陽へ進ませるであろう」

と、平常の怠りない用意をほのめかして、掌を指すように語った。

酒宴となって、くつろいだ時である。今度は孫権が費褘へたずねた。

「いま、孔明の側にいて、功労を記し、兵糧その他の軍政を扶けている者は誰だな？」

「長史の楊儀であります」

「つねに先鋒に当る勇将では」

「まず、魏延でしょうか」

「内は楊儀、外は魏延か。ははは」

と、孫権は意味ありげに打ち笑って、

「自分はまだ、楊儀、魏延の人物は見ていないが、多年の行状で聞き知る所、いずれも蜀を負うほどな人物ではなさそうだ。どうして孔明ほどな人が、そんな小人輩を用いているのか」

費褘はことばもなく、その場はよいほどにまぎらわしたが、後、祁山に帰って、復命したあとで、これをそのまま孔明に語ると、孔明は嘆息して、

「さすがに孫権も具眼の士である。いかに良く見せようとしても天下の眼はあざむかれないものだ。魏延、楊儀の小さいことは、われ疾くに知るも、呉の主君までが観抜いていようとは思わなかった」

と、なお独り託っていた。

木牛流馬

一

「それがしは、魏の部将鄭文という者です。丞相に謁してお願いしたいことがある」

ある日、蜀の陣へ来て、こういう者があった。

孔明が対面して、

「何事か」

と、質すと、鄭文は拝伏して、

「降参を容れていただきたい」と、剣を解いて差し出した。

理由を問うと、鄭文は、

「それがしは、もとから魏の偏将軍でした。然るに、司馬懿の催しに応じて、参軍してから後は、自分より後輩の秦朗という者を重用して、それがしを軽んじるのみか、軍功を依怙贔屓になし、あまっさえそれがしが不平を洩らしたと称して、殺さんとする気振りすらあるのです。犬死せんよりはと、丞相の高徳を慕って降伏にきた次第です。お用

い下されば、この恨みを報ぜんためにも、きっと蜀のために忠を尽しましょう」と、述べた。

すると、祁山（きざん）の下の野に、一騎の魏将が、鄭文を追ってきて、鄭文を渡せと、しきりに喚（わめ）いていると、営外の物見が報らせてきた。

「誰か汝を追ってきたというが、汝に覚えのある者か」

孔明が訊くと、

「それこそ、それがしのことを、つねに司馬懿に讒（ざん）している秦朗（しんろう）でしょう。司馬懿にいいつけられて、追手に来たものでございましょう」

と、鄭文は急にそわそわしだした。

「汝とその秦朗とは、いずれが武勇が上か。司馬懿が秦朗を重用するというのは、汝の武勇が彼より劣るためではないか」

「そんなことはありません。断じて秦朗ごときに劣るそれがしではない」

「もし汝の武勇が秦朗に勝るものならば、司馬懿は讒者（ざんしゃ）の言に過られたもので曲は彼（あやま）にありといってよい。同時に、汝の言も信ずるに足りよう」

「そうです。その通りです」

「では、すぐ馬をとばして、秦朗と一騎打ちを遂げ、その首をこれへ持ってこい。然る後、降を容（こう）れ、重き位置を与えよう」

「お易いこと。丞相も見て下さい」

鄭文は、馬をとばして、野へ駆け下りた。

そこに待っていた魏の一将は、

「やあ、裏切者め。わが馬を盗んで、蜀陣へ逃げ込むとは、呆れ返った恥知らず、司馬懿（しば）大都督の命に依って誅殺（ちゅうさつ）を下す。わが刃（やいば）をうけよ」

大音にいって、鄭文へ斬ってかかった様子に見えたが、まるで腕がちがうとみえて、からみ合ったかと思うとたちまち鄭文のために返討ち（かえりうち）にされていた。

鄭文はその首を掻（か）っ切ってふたたび孔明の前へ戻ってきた。孔明はもう一度いいつけた。

「秦朗（しんろう）の屍（かばね）や衣裳も持ってこい」

鄭文はまた駆け戻って、死骸（むくろ）を揃えた。孔明は篤（とく）と見ていたが、

「鄭文の首を斬れ」

と左右の武士へ命じた。

「あっ。な、なんで。──それがしを？」

と、鄭文は首を抱えて絶叫した。孔明は、笑った。

「この屍（かばね）は、秦朗ではない。秦朗は予（かね）て前から見知っている。似ても似つかぬ下郎をもって秦朗なりと欺（あざむ）いても、その計には乗らん。思うに、仲達が申しつけた偽計にちがいあるまい」

鄭文は震いおそれて、その通りですと自白した。孔明は思案していた。そして何か思

い直したように、

「鄭文を檻車に入れておけ」と、しばらく斬るのを見合わせた。

翌日。孔明は自分の書いた原文を示して、

「命が惜しくば、司馬懿へ宛ててこの通りの書簡を書け」と、鄭文へ筆紙を持たせた。

鄭文は檻の中でその通りの書簡を書いた。これを持った蜀の一兵は附近の住民に姿を変えて、魏の陣へまぎれ入った。そして、

「鄭文という人から頼まれて来た者ですが」

と、司馬懿の側臣に手渡した。

司馬懿仲達は、書簡を熟視した。筆蹟は鄭文にまぎれない。彼はいたく歓んだ様子で、使いの男に酒食を与え、誰にも洩らすなと口止めして帰した。

二

鄭文の書簡には、

――明夜、祁山の火を合図に、都督みずから大軍をひきいて攻め懸り給え。孔明不覚にもそれがしの降伏を深く信じて、この身彼の中軍にあり。時を合わせて呼応一撾、孔明を擒人になさんこといま眼前に迫る。期してはずし給うな。

というような文意であった。

容易にひとの計略にはかからない司馬懿も、自分の仕掛けた計略にはつい懸った。翌

日一日、密々準備して、夜に入るや、渭水の流れをそっと渉らんとした。

「父上にも似気ないことを」

息子の司馬師は父に諫めた。一片の紙片を信じて、これまで自重していた戦機を、我から動かすなどということは、日頃の父上らしくもない軽忽であると直言したのである。

「げにも」

と、司馬懿は子の言を容れて、急に、自分は後陣へまわり、べつな大将を先陣に配した。

その夜、宵のうちは、風清く、月明らかで、粛々たる夜行には都合が悪かったが、渭水を渉る頃から、夜霧ふかく、空も黒雲にとざされて来たので、司馬懿はかぎりなく歓んで、

「これ、天われを助くるもの」

と、人は枚を啣み、馬は口を勒し、深く蜀陣へ近づいた。

一方。この夜を期して、

「かならず司馬懿を捕えん」

と、計りに計っていた孔明も、剣に仗り、壇に歩して曩は必勝の祈禱をなし、夕べは血をそそいで諸将と決死の杯を酌み交わし、夜に入るや手分けを定めて、三軍、林のごとく待ちうけていた。

夜は更けて、黒霧迷濛たる頃、忽然、堰を切られた怒濤のごときものが、蜀の中軍へ

なだれ入った。しかしそこの営内は空虚だった。魏勢は怪しみ疑って、

「敵の計に陥ちるな」と、戒め合ったが、すでにそのとき魏勢は完全に出る道を失っていたのである。

鼓角、鉄砲、喊の声は、瞬時の間に起って、魏の先鋒の大半を殲滅した。その中には、魏将の秦朗も討死を遂げていた。

司馬懿は幸いにも後陣だったので、蜀の包囲鉄環からは遁れていたが、残る兵力を救わんため、一たんは強襲を試みて、彼の包囲を外から破らんとした。しかし、それも自軍の兵力をおびただしく損じたのみで、残る先鋒軍の約一万も敵の中に見捨てて、引き退くしかなかった。

「かくの如き平凡なる戦略にかかって、平凡なる敗北を喫したことはない」

めったに感情を激さない司馬懿も、この時ばかりはよほど口惜しかったとみえて、退陣の途中も歯がみをした。

しかもその頃になると、空はふたたび晴れて、晃々たる月天に返り、一時の黒雲は夢かのように考えられた。で、生き残って帰る魏将士の間には、誰いうとなく、「これは孔明が、八門遁甲の法を用いて、われらを黒霧のうちに誘い、また後には、六丁六甲の神通力を以て、黒霧をはらい除いたせいである」

というような妖言を放って、しかも誰もそれを疑わなかった。

「ばかを申せ、彼も人、我も人。世に鬼神などあるべきでない」

司馬懿は陣中の迷信に弾圧を加え、厳しく妄言を戒めたが、孔明は一種の神通力を持って、奇蹟を行う者だという考えは牢固として抜くべからざる一般の通念になってきた傾きすらあった。

魏の兵がこういう畏怖にとらわれだしたので、司馬懿もその怯兵を用いるのは骨であった。で、以後また、堅く要害を守り、一にも守備、二にも守備、ただこれ守るを第一として敢えて戦うことをしなかった。

その間に孔明は、渭水の東方にあたる葫芦谷に千人の兵を入れ、谷のうちで土木の工を起させていた。この谷はふくべ形の盆地を抱いて、大山に囲まれ、一方に細い小道があるだけで、わずかに一騎一列が通れるに過ぎない程だった。

孔明も日々そこへ通って、何事か日夜、工匠の指図をしていた。

三

魏が、敢えて戦わず、長期を持している真意は、あきらかに蜀軍の糧食涸渇を待つものであるはいうまでもない。

長史楊儀は、その点を憂えて、しばしば、孔明に訴えていた。

「いま蜀本国から運輸されて来た軍糧は、剣閣まで来て山と積まれている状態ですが、いかんせん剣閣から祁山までは悪路と山岳続きで、牛馬も仆れ、車も潰え、輸送は少しもはかどりませぬ。この分ではたちまち兵糧に詰ってくると案じられますが」

建興九年の第二次祁山出陣以来、第三次、第四次と戦を重ねるごとに、つねに蜀軍の悩みとされていたのはこの兵糧と輸送の問題だった。

今や約三年の休戦に農を勧め、士を休め、かつて見ぬほどな大規模の兵力と装備を擁して、六度祁山へ出た孔明が、その苦い経験をふたたびここに繰り返そうとは思われない。

「いや、そのことなら、近いうちに解決する。心配すな」

孔明は楊儀に云った。

その楊儀を始め蜀軍の諸将は、やがて或る日、孔明に導かれて、葫芦谷の内へ入ることを許された。

（ここ一ヵ月も前から何を工事しておられるのか？）と、前からいぶかっていた諸将は、その谷内がいつのまにか一大産業工場と化しているのを見てみな瞠目した。

何が製産されていたかといえば、孔明の考案にかかる「木牛」「流馬」とよぶ二種の輸送機であった。

これに似た怪獣形戦車は、かつて南蛮遠征のとき敵陣の前にならべられたことがある。今度発明のものは、それを糧運専用の輜重車に改造されたものといえる。そしてそれは第二次、第三次出兵の折にも少しは試用されたが、効果が少ないので、その後三年の休戦中に、孔明がさらに鋭意工夫を加え、ここに大量製産にかかる自信を持つに至った新兵器であった。

「動物の牛馬を使役すれば、牛馬の糧食を要し、舎屋や人手間がかかる上、斃死、悪病に斃れるおそれもあるが、この木牛流馬なれば、大量の物を積んで、しかも食うことなく疲れることも知らない」

すでに無数に製造されていた実物を示して、孔明はその「分墨尺寸」——つまり設計図についても、自身いろいろ説明を加えて、諸将へ話した。

一体木牛流馬とは、どんな構造の物かを考えるに、後代に伝わっている寸法や部分的な解説だけでは、概念を知るだけでも、かなり困難である。『漢晋春秋』「亮集」「後主伝」等に記載されている所を綜合してみると、大略、次の如き構造と効用の物であることがほぼ推察される。

木牛トハ、四角ナル腹、曲レル頭、四本ノ脚、屈折自在、機動シテ歩行ス。頭ハ頸ノ中カラ出ル、多クヲ載セ得ルモ、速度ハ遅シ。大量運搬ニ適シ、日常小事ノ便ニハ用イ難シ。一頭軽行スルトキハ一日数十里ヲ行クモ、群行スルトキハ二十里ニトドマル。

また、べつな書には——

曲レルハ牛ノ頭トシ、双ナルハ牛ノ脚トシ、横ナルハ牛ノ頸トシ、転ズルハ牛ノ背トシ、方ナルハ牛ノ腹トシ、立テルハ牛ノ角トシ、鞅（胸ノ綱）鞦（尾ノ綱）備ワリ、軸、双、轅（ながえ）ヲ仰グ。人行六尺ヲ牛行相歩ス。人一年分ノ糧食ヲ載セテ一日行クコト二十里。人大イニ労セズ。

とも見える。

蜀中ニ小車アリ大車アリ。能ク八石ヲ載セテ、一人ニテ推スヲ得ベシ。前ハ牛頭ノ如シ。マタ、大車アリ、四人ヲ用イテ、十石ヲ推載ス。蓋シ木牛流馬ニ倣エルモノカ。

これは「後山叢譚」の誌している所であるが、もちろん後代の土俗運輸をそれに附説したものであることはいうまでもない。いずれにしてもその機動力の科学的構造は甚だ分明でないが、実用されて大效のあったことは疑われていない。

さて、この輜重機が沢山に造られただすと、蜀軍は右将軍高翔を大将として、ぞくぞく木牛流馬隊をくり出し、剣閣から、祁山へ、たちまち大量な兵糧の運輸が開始された。

蜀兵はその量を眺めただけで、勇気百倍した。反対に、魏の持久作戦は、根本的にその意義を覆さるるに至った。

ネ　ジ

一

「張虎と楽綝か。早速見えて大儀だった。まあ、腰かけてくれ」

「懿都督。何事ですか」

「ほかでもないが、近頃、敵の孔明がたくさんにつくらせたというもの木牛流馬なるもの
を、貴公らは見たか」

「いやまだ目撃しません」

「剣閣と祁山の間で、盛んに輸送に用いているというじゃないか」

「そうだそうです」

「彼につくれる物なら、その構造を見れば、わが陣でもつくれぬことはない。ひとつ貴
公らが協力して、斜谷の道に兵を伏せ、敵の輸送隊を襲撃して、その木牛流馬とかいう
器械を四、五台捕獲して来ぬか」

「承知しました。ご命令はそれだけですか」

「ほかに戦果を望まんでもよい。急に行ってくれ」

「お易いことです」

司馬懿の中営を出た二将は、すぐ軽騎隊一軍と歩兵一千をつれて斜谷へ赴いた。

三日ほど経つと、楽綝、張虎は目的の輸送機を奪って帰ってきた。

司馬懿はそれを解体してことごとく図面に写し取らせ、陣中の工匠を呼んで模造させ
た。

尺寸長短、機動性能、すこしも違わないものが製作された。で、これを基本に数千の
工匠を集め、夜を日に継いで増産させたので、たちまち、魏にも数千台の木牛流馬が備

わった。

孔明はこれを聞くと、むしろ歓んで、

「それはわが思うつぼである。近日のうちに、大量の兵糧が魏から蜀へ贈り物にされて来よう」

と、いった。

七日ほど後、蜀の斥候が、一報をもたらした。

千余輛にのぼる敵の木牛流馬が隴西から莫大な糧米を積んでくるというのである。

「仲達のなすことは、やはり、我が思うところを出ていないものであった」

孔明はすぐ王平を呼んだ。そしていうには、

「汝の持つ千騎の兵を、ことごとく魏の勢に変装させ、直ちに、北原を通って隴西の道すじへ向え。今から行けば、北原へかかるのは、ちょうど夜中になろう。さしずめ、北原を守る魏将が、何者の手勢ぞと、誰何するにちがいない。その時は、魏の兵糧方の者と答えれば難なく通過できよう。――そして、魏の木牛流馬隊を待ち伏せ、それを殲滅して、ただ千余輛の器械のみを曳いて、ふたたび北原へ引っ返せ。――北原には、魏の大将郭淮の城もあることゆえ、今度は見のがさず邀撃して来るに相違ない」

これはなかなか困難な作戦である。せっかく、鹵獲した木牛流馬が、この場合には、味方の足手まといになりはしまいか?　と王平が眉をひそめていると、孔明は、

「さて、その時は、木牛流馬の口をひらき、舌に仕掛けてあるネジを回転して、皆そこ

へ捨て去ればよい。　敵はそれを奪いかえしたことによって、　長追いもして来まい。――

以後の作戦はなおべつの者に命じておくから」

と云いふくめた。　王平はそう聞くと充分確信を得たもののように出て行った。　次に呼

ばれたのは張嶷であった。　張嶷に対しては、　こういう奇策が授けられた。

「汝は、　五百の兵をもって、　六丁六甲の鬼神軍に仕立て兵にはみな鬼頭を冠らせ、　面を

塗って妖しく彩らせよ。　そしておのおの黒衣素足、　手に牙剣をひっさげ旗を捧げ、　腰に

は胡蘆をかけて内に硫黄煙硝をつめこみ、　山陰にかくれていて、　郭淮の部下がわが王平

軍を追いちらし、　木牛流馬を曳いてかえらんとする刹那に彼を襲え。　必定敵は狼狽驚

愕、　すべてを捨てて逃げ去るにきまっている。　で、　その後に、　全部の木牛流馬の口腔の

ネジを左にまわし、　わが祁山へさして曳いてこい」

次には、　姜維と魏延が、　彼の前に呼ばれ、　何事かまたべつな計をうけて去り、　最後に

馬岱、　馬忠も一方の命令をうけて、　これは渭水の南のほうへ馳け向った。

すでにその日も暮れ、　北原の彼方、　重畳たる山々は、　星の下に、　黒々と更けて行っ

た。

魏の鎮遠将軍岑威は、　この夜、　蜿蜒たる輜重隊を率いて、　隴西の方から谷をめぐり山

をかけて、　真夜中までには、　北原の城外まで行き着かんものと急いでいた。

すると、　途中でいぶかしい一軍に出会った。　蜀の牙門将軍王平隊なのである。　けれど

この兵はみな魏勢に変装していたので、　夜目ではちょっと判断がつかなかった。

二

岑威(しんい)の軍は怪しんで、まず大声でたずねた。
「そこへ来た部隊は、どこの何者の手勢か」と。

すると、王平の偽装隊は、なおのろく近づいてきながら、ようやくすぐ側へ来ると口々にいった。
「輸送方の者ですよ」
「輸送方とは即ちわれわれのことだ。汝らはどこの輸送方だ」
「きまっている。蜀の諸葛丞相(しょかつじょうしょう)の命をうけて運搬に来た者だ」
「何っ。蜀勢だと?」

仰天して立ち直ったが、そのとき魚の泳ぐように馬をはやめて部隊の真ん中へ跳びこんで行った王平が、
「おれは蜀の牙門王平だ。岑威の首と、木牛流馬は残らず貰いうけたからそう思え」

と、ひときわ目立つ魏の大将へ斬ってかかった。

彼が目がけた者は誤りなく敵将の岑威だった。岑威は狼狽(ろうばい)して全隊へ何か号令を下していたが、王平と聞いて、さらに胆をつぶし、得物を揮(ふる)って抗戦したが、たちまち王平の一撃に遭って、馬上から斬って落された。

不意であり、闇夜である。

ことに、戦闘力に弱点のある輜重隊なので、指揮官たる岑威が討たれると、魏兵は四分五裂して、逃げ散った。王平はすぐ、「それっ。流馬を曳け、木牛を推せ」と部下を督した。千余輛の木牛流馬を分捕り、道を急いで、以前の北原へ引っ返して行った。

北原は魏の一基地である。ここの塁壕を守る郭淮は、岑威の手下が敗走してきたことによって急変を知り、兵を揃えて、蜀勢の帰る道を扼していた。

王平は、そこまで来ると、

「ネジをまわして逃げろ」と、予定の退却を命じた。

兵は一斉に、木牛流馬の口中にある螺旋仕掛けのネジを右へ転じて逃げ去った。

郭淮は、兵糧の満載してある千余輛のそれを奪回して、まずよしと、城塁へ曳かせて帰ろうとしたが、もとより木牛流馬の構造や操作の法を知らないので、舌根のネジ仕掛けに気がつかず、ただ押してみたり曳っぱったりしているので、いくらどう試みても一歩も動き出さないのであった。

「はて。これはどうしたものだろう？」と、ただ怪しみ疑っていると、たちまち一方の山陰から殷々たる鼓角が鳴りひびき妖しげな扮装をした鬼神軍が飛ぶように馳けてきた。

鬼形の一軍はもとより蜀の姜維、魏延などで、ふたたび兵糧満載の木牛流馬をことごとく手に収め、凱歌をあげて祁

「すわやまた、孔明が神異を現わしたぞ」

と、魏勢はそれを見るや慄い恐れて皆逃げくずれた。

山へ曳いて帰った。

一方、渭水の司馬懿は、この急変を早打ちで知ると、

「安からぬことよ」と、急に軍勢を催して、自身救援に赴いた。

ところがその途中には、蜀の廖化や張翼などが、手具脛ひいて待ち伏せていた。ためにその途中、彼の軍はついにただ一騎となってしまい、闇夜を鞭打って方角も見さだめず、無我夢中で逃げ奔っていた。そして司馬懿はついにただ一騎となってしまった。

廖化が見つけた。

「天の与え。こよいこそ、司馬仲達の首はわが手の物」と、揉みに揉んで追撃した。

司馬懿は振り向いて、迫りくる敵影と、真っ先の廖化を見て、

「わが運の尽きは今か」と、身の毛をよだたせた。

すでに、廖化の剣は、彼のうしろに迫っていた。司馬懿は目の前にある喬木の根をめぐって逃げた。それは十抱えもある大木だった。

廖化も大木をめぐって追いまわした。司馬懿の運が強かったものか、廖化が馬上から振り下ろした一刀は、相手の肩をはずれて、喬木の幹へ発矢と切りこんでしまった。余りに勢いよく斬り込んだので、廖化が、

「しまった」と、喚きながら抜き戻そうとあせるうちに、司馬仲達は乗れる馬に一撃加えて、遠くの闇の裡へ逃げ去った。

三

「残念」

廖化は地だんだを踏んだ。そしてようやく刀を抜きはずすと、再び、

「この機を逸して、いつの日か仲達の首を見ん」

と、なお諦めかねつ、その馬を乗りつぶすまで、司馬懿の行方を追いかけた。

けれど、仲達の姿は、ついにまた見ることができなかった。

ただ、途中、林の岐れ途で、一個の兜を拾った。黄金作りの美々しいもので、紛れも

なく敵の大都督の戦冠である。

「さては、東へさして、落ちたな──」と、廖化は部下を糾合して、直ちに、その方角

を追撃させ、自身も東の道へ向って行ってしまったが、いずくんぞ知らん仲達が逃げて

行ったのは、反対の西の道だったのである。

これは仲達がわざと落して行ったもので、とうとうまたなきこの機会を空しく取り逃

がしてしまったのは、彼のためにも、蜀軍のためにも、実に惜しいことをしたものとい

うほかはない。

反対に、魏にとっては、この小さな一機智が、実に大きな倖せだったといえる。もし

この時、廖化が仲達の機智を見破って、

（兜を、東の道へ落したのは、かえって、西の道こそ疑わしい）

となして、その方角へ、敵を追求して行ったとしたら、全戦局は一変して、後の蜀も魏の歴史もまったくあのように遺されて来なかったであろう。

しかし、歴史のあとを、大きく眺めるときは、いつの時代でも、いかなる場合にも、これを必然なる力と、人力を超えた或るものの力——いわゆる天運、または偶然とよぶようなものとの二つに大別できると思う。

魏国の国運というものや、仲達個人の運勢も強かったことは、このときの一事を見ても、何となくト卜し得るものがあった。それにひきかえて、蜀の運気はとかく揮わず、孔明の神謀も、必殺の作戦も、些細なことからいつも喰いちがって、大概の功は収め得ても、決定的な致命を魏に与え得なかったというのは、何としても、すでに人智人力以外の、何ものかの運行に依るものであるとしか考えられない。

さて、司馬懿は、日頃、ふかく戒めながら、またも孔明の策略にかかって、おびただしい損傷を自軍にうけたが、

「これは、よくよく考えると、孔明の計に乗るというよりは、毎度、自分の心に惑って、自ら計を作っては、その計に乗っているようなものだ。孔明に致されまいとするなら、まず自分の心に変化や惑いを生じないように努めるに限る」と、まったく自戒の内に閉じ籠って、ひたすら守勢を取り、鉄壁に鉄壁をかさねて、攻勢主義の敵に、手も足も出せないような策を立てた。

一面、蜀軍のほうは、

「戦えばいつもこの通りだ」

と、非常に気勢を昂げていた。廖化は、持ち帰った仲達の盔を孔明に示して、

「かくの通り、彼が盔を捨てて逃げ惑うほど、追いつめ追いつめ、こっぴどく懲らしめてくれました」

と、大いに功を誇れば、姜維、張嶷、王平なども、それぞれその夜の功を称えて、

「木牛流馬一千余車。それに積んだ糧米だけでも二万二、三千石は鹵獲いたしました。これで当分、軍糧は豊かです」と、各〻、勇み衒らぬはなかった。

「そうか。よくこそ」と孔明は、それから各自の者に向って、賞辞と宥りを惜しまなかった。けれど彼の心中には、拭いきれない一抹のさびしさがあった。

いまもしこの陣に、関羽の如きものがいたら、こんな小戦果を以て、誇りとするのはおろか、到底、満足はしなかったろう。かえって、

（丞相からこれほどの神謀を授かりながら、肝腎な司馬懿を取り逃がしたことは、なんとも無念であります、申し訳もありません）

慙愧叩頭して、その罪を詫びて止まないに違いない。

（ああ、関羽亡し、張飛なし、また幾多の旧幕僚もいつか減じて、ようやく、蜀中人はいなくなった）

口には出さないが、孔明の胸裡にある一点の寂寥というのは実にそれであった。彼には科学的な創造力も尽きざる作戦構想もあった。それを以て必勝の信ともしていたので

ある。けれど唯、蜀陣営の人材の欠乏だけは、いかんともこれを補うことができなかった。

豆を蒔く

一

自国の苦しいときは敵国もまた自国と同じ程度に、或いはより以上、苦しい局面にあるという観察は、たいがいな場合まず過りのないものである。

その前後、魏都洛陽は、蜀軍の内容よりは、もっと深刻な危局に立っていた。

それは、蜀呉条約の発動による呉軍の北上だった。しかもそれはかつて見ないほど大規模な水陸軍であると伝えられたので、

「魏の安危はこのときにあり」となして、魏帝曹叡は急使を渭水に派して、この際、万一にも、蜀に乗ぜられるような事態を招いたら、それは決定的に魏全体の危殆を意味する。いよいよ守るを主として、必ず自ら動いて戦うなかれ——と、司馬懿へ厳命した。

一面、曹叡は、時局の重大性に鑑みて、

「いまは坐してこれが収拾を俟っていてよいような事態ではない。先帝の経営と幾多の苦心に倣い、朕も親しく三軍を率い、自ら陣頭に立って、呉を撃滅し尽さなければ止まないであろう」

劉劭を大将とし、江夏の方面へ急派し、田予に一大軍をさずけて襄陽を救わせた。そして曹叡みずからは、満寵そのほかの大将を従えて、合肥の城へ進出した。

この防呉作戦については、叡帝親征の事が決る前に、その廟議でも大いに議論のあった所であるが、結局、先帝以来、不敗の例となっている要路と作戦を踏襲することになったものである。

先陣に立った満寵は、巣湖の辺までできて、はるか彼方の岸を見ると、呉の兵船は、湖口の内外に、檣頭の旗をひるがえして、林の如く密集していた。

「ああ旺なものだ。魏と蜀は、ここ連年にわたって、祁山と渭水に、莫大な国費と兵力を消耗してきているが、呉のみは独りほとんど無傷である。加うるに江南以東の富力を擁し、充分、両国の疲弊をうかがってこれへ大挙して来たものとすれば、これは容易なことでは撃攘できまい」

いささか敵の陣容に気を呑まれたかたちの満寵は、大急ぎで駒を引っ返し、曹叡の前にもどってこの由を復命した。

曹叡はさすがに魏の君主だけあって大気である。満寵の言を聞くとむしろ笑って云った。

「富家の猪は脂に肥え、見かけは強壮らしいが、山野の気性を失って、いつの間にか鈍重になっている。——我には、西境北辺に、連年戦うて、艱苦の鍛えをうけた軽捷の兵のみがある。何をか恐れん」

と、直ちに、諸将をあつめて、軍議をこらし、その結果、

（敵の備えなきを打つ）と、奇襲戦法をとることになった。

驍将張球は、もっとも壮な軽兵五千をひっさげて、湖口より攻めかかり、背には沢山の投げ炬火を負わせて行った。また満寵も、同じく強兵五千を指揮し、その夜二更、ふた手にわかれて、呉の水寨へ近づいた。

埠頭も、湖上も、波しずかに、月は白く、鴻の声しかしなかったが、やがて一時に、波濤天を摶ち、万雷一時に雲を裂くような喊声が捲き起った。

「夜襲だ」

「魏勢が渡ってきた」

呉軍はあわてふためいた。曹叡が観破したとおり、彼は余りにその重厚な軍容のうちに安心していたのである。刀よ、物の具よ、櫓よ櫂よ、と騒ぎ合ううちに、火雨のごとき投げ炬火が、一船を焼きまた一船に燃えうつり、またたく間に、水上の船影幾百、大小を問わず、焔々と燃え狂わざるなき狂風熱水と化してしまった。

この手の呉の大将は諸葛瑾であった。赤壁以来、船団の火攻は、呉が奥の手としているものなのに、不覚にも、呉はこの序戦において、かく大失態を演じてしまったのであ

る。一夜の損傷は、武具、兵糧、船舶、兵力にわたって、実に莫大なものを失った。敗
将諸葛瑾は、ついに残る兵力を沔口まで退いて、味方の後軍に救援を求め、魏軍は、
「幸先よし」と、勇躍して、さらに次の作戦に向って、満を持していた。

二

蜀の孔明、魏の仲達、これに比する者を呉に求めるなれば、それは陸遜であろう。
陸遜は、呉の総帥として、その中軍を荊州まで進めていたが、巣湖の諸葛瑾が大敗し
た報をうけて、「これはいかん──」と、早くも当初の作戦を一変して、新たな陣容を
工夫していた。

魏の出撃が、予想以上迅速で、かつその反抗力の旺盛なことも、彼のやや意外とした
ところであった。

「連年あれほど渭水で、軍需兵力を消耗していながら、なおこれだけの余力を保有して
おるか」

と、底知れない魏の国力に、今さらながら愕いた。

「序戦に敗れたのは、諸葛瑾の科というよりは、むしろ呉人の魏国認識が足らなかった
ものといえる」

陸遜は、表を以て、呉帝に奏した。それは今、新城へ攻めかかっている味方をして、
魏軍のうしろへ迂回させ、敵曹叡の本軍を、大きな包囲環のうちに取り囲もうという秘

策だった。

初め、陸遜も諸葛瑾も、魏の主力は、おそらく新城の急に釣られて、その方面へ全力を向けるだろうと思っていたのである。この予想はずれが、巣湖の一敗となり、陸遜の作戦変更を余儀なくしてきた一因でもある。

ところが、どうしたことか、この第二段の新作戦も、その機密が、敵側へ洩れてしまった。

諸葛瑾は、汭口の陣地から陸遜へ書翰を送って、

「いま、味方の士気は弱く、反対に、魏軍の気勢は、日々強く、勢い侮りがたいものがある。かてて加えて、士気のみだれより、とかく軍機も敵側へ漏れ、事態、憂慮にたえぬものがある。ここは一応本国へ引き上げて、さらに陣容をあらため、時をうかがって、北上せられては如何」

と、半ば困憊を訴え、半ば自己の意見を献言して来た。

陸遜は、使いの者に、

「諸葛瑾に伝えるがいい。余りに心を労さぬがよいと。そのうちおのずからわれに計もあれば」

といった。

しかし、それだけの伝言では、諸葛瑾はなお安んじきれない。使いの者にいろいろ訊ねた。

「陸都督の陣地では、軍紀正しく、進撃の備えをしておるのか」

「いや、申しては恐れありますが、軍紀ははなはだみだれ、上下怠りすさんで、用心の態すら見えません」

「はて、進まず、防がず、いったい如何なる思し召だろう」

正直な瑾は、いよいよ不安を抱いて、次には、自身出かけて陸遜へ会いに行った。

見るとなるほど、諸軍の兵は、陣外を耕して、豆など蒔いているし、当の陸遜は、轅門のほとりで、諸大将と碁を囲んでいた。

「これは平和な風景だ」

瑾はいささかあきれた。そして夜宴のあとで、陸遜と二人きりになったとき、切に、味方の態勢と、魏の勢いとを比較して、彼の善処を促した。

「いや、仰せの通りだ」

陸遜は率直に彼のいうことを認めた。そして、

「自分もここは一度退くべきときと考えているが、急に退くときは、魏はこの機会に呉楚を呑まんと、大追撃を起して来るかも知れない。……さればとて、積極的に出ようとしたわが秘策は敵に漏れたゆえ、曹叡を包囲中に捕える手段も今は行われない」

と、飾り気なく語った。

しかし囲碁に閑日を消していることも、兵に豆を蒔かせていることも、勿論、彼が魏

をあざむく偽態であったことはいうまでもなく、魏は、それをうかがって、陸遜軍がな

お年を越えるまで、この地方に長陣を決意しているものと観察していたところ、やが

て、諸葛瑾が�に立ち帰ると間もなく、彼の水陸軍も、陸遜の中軍も、一夜のうち

に、長江の下流へ急流の如く引揚げてしまった。

「陸遜はまことに呉の孫子だ」

あとでそれを知った魏帝曹叡は舌を巻いて賞めた。魏はさらに、後続軍の新鋭を加え

て、呉の脆弱面を徹底的に破砕すべく二次作戦を計っていたところだったのである。瞬

前に、網からそれた鳥群を見送るように、曹叡は残念に思い、またその敏捷な退軍ぶり

を、敵ながら鮮やかなり、と嘆賞したのであった。

七　盞燈

一

呉は、たちまち出て、たちまち退いた。呉の総退却は、呉の弱さではなく、呉の国策

であったといってよい。

なぜならば、呉は、自国が積極的に戦争へ突入する意志をもともと持っていないので
ある。蜀をして魏の頸を咬ませ、魏をして蜀の喉に爪を立たせ、両方の疲れを見くらべ
ていた。

しかも、蜀呉条約というものがあるので、蜀から要請されると無礙に出兵を拒むこと
もできない。――で、出兵はするが、魏へ当ってみて、

「これはまだ侮れぬ余力がある――」と観たので、陸遜は、巣湖へ捨てた損害の如きは
なお安価なものであるとして、さっさと引揚げてしまったものであった。

それにひきかえて蜀の立場は絶対的である。小安をむさぼって守るを国是となさん
か、たちまち、魏呉両国は慾望を相結んで、この好餌を二分して頒たんと攻めかかって
来るや必せりである。

坐して亡ぶを俟たんよりはと、出でて蜀の活路を求めんとせんか、それは孔明の唱え
る大義名分と現下の作戦以外には、絶対にほかに道はないのだった。

かくて祁山、渭水の対陣は、蜀の存亡にとっても、孔明一身にとっても今は宿命的な
決戦場となった。ここを退いて蜀の生きる道はない生命線であったのである。

近頃、魏の陣営は、洛陽の厳命に依って、まったく守備一方に傾き――、みだりに敵
を刺戟し、令なく戦線を越ゆる者は斬らん。

という厳戒まで諸陣地へ布令ていた。孔明も計のほどこしようがなかった。

うごかざるを討つは至難である。

しかし彼は無為にとどまっていなかった。その間に、食糧問題の解決と、占領地の宣撫にかかった。

屯田兵制度をつくり、兵をして田を作らせ、放牧に努めさせた。けれどその屯田兵は、すべて魏の百姓に立ちまじって、百姓の援けをなすものということを原則として、

収穫は、百姓がまず三分の二を取り、軍はその一を取るという規則であった。

一、法規以上を追求して、百姓に苛酷なる者。

一、私権を振舞い、百姓の怨嗟をかい、田に怠りの雑草をはやす者。

一、総じて、軍農のあいだに、不和を醸す者はこれを斬る。

この三章の下に、魏農と蜀兵の協和共営が土に生れだした。ひとつ田に、兵と百姓とは脛を埋めて苗を植えた。働く蜀兵の背中に負われている嬰ン坊を見ると、それは魏の百姓の子であった。畔や畑や開墾地で、共に糧を喰い湯を沸かして兵農一家の如く、睦み合っている団欒も見られた。随処にこうしたほほ笑ましい風景が稲や麦の穂と共に成長してきた。

「近頃、祁山のあたりでは、みな業を楽しんでいるそうだよ」

各地へ逃散していた百姓は、孔明の徳を伝え聞いて、続々、この地方へ帰ってきた。

こういう状況をつぶさに見てきた司馬懿の長男の司馬師は、或る日、父の籠居している営中の一房をのぞいて、

「おいでですか」と、入ってきた。

仲達は、読みかけていた書物を几に置いて、息子の顔を仰いだ。

「おう師か」

「父上。ここは戦場でしょう」

「そうじゃったな」

「風邪ぐらいで寝込んでいられる今日でもなし場所でもありません。——土民に変装して、敵地の状況を視察して来たのです」

「それはよいことをした。どうだな、蜀勢の情況は」

「孔明は長久の策をたてています。魏の百姓はみな家に帰り、蜀兵と睦み合うて、共に田を作っております。要するに、渭水から向うの地方は日々、蜀の国土となりつつある実状。父上もそれはご存じでしょう。一体、なぜ魏軍はこれ程の大軍を擁しながら、空しく戦わずにいるのですか。私には解せません。……きょうはそれをお伺いにきたわけです」

若い司馬師は、こうつめ寄って、戦場では父子の妥協もゆるされないというような顔いろを示した。

　　　二

「おう師か。四、五日見えなかったが、風邪でもひいたか」

「いや、わしも思わぬことではないが……。如何せん、固く守って攻めるなかれ、という洛陽の勅命じゃ。勅に背くわけにゆかん」

司馬懿が苦しげに言い訳するのを、息子の司馬師はくすぐったいような微苦笑に受け
て、

「しかし父上。麾下の将士は皆、さようには解しておりませんよ。洛陽の指令はいつで
も保守的な安全主義ときまっておるのですからな」

「ではなんと解しておるか」

「やはり大都督たる父上自身が孔明に圧倒されて、手も足も出せない恰好になったもの
だと思っておりましょう」

「それも事実じゃ。わが智謀はとうてい、孔明に及ばん」

「智ある者は智を用い、智なき者は力を使う——とかいうではありませんか。魏軍百万
は蜀軍に約三倍する兵力です。この大兵と装備と地利を擁しながら、日々呻吟籠居し
て、将士を倦み怒らせているのは一体如何なるお心なので——」

「勝算がない。いかに心を砕いても、孔明に勝ち得る虚が見出せんのじゃ。正直、今の
ところ、わしは唯、負けぬことに努めるだけで精いっぱいだ」

「ははあ。父上もすこしご疲労気味とみえますな」

司馬師もそれ以上は、父の懊悩を見る気になれない。胸中の不満は少しも減じなかっ
たが、やむなくそのまま引きさがった。

それから数日の後である。陣前の兵が何かわいわい騒いでいる。河岸の斥候が何事か
報らせて来たらしく、将士が陣を出て一方を眺めていた。

「何を見ているのか」

司馬師も行って見た。なるほど、渭水の向う岸に、一群の蜀兵が此方へ向って何事か喚いている。大勢の真ん中に、旗竿をさしあげているのだ。竿の先には、燦爛たる黄金の盔をさし懸け、それを振り廻して、児戯の如く、悪口を吐いているものもあった。

「魏の勢ども。これは何か知っておるか」

「汝らの都督、司馬仲達の盔であるぞ。先頃の敗北に、途に取り落して、命からがら逃げおったざまの悪さといったらない」

「口惜しくば、鼓を鳴らして取り返しに来い」

「いや、来られまい、腰抜け都督の手下どもでは」

曝し物の盔を打ち振り、手を打ち叩いて動揺めき笑う。

司馬師は歯がみをした。諸将も地だんだ踏んで、営中へ帰るや否、司馬懿の所へ押しかけた。そして蜀兵の悪口雑言を告げて、早々一戦を催し、敵を打ち懲らさんと口々に迫った。

司馬懿は笑っているだけだった。そして呟くようにいう。

「聖賢の言を思い出すがよい。——小サキヲ忍バザル時ハ大謀モ乱ル——とある。いまは守るを上計とするのだ。血気の勇を恃んではいけない」

かくの如く彼は動かず逸らずまた乗じられなかった。これには蜀軍もほとほとあぐねたらしく見える。慢罵挑発の策もそのうちに止めてしまった。

ここ数ヵ月、葫蘆谷に入って、孔明の設計にかかる寨、木柵などの構築に当っていた馬岱は、ようやく既定工事の完了を遂げたとみえて、孔明の許へその報告に来ていた。

「おいいつけの通り、谷のうちには数条の塹壕を掘り、寨の諸所には柴を積み、硫黄煙硝を彼方此方にかくし、地雷を埋め、火を引く薬線は谷のうちから四山の上まで縦横に張りめぐらして、目には見えぬように充分注意しておきました」

「そうか。すべて予が渡しておいた設計図に違いはあるまいな」

「遺漏はございませぬ」

「よし。司馬懿を引き入れて百雷の火を馳走せん。汝は、葫蘆谷のうしろの細道を切りひらいて隠れ、司馬懿が魏延を追うて、谷間へ馳け入ったとき、伏勢を廻して、前なる谷の口を封鎖せい。ひとたび、一火を投じれば、万山千谷、みな火となって震い崩れ、司馬懿全軍、地底のものとなるであろう」

三

馬岱が退出すると、次に魏延を呼び入れ、また高翔を招いて、何事か秘議し、そして命を授けては、各方面へさし向けるなど、孔明の帷幕には、ようやく、活溌な動きが見られた。

（このたびこそ、司馬懿の容子には、のみならず孔明の容子には、司馬懿を必殺の地へ引き入れて、一挙に年来の中原制覇を達成しなけ

ればならぬ）とする非常な決意がその眉にもあらわれていた。

彼はようやく年は五十四。加うるにその痩身は生来決して頑健ではない。かつまた、蜀の内部にも、これ以上、勝敗の遷延を無限の対峙にまかせておけない事情もある。盤石のごとく動かない魏軍に対して、孔明がここにやや焦躁の気に駆られていたことは否めない事実であったろう。

やがて、彼自身も一軍を編制して、自ら葫芦谷方面へ向った。移動するに先だって、彼は残余の大軍にたいして、

「各位は、心を一つにして、ただよくこの祁山を守れ。そして、司馬懿の麾下が攻めてきたときは、大いに詐り敗れ、司馬懿自身が襲せてきたと見たら、力闘抗戦して、その間隙を測り、渭水の敵陣へ迂回して、かえって敵の本拠を衝け」

こう訓示したのち、仔細に作戦を指令して去った。そして彼は、その本陣を葫芦谷の近くに移したのであるが、そこで布陣を終ると、谷の後ろへ廻れと、さきに急派しておいた馬岱を再び呼んで、こういう秘命をさずけた。

「やがて戦端が開かれたら、谷を囲む南の一峰に、昼は七星旗を立て、夜は七盞の燈火を明々と掲げよ、司馬懿を引き入れる秘策ゆえ、切に怠らぬようにいたせ。汝の忠義を知ればこそ、かかる大役も申しつけるのだ。我が信を過たすなよ」

馬岱は感激して帰った。

魏軍は、これらの蜀陣のうごきを、見のがしはしなかった。

夏侯恵、夏侯和の二人は、さっそく司馬懿を説いていた。

「ぜひ、われら両名を、出撃させて下さい。今ならば、蜀陣の弱点をついて、彼の根拠を粉砕し得る自信があります」

「どうして？……」と、相かわらず仲達は気乗り薄な顔つきである。

「しびれを切らして、蜀の陣地は、意味なき兵力の分散を行っています」

「あははは。それは計だよ」

「都督はどうしてそのように、孔明を恐れるのですか」

「怖るべき者には怖れる。わしはそれをべつに恥かしいとは思わん」

「しかし、天与の機会も見過してのべつ引き籠っておられては、そのお言葉の深さもご信念も疑わずにいられません」

「今が、それ程、絶好な機会だろうか」

「もちろんです。蜀軍が葫芦の天嶮に、久しい間、土木を起していたのは、不落の大基地を構築するためであったに違いない。また、蜀兵が祁山を中心に、広く田を耕し、撫民と農産に努めていたのは、自給自足の目的でなくて何でしょう。その自給と長久策が、今や完成しかけていたので、孔明もその拠地を、徐々祁山から移し始めたものに違いないのです」

「ム。なるほど」

「人工と天嶮で固めた葫芦盆地へ移陣し、食糧にも困らなくなった後は、もう再び彼を

撃とうとしても到底、不可能でしょう。祁山を以て、前衛陣地とし、葫蘆を以て、鉄壁
の城寨となした上は……」

「君たちは、予の側におれ。べつな者を向けてみよう」

司馬仲達は、急にそういって、夏侯覇、夏侯威の二将を呼んだ。そして兵一万を、ふ
た手に分け、蜀陣へ向えと、攻撃を命じた。

二将は、電撃的に、祁山へ進撃した。しかし、その途中で、蜀の高翔が率いる輸送隊
にぶつかったので、戦いは、曠野の遭遇戦に始まった。そして魏軍は多くの木牛流馬と
蜀兵の捨てて逃げた馬具、金鼓、旗さし物などを沢山に鹵獲したのち、凱歌賑やかに帰
ってきた。

水　火

一

魏軍の一部は、次の日も出撃を試みた。その日も若干の戦果を挙げた。

以来、機をうかがっては、出撃を敢行するたびに、諸将それぞれ功を獲た。その多く

は、葫芦の口へ兵糧を運んでゆく蜀勢を襲撃したもので、糧米、輪車、そのほかの鹵獲は、魏の陣門に山積され、捕虜は毎日、珠数つなぎになって送られて来た。

「捕虜はみな放して返せ。かかる士卒を殺したところで、戦力を失う敵ではない。むしろ放ち返して、魏の仁慈を蜀軍のうちに云い触らしめたほうがよい」

司馬懿は惜し気なく捕虜を解いて放した。ここ久しく合戦もなく、長陣に倦み、功名に渇していた魏の諸将は、われもわれもと司馬懿のゆるしを仰いで戦場へ飛び出した。

そしておのおのの功を競い、またかならず勝って帰った。そういう連戦連勝の日が約二十日余りもつづいた。

「——出て戦えば、勝たぬ日はない」

近頃では、それが魏の将士の通念になっていた。実際、往年のおもかげもないほど蜀兵は弱くなっている。要するに、この原因は多くの兵を農産や土木や撫民に用い過ぎた結果、軍そのものの本質が低下したにちがいない。また陣地移動による兵力分散も、弱体化の因をなしているものであろう——と魏軍では観ていた。

この観測は、いつのまにか、司馬仲達の胸にも、合理化されていた。仲達がこの頃、甚だ心楽しげでいる容子を見ても、それと察せられるのである。

「戦況は有利に展けてきた」

彼は、或る日、捕虜の中に、蜀の一部将がいるのを見て、自身調べた結果、心から左右にそう語っていた。

　その虜将の口述によって、孔明のいまいる陣地も明確になった。葫芦谷の西方十里ばかりの地点にいて、目下、谷の城寨の内へ数年間を支えるに足る大量な食糧を運び込ませているわけであるという。

「量るに、祁山には、孔明以外の諸将が、わずかに守っているに過ぎまい」

　彼は遂に戦いの主動性を握って自身奮い起った。祁山総攻撃の電命は久しく閉じたる帷幕から物々しく発せられたのである。

　時に息子の司馬師が父の床几へ向って云った。

「なぜ孔明のいる葫芦を攻めずに、祁山を攻めるのですか」

「祁山は蜀勢の根本だ」

「しかし孔明は蜀全体の生命ともいえましょう」

「——だから大挙して祁山を襲い、わしは後陣として続くが、実は、不意に転じて、葫芦谷を急襲し、孔明の陣を蹴やぶり、谷中に蓄えている彼の兵糧を焼き払う考えなのじゃ。兵機は密なる上にも密を要す。余りに問うな」

「さすがはお父上」と、息子達はみな服して、父の計をたたえた。司馬懿はまた張虎、楽綝などを呼んで、

「自分は、後陣としてゆくが、汝らはなお我が後から続いてこい。なお硫黄焔硝を充分に携えて来るように」といいつけた。

　孔明は日々、葫芦の谷口に近い一高地に立って、遥かに、渭水と祁山の間を見てい

た。約一ヵ月近くも、彼は味方の敗け戦のみを眺めていたわけである。

その危険なる中間地帯を高翔の輸送隊がのべつ往還して、わざわざ敵の好餌となっていたのも、祁山の兵が、戦えば敗れ、戦えば敗れている蜀勢も、もとより彼の意中から出ている現象で、彼の憂暗となるものではなかった。

その日。——かつて見ない大量なる魏の軍馬が、またかつて見ざる陣形を以て一団一団、さらにまた一軍また一軍、祁山へさして、堂々と前進してゆくのが遠く眺められた。

「おうっ……。仲達が遂に行動しだした」

孔明は思わずさけんだ。声は口のうちであったが語気はその面を微紅に染めた。待ちに待っていたものである。彼は直ちに左右のうちから一将を選んで伝令を命じ、かねて申し含めておいた事どもを怠るな、夢うたがうなかれと、祁山の味方へ急速に云ってやった。

二

渭水の流れも堰かれるほど、魏の軍馬はいちどに浅瀬へ馳け入った。一ヵ所や二ヵ所ではない。蜀軍はもちろん逆茂木を引き、要所要所は防寨で固めている。しかし、敵の上陸はそれを避けて行われる。一部を防げば、一部から馳せ上って来る。またたくうちに、渭水一帯の水煙はことごとく陸地に移り、蜀兵は算を乱して、祁山の裾からまたそ

の山ふところの陣営へ潰走してゆく。

「多年、患いをなした蜀の根を断つは、今日にあるぞ」

司馬懿の指揮も常の彼とは、別人のようであった。天魔鬼神も何かあらんのすがたただった。

ために魏軍の士気は、実に旺盛をきわめた。鼓角は天地を震わせ、千万の刃影は草木を伏せしめた。この日、風は強く、河水は霧となって舞い、その霧は迅い雲となって、祁山の山腹へぶっつかって行き、喚声雷呼のうちに、はやくも、血を呼び、屍を求めまわる。

蜀軍は祁山に拠って以来の猛攻撃につつまれた。到る所、屍に屍を積むの激戦が行われた。魏は当然大量な犠牲も覚悟のうえの総がかりなので、馬の蹄も血しおですべるような難攻の道を、踏み越え踏み越え中核へ肉薄した。

「今だ。続いて来い」

こういう乱軍を予想して、司馬仲達は中軍のうしろから突然方向を変えて葫芦谷のほうへ急いだ。仲達の目標は初めからここではない。彼の跡を慕って張虎、楽綝の二隊がつづいた。また彼の周囲には、中軍の精鋭約二百ばかりと、司馬師、司馬昭のふたりの息子がかたく父に寄り添っていた。

祁山の蜀兵は、目に余る魏軍に肉薄されて、その防ぎに忙殺され、かくとは少しも気づかぬもののようであったから、司馬父子とその奇襲部隊は、

「作戦は思うつぼに運んだぞ」と、疾風の如く目的の方角へ馳け向っていた。その途中

幾回となく、蜀兵が阻めた。しかし何の備えもなく狼狽のまま立ち向って来るに過ぎな

かった。二、三百の小隊もあり七、八百の中部隊もあった。もとよりその程度のもので

は、鎧袖一触の値すらない。

蹂躙、また蹂躙。司馬父子の前には、柵もなく兵もなく矢風もない。ここは敵地かと

疑われるくらいである。まさに、無人の境を行くが如き迅さと烈しさであった。

すると、やや強力な圧力が、南方から感じられた。鼓躁、喊声、相当手ごたえのあり

そうな一軍だ。果たして、

「おのれ、何処へ」

と、雷喝しながら、前方に立ちはだかった大将と一軍を見れば、蜀中に猛将の名ある

魏延であった。

「望むところの敵よ」と司馬懿の二子と、旗本の精鋭は、一団となって、彼の出鼻へ跳

びかかって行った。司馬懿も、龍槍をしごいて、魏延の足もとへ喚き進んだ。

魏延は奮戦した。さすがにこれは強い。一進一退がくり返されるかと見えた。けれ

ど、司馬懿のうしろにはなお楽綝、張虎の二軍がつづいている。その重厚と、すさまじ

い戦意に圧されて、たちまち逃げ出した。

「追えや、遁すな」

この日ほど、司馬懿が積極的に出たことは稀である。彼も、ここぞと、必勝の戦機を

見さだめれば決して保守一点張りの怯将でないことはこれを見てもあきらかである。
はや胡芦谷の特徴ある峨々たる峰々も間近に見えた。魏延は敗走する兵を立て直す
と、ふたたび鼓躁を盛り返して抗戦してゆく姿だった。そしてその度に、若干の損害を捨てては
逃げた。無念無念と、追いつめられてゆく姿だった。
けれどこれも孔明の命に依ることであることはいうまでもない。遂に彼は、甲盛まで
捨てて谷の内へ逃げこんだ。そして、かねて孔明からいわれていたところの、
（昼は、七星の旗、夜は七盞の燈火の見えるほうへ――）
という指令の目印に従って奔った。

「待て。――ここの地形はいぶかしい」
谷の口まで来ると、司馬懿は急に馬を止めて、逸る旗本どもや二人の子をうしろに制
した。
そして、左右の者に、
「誰ぞ二、三騎で、谷のうちを見とどけて来い」と急に命じた。

三

旗本数騎、すぐ谷の口へ馳け入った。大勢が馬首を並べては通れないような隘路であ
る。
「見て参りました」

すぐ戻ってきた面々は、司馬懿にむかって、こう状況を告げた。

「谷のうちを見わたすに諸所に柵あり壕あり、また新しき寨門や糧倉などは見えますが、守備の兵はことごとく南山の一峰へ逃げ退いているようです。はるか其処には、七星の旗も見えますから、おそらくは孔明も、いち早く谷外の本陣を彼方へ移したものと思われます」

聞くと司馬懿は、鞍つぼを打ちたたいて、こう命令した。

「敵の兵糧を焼き尽すは今だ」

蜀軍の致命はただ糧にある。

孔明が久しく蓄えたここの穀穴だに焼き尽くせば、蜀軍数十万を殺すに何の刃を要そうや。

「——馳け入って存分に火を放ち、直ちに疾風の如く引っ返せ」

二子の司馬師、司馬昭も、父の叱咤を聞き、この英姿を見るや、勇躍して、

「それっ、続け」

と一道の隘路を混み合って続々谷のうちへ突進した。

「や、や。なおあれに、魏延が刀を横たえて控えておる。しばらく進むな」

仲達はうしろに続く面々へ再び馬上から手を振って制した。

彼方に魏延の一軍が見えたことも懸念になったし、なお彼をたじろがせたものは、附近の穀倉や寨門に添うておびただしく枯れ柴の積んであることだった。

本来ならば蜀軍自身、「火気厳禁」の制を布いていなければならない倉庫の附近に、燃えやすい枯柴などが山となって見えるのは何故だろうか。さきに見届けに入った旗本たちにはその不審がすぐ不審と感じられなかったのは是非もないが、司馬懿の活眼はそれを見遁しできなかった。

「何の怖るる敵でもなし、われわれが当って、魏延を蹴ちらす間に、お父上は軍勢を督して、谷中へ火を放ち、すぐ外へお引上げ下さい」

司馬師と昭の兄弟が逸り切るのを仲達はなお抑えて、

「いや待て。いま通ってきた隘路こそ危ない。谷のうちで動いておるうちに、万一、蜀の一手が、あの谷口をふさぎ止めたら我は出るにも出られない破滅に墜ち入ろう——。過った。師よ、昭よ、早く外へ引っ返せ」

「えっ、空しく？」

「早く戻れ。あれあれ、なお多くの兵が争うて続いてくる。大声あげて、返れと呼ばわれ。戻れと号令しろ」

そして司馬懿自身も、声かぎり、後へ返せ、もとの道へと、鞭振りあげて制したが、とうてい、勢いづいて雪崩れこんで来る後続部隊までには、容易に指令が届かない。

その混雑のうちに、何とはなく、急に異臭がつよく鼻をついてきた。

眼にも沁む。喉にも咽せる。

「やや。何の煙だ？」

「火を放つな。火を放ってはならぬぞ」

しかし――火を放った者は魏軍のうちにはいない。それどころか、命令の混乱で、馳け込んでくる者、引っ返そうとする者、谷口の一道で渦巻いている騒ぎである。

時こそあれ、一発の轟音が谷のうちにこだました。――と思うと、隘路の壁をなしている断崖の上から、驚くべき巨大な岩石が山を震わして幾つも落ちてきた。あわれや馬も人もその下になった者は悲鳴すら揚げ得ずに圧し潰がれてしまう。そしてたちまち、その口は、累々たる大石に大石を重ねて封鎖されてしまった。

いやその程度はまだ小部分の一事変でしかない。四方の山から飛んできた火矢は、いつのまにか、谷中を火の海となし、火におおわれて逃げまわる司馬懿仲達以下、魏軍の馳け狂うところ、たちまち、地を裂いて、爆雷は天に冲し、木という木、草という草、燃え出さないものはなかった。

四

魏の兵は大半焼け死んだ。火に狂う奔馬に踏まれて死ぬ者もおびただしかった。火焔と黒煙の谷の底から、阿鼻叫喚が空にまでこだました。

この有様を見て、

「計略は図にあたった。さあ、立ち退こう」

と、心地よげに、谷口に向って行ったのは、司馬懿軍をここへ誘い入れた魏延だっ

た。ところが、すでに谷口はふさがれていたので、その魏延までも、逃げる道を失って
しまった。

「これはひどい。俺が出た合図も見ぬうちに、谷口をふさぐとは何事か」

魏延はあわてた。彼の部下も火におわれて、次々に仆れた。彼の甲にも火がついてきた。

「さては、孔明の奴、日頃の事を根に持って、俺までを、司馬懿と共に殺そうと計った
にちがいない。無念、ここで死のうとは」

彼は、髪逆だてて、罵りやまなかった。

その頃、当然、谷中は熱風に満ちて、はや生ける人の叫びすら少なくなっていたが、

司馬懿父子は三人ひとつ壕の中に抱き合って、

「ああ、われら父子もついに、ここで非命の死をうけるのか」となげきかなしんでいた
が、なおこの父子の天運が強かったものだろうか、時しも沛然として大驟雨が降ってき
た。

ために、谷中の大火もいちどに消えてしまった。そして、濛々たる黒霧がたちこめ、
霧を吹き捲く狂風に駆られて、ふたたび紅い火が諸所からチロチロ立ち始めると、ま
た、驚くべき雨量が地表も流すばかり降りぬいてくる。

「父上。父上」

「おお昭よ。師よ。夢か」

「夢ではありません。天佑です。私達は生きています」

「やれ。助かったか」

父子三人は壕の中から這いあがった。そして、何処をどう歩いたか、ほとんど、意識

もなく、死の谷間から外へ出た。

馬岱の小勢がそれを見つけ、まさか司馬懿父子とも思わず追いかけて行ったが、その

うちに魏の一部隊が来たので、つまらぬ者を追っても無用と引き返してしまった。かく

て司馬懿父子は完全に命びろいをした。彼の出会った味方の部隊の中に張虎、楽綝の二

将も救われていた。

渭水の本陣に帰ってみると、ここにも異変があって、東部の一陣地は蜀兵に占領され

ている。それを撃退せんものと、魏の郭淮、孫礼などの一軍が、浮橋を中心に、激戦の

最中であった。

しかし司馬懿を擁した一軍が、一方からこれへ帰ってきたので、蜀軍は、「うしろを

取られては」と、にわかに退却して、遠く渭水の南に陣をさげた。司馬懿は、

「浮橋を焼き払って、敵の進路を断て」

と命じ、直ちに、両軍間の交戦路を焼き落してしまった。もとよりこの浮橋は河流の

他の地点にも幾条となくあるので、祁山へ向った味方が引揚げに困るようなことはない。

その方面から続々と帰ってくる魏軍もすべて敗北の姿を負っていた。

篝を焚いて、味方の負傷者や敗走者を北岸に収容するに努めた。そして、

「この虚に乗って、蜀軍が下流を越え、わが本陣のうしろへ迂回するおそれもある」

と、仲達はその方面にも心をつかって、かなりな兵力を後方にも向けていた。

この日、魏が失った損害というものは、物的にも精神的にも、開戦以来、最大なものといえる程だった。——しかし、この戦果を見てもなお、蜀軍のうちには、ただ一人、

「——事ヲ謀ルハ人ニアリ。事ヲ成スハ天ニアリ、ついに長蛇を逸せり矣。ああ、ぜひもない哉」

と、天を仰いで、痛涙に暮れていた人がいる。いうまでもなく、孔明その人である。

彼が、司馬懿父子を捕捉して、きょうこそと、必殺を期していた計も、心なき大雨のために、万谷の火は一瞬に消え、まったく水泡に帰してしまった。孔明のうらみは如何ばかりであったろう。真に、事ヲ謀ルハ人、事ヲ成スハ天。——ぜひもないと独り涙をのみ独り遺憾をなぐさめているしかなかったに違いない。

女衣巾幗

一

誰か知ろう真の兵家が大機を逸した胸底のうらみを。

人はみな、蜀軍の表面の勝ちを、あくまで大勝とよろこんでいたが、独り孔明の胸に

は、遺憾やるかたないものがつつまれていた。

加うるに、彼が、ひとまず自軍を渭南の陣にまとめて後、陣中、しきりに不穏の空気

がある。

孔明は魏延を呼んで、

質してみると、

「魏延が非常に怒っておるようです」とのことだった。

「ご辺がしきりに怒声を放っているということだが、何が不平なのか」と訊ねた。

魏延は、勃然と、怒気をあらわして云った。

「それは丞相自身のお胸に訊いてみるのが一番でしょう」

「はて。わからぬが」

「では、申しますぞ」

「いわれよ、つつまず」

「司馬懿を葫芦谷へ誘きこめとお命じになりましたな」

「命じた」

「幸いにもあの時、大雨が降りそそいできたからよいようなものの、もしあの雨がなか

ったら、魏延の一命はどうなっておりましょう。それがしも司馬懿父子とともに、焼き

殺さるるほかはありません。思うに丞相はそれがしを憎しみ、司馬懿と一緒に焼き殺さ

んと計られたのでありましょう」

「それを怒ったか」

「あたりまえでしょう」

「怪しからぬことだ」

「魏延が怪しからんのですか」

「いや、馬岱のことを申しておるのだ。かならずさような手違いのないようにと、火を

かけるにも、合図をなすにも、すべてを固く馬岱に命じてあったはず。——馬岱を呼

べ」

孔明の怒りのほうがむしろ甚だしい程だったから、魏延もちょっと意外に打たれた。

馬岱は孔明に呼びつけられて、面罵された。その上、衣をはがれ、杖五十の刑をうけ

て、その職も一軍の大将から、一組の小頭に落されてしまった。

馬岱は、自陣へもどると、士卒に顔も見せず、痛涙悲憤していた。すると、夜に入っ

て、孔明の側近、樊建という者が、そっと訪ねてきて、

「……実は、丞相のお旨をうけて参った」と、くれぐれもなだめた。

「まったくは、やはり魏延をお除きになるお心だったが、不幸、大雨のために、司馬懿

をも取り逃がし、彼を亡きものにする計画も果されなかったのだ。とはいえ今、魏延に

叛かれては、蜀軍の崩壊になる。そのため、何の科もない貴公にあのような辱と汚名を

着せたが、これも蜀のためと、眼をふさいでくれよとの丞相のお言葉だ。どうかこらえ

て下さい。その代りに、他日、この功を第一の徳とし、諸人にむかって、必ずこれに百倍する叙勲を以て貴下の辱を雪ぐであろうと約されておられる」

馬岱はそう聞くと口惜しさも解け、むしろ孔明の苦衷が思いやられた。

魏延は、馬岱の地位が平部将に落されたのを見てやろうとするもののように、

「馬岱を自分の部下にもらいたい」と、孔明に申し入れた。

孔明はゆるさなかったが、今はその孔明の足もとをも見すかしている魏延なので、

「どうしても」と、強情を張りとおした。それを聞いた馬岱は、

「いや、魏将軍の下につくならば、自分としても恥かしくない」

と、進んで彼の部下になった。

もちろん堪忍に堪忍をしてのことである。

一方、その後の魏軍にも、多少穏やかならぬ空気が内在していた。

ここにも残念だ、無念だ、という声がしきりにある。

もちろん、それは度重なる大敗からきた蜀軍への敵愾心であって、内部的な抗争や司馬懿に対する怨嗟ではない。

しかし、怨嗟はないまでも、不平はあった。満々たる不満が今やみなぎっていた。

なぜかといえば、以後またも陣々に高札をかかげて、

——一兵たりと、既定の陣線から出た者は斬る。また、陣中に激語を弄し、みだりに戦いを敵に挑む者も斬罪に処さん。

という徹底的な防禦主義、消極作戦の軍法が、彼らの行動を一切制圧していたからである。

二

渭水の氷は解けても、陽春百日、両軍は依然、対陣のままだった。

「都督はつんぼになられたらしい」

そういわれる程、司馬懿は味方の声にも、四囲の状況にも無感覚な顔をしていた。

或る時、郭准が来て、彼に語った。

「それがしの観るのに、どうも孔明はもう一歩出て、さらにほかへ転陣を策しておるように考えられますが」

「君もそう思うか。予もそう観ていたところだ」

それから仲達は珍しくこんな意見を洩らした。

「——もし孔明が、斜谷、祁山の兵を挙って、武功に出で、山に依って東進するようだったら憂うべきだが、西して五丈原へ出れば、憂いはない」

さすがに司馬懿は慧眼であった。彼がこの言をなしてから日ならずして、孔明の軍は果然移動を開始した。しかも選んだ地は、武功でなくて、五丈原であった。

武功は今の陝西省武功に属する地方である。司馬懿の観る所——もし孔明がこれへ出てきたら、一挙玉砕か、一挙大勝かの大勇猛心の表現であり、魏軍にとっても容易なら

ぬ構えが要るものとひそかに怖れていたのである。

――が、孔明はその冒険を避けて、なお持久長攻に便な五丈原へ移った。

五丈原は宝鶏県の西南三十五里、ここもなお千里を蜿る渭水の南にある。そして従来数次の陣地に較べると、はるかに遠く出て、中原へ突出している。

しかも、ここまで来ると、敵国長安の府も潼関も、また都洛陽も、一鞭すでに指呼のうちだ。

（このたびこそ、ここの土と化するか、敵国の中核に突き入るか、むなしく再び漢中には還らぬであろう）

となしている孔明の気魄は、その地点と軍容から観ても、顕然たるものだった。

しかもなお、司馬懿が、額を撫でて、

「まずまず、これで味方にとって大幸というべしだ」

と、喜悦したわけは、持久戦を以て対するならば、彼にも自信があったからである。

ただ困るのは、大局の見通しを持たぬ麾下が、ややもすると彼を軽んじて、

（卑怯な総帥、臆病な都督）と、あげつらい、陣中の紀綱をみだしがちなことであった。

ために司馬懿は、わざと魏朝廷に上表して、戦いを請うた。朝廷は再度、辛毗を前線にさしむけ、

「堅守自重、ただそれ、守るに努めよ」と、重ねて全軍を戒めた。

蜀の姜維は、さっそく孔明に告げた。

「またまた、辛毗が慰撫に下ってきたようです。魏軍の戦意も一頓挫でしょう」

「いや、ご辺の観方はちがう。将が軍にあっては、君命も俟たない場合がある。いやしくも仲達に我を制し得る自信があれば、何で悠々中央と往来して緩命を待っておるものか。——喃ぐべし、実は彼自身、戦意もないのに、強いてその武威を衆に示そうための擬態に過ぎない」

また、或る日、魏の陣営で、「万歳」の歓呼がしきりにあがっていると報ずる者があった。孔明が、何故の敵の歓呼かと老練な諜者に調べさせると、

「呉が魏廷に降伏したという報が、いま伝わったらしいのです」

と老諜者は憂いをたたえて云ってきた。

すると孔明は、笑いながら、

「いま呉が降伏するなどということはどこから観てもあり得ない。汝は年六十にもなるのに、まだそんなくだらぬことを信ずるほどの眼しか持たないか」と惘れむ如く叱った。

　　　三

孔明は五丈原へ陣を移してからも、種々に心をくだいて、敵を誘導して見たが、魏軍は完くうごきを見せない。

敵国の地深くへ進み出ながら、彼がなお自ら軍を引っ提げて戦わずに、ひたすら魏軍の妄動を誘う消極戦法を固持している理由は、実にその兵力装備の差にあった。後方から補充をなすに地の利を得ている魏の陣営は、うごかざる間にも、驚くべき兵力を逐次加え、今では、孔明の観るところ、蜀全軍の八倍に達する大兵を結集しているものと思われていたのである。

その量と実力に当る寡兵蜀陣としては、──誘ってこれを近きに撃つ。

その一手しか断じてほかに策はなかったのだ。

しかも、彼は孔明のその一活路をすら観破している。さすがの孔明も完く無反応な辛抱づよい敵にたいしては計の施しようもなかった。さきに祁山、渭南の地方にわたって、大いに撫民に努め、屯田自給の長計をたてて、兵糧にはさして困らないほどにはなっているものの、かくてまた、年を越え、また年を越えて、連年敵地に送っているまには、魏の防塁と装備は強化するばかりとなろう。

「──これを持って、魏陣へ使いし、確と、仲達に渡してこい」

一日、孔明は、一使を選んで、自筆の書簡と、美しき牛皮の匣とを託した。興に乗って通る者は射ず撃たずということは戦陣の作法になっている。

使者は、興に乗って、魏陣へ臨んだ。

「なんの使者だろう？」

魏の将士はあやしみつつ陣門へ通し、やがて、使者の乞うまま司馬懿仲達に取り次い

だ。司馬懿はまず匣を開いてみた。——と、匣の中からは、艶やかな巾幗と縞衣が出てきた。

「……何じゃ、これは？」

仲達の唇をつんでいる疎々たる白鬚はふるえていた。あきらかに彼は赫怒していた。——がなお、それを手にしたままじっと見ていた。

巾幗というのは、まだ笄を簪す妙齢にもならない少女が髪を飾る布であって、蜀の人はこれを曇籠蓋ともいう。

また縞衣は女服である。——との謎を解くならば、挑めども応ぜず、ただ塁壁を堅くして、少しも出て来ない仲達は、あたかも羞恥を深く蔵して、ひたすら外気を恐れ、家の内でばかり嬌を誇っている婦人のごときものであると揶揄しているものとしか考えられない。

「…………」

彼は次に書簡をひらいていた。

彼が心のうちで解いた謎はやはりあたっている。　孔明の文辞は、老仲達の灰の如き感情をも烈火となすに充分であった。いわく、

——史上稀なる大軍をかかえながら、足下の態度は、腐った婦人のように女々しいのはどうしたものか。　武門の名を惜しみ、身も男子たるを知るならば、出ていさぎよく決戦せずや。

「はははは。おもしろい」

やがて仲達の唇が洩らしたものは、内心の憤怒とは正反対な笑い声だった。

蜀の使者はほっとして、その顔を仰いだ。

「大儀大儀。せっかくのお贈り物。これは納めておこう」

仲達はそういって、なお使者をねぎらい、酒を饗して、座間に訪ねた。

「孔明はよく眠るかの」

いやしくも自分の仕える孔明のうわさとなると、軍使は杯を下におき、一言の答えにも身を正していう。

「はい。わが諸葛公には、夙に起き夜は夜半に寝ね、軍中のお務めに倦むご容子も見えません」

「賞罰は」

「至っておきびしゅうございます。罰二十以上、みな自ら裁決なすっておられます」

「朝暮の食事は」

「お食はごく少なく、一日数升（升は近代の合）を召上がるに過ぎません」

「ほ。……それでよくあの身神がつづくものだの」

そこでは、さも感服したような態だったが、使者が帰ると、左右の者にいった。

「孔明の命は久しくあるまい。あの劇務と心労に煩わされながら、微量な食物しか摂っていないところを見ると、或いはもういくぶん弱っているのかも知れない」

　　四

魏の陣から帰ってきた使者に向って、孔明は敵営の状と、司馬懿の反応を質していた。

「仲達は怒ったか」

「笑っていました。そして折角のご好意だからとて、快く贈り物を納めました」

「彼は汝に何を問うたか」

「丞相の起居をしきりにたずねておりました」

「そして」

「お食事の量を聞くと、彼は左右にむかって、よく身神が続くものだと託っておりました」

後、孔明は大いに嘆じた。

「我をよく知ること、敵の仲達にまさる者はいない。彼はわが命数まで量っている」

ときに楊喬という主簿の一員が進み出て、孔明に意見を呈した。

「わたくしは職務上、つねに丞相の簿書（日誌）を見るたびに考えさせられておりま
す。およそ人間の精力にも限度があり、家を治めるにも上下の勤めと分があります。
──もしわたくしの僭越をお咎めなくお聞きいただけるのでしたら、愚見を申しあげて
みたいと思うのでありますが」

「わが為にいうてくれる善言ならば、孔明も童子のような心になって聞くであろう」

「ありがとうございます。——たとえば、一家の営みを見ましても奴婢がおれば、奴は出でて田を耕し、婢は内にあって粟を炊ぐ。——鶏は晨を告げ、犬は盗人の番をし、牛は重きを負い、馬は遠きに行く。みな、その職と分でありましょう。——また家の主は、それらを督して家業を見、租税を怠らず、子弟を教育し、妻はこれを内助して、家の清掃、一家の和、かりそめにも家に瑕瑾なからしめ、良人に後顧のないように致しております。——かくてこそ一家は円滑に、その営みはよく治まって参りますが、仮に、その家の主が、奴ともなり婢ともなり、独りですべてをなそうとしたらどうなりましょう。体は疲れ気根は衰え、やがて家亡ぶの因となります」

「……」

「主は従容として、時には枕を高うし、心を広くもち、よく身を養い、内外を見ておればよいのであります。決してそれは、奴婢鶏犬に及ばないからではなく、主の分を破り家の法に背くからです。——坐シテ道ヲ論ズ之ヲ三公ト言イ、作ッテ之ヲ行ウヲ士大夫ト謂ウ——と古人が申したのもその理ではございますまいか」

「……」孔明は瞑目して聞いていた。

「然るに、丞相のご日常をうかがっておりますと、細やかな指示にも、余人に命じておけばよいことも、大小となく自ら遊ばして、終日汗をたたえられ、真に涼やかに身神をお休めになる閑もないようにお見受け致されます。——かくてはいかなるご根気も倦み

疲れ、到底、神気のつづくいわれはございません。ましてやようやく夏に入って、日々この炎暑では何でお体が堪りましょう。どうかもう少し暢やかに稀れにはおくつろぎ下さるこそ、われわれ麾下の者も、かえって歓ばしくこそ思え、毛頭、丞相の懈怠なりな

「……よくいうてくれた」

どとは思いも寄りませぬ」

孔明も涙をながし、部下の温情を謝して、こう答えた。

「自分もそれに気づかないわけではないが、ただ先帝の重恩を思い、蜀中にある孤君の御行く末を考えると、眠りについても寝ていられない心地がしてまいる。かつは、人間にも自ら定まる天寿というものがあるので、なにとぞ我が一命のあるうちにと、つい悠久な時をわすれて人命の短きにあせるために、人手よりはわが手で務め、先にと思うことも、今のうちにと急ぐようになる。——けれどお前達に心配させてはなるまいから、これからは孔明も折々には閑を愛し身の養生にも努めることにしよう」

諸人もそれを聞いてみな粛然と暗涙をのんだ。

けれど、そのときすでに、身に病の発ってきた予感は、孔明自身が誰よりもよく覚っていたにちがいない。間もなく彼の容態は常ならぬもののように見えた。

銀河（ぎんが）の禱（いの）り

一

彼の病気はあきらかに過労であった。それだけに、どっと打臥すほどなこともない。むしろ病めば病むほど、傍人（ぼうじん）の案じるのをも押して、軍務に精励してやまない彼であった。近頃聞くに、敵の軍中には、また気負うこと旺（さかん）なる将士が、大いに司馬懿の怯惰（きょうだ）を罵って、

「かかる都督を大魏国の軍の上にいただくには忍びぬ」

と、激語憤動、ただならぬ情勢がうかがわれるとしきりに云ってくる。

原因は、例の、孔明から贈った女衣巾幗（きんかく）の辱（はずかし）めが、その後、魏の士卒にまでですっかり知れ渡ったため、

「腐った女のようだと辱められたが、それでもまだああして何らその敵に答える術を知らずにおる。——一体、われわれは木偶（でく）か藁人形（わらにんぎょう）か。なんのためにこんな大軍を結んで、蜀人にからかわれたり侮辱されたりして

いるのか）

というような声がまたまた起り、そこから再燃した決戦論者の動揺であることが観取
される。

孔明は、病中ながら、その機微を知るや、

「出でよかし。敵動かば——」

と、心ひそかに秘策をえがき、なお敏捷な諜者を放って、

「魏勢が出軍するか否か、しかと様子を見とどけて来い」と、命じた。

諜者はやがて帰ってきた。

待ちかねていた孔明は、

「どうであった」と、われから訊ねた。

諜者のいわく。

「敵の営中に騒然たる戦気はたしかに感じられました。——けれど営門に一老夫が立っ
ているのです。白眉朱面、金鎧まばゆきばかり装って、毅然と突っ立ち、手に黄鉞を杖
ついて、八方を睨まえ、かりそめにも軍門をみだりに出入なすを許しません。——ため
に、営中の軍も出ることができないでおりまする」

孔明は思わず手の羽扇を床へ取り落して云った。

「ああそれこそ、さきに魏廷から軍監として下った辛毗佐治にちがいない。……それほ
どまで厳に戦うを戒めておるか」

一身を軍国蜀に捧げ、すでに自覚される病もおいて、日々これ足らずと努めている孔明にとって、この事はまた大きな失意を彼に加えた。

時に渭水の流れは満ち、渭水の河床は涸れ、風雨の日、炎熱の日、天象は日々同じでなかったが、戦局はいっこう革まる様子もなく、秋はすでに満地の草の花に見えて、朝夕の風はようやく冷涼を帯びてきた。

「蜀の陣上には、一抹、何やら淋しきものが見える」

仲達はある夕、ひそかに人を放って孔明の陣をうかがわせた。そしてその返答に依っては、突如、奇襲して出でんとしたか、銀甲鉄冑に身をかため、燭光ひそやかに待っていた。

すると、姿を変えて探りに行った将は、ようやく四更の頃、彼の前にもどって来て、額の汗を押し拭いながら復命した。

「蜀陣の旌旗は依然、粛として寸毫の惰気も見えませぬ。また、深夜というのに、孔明は素興（白木の輿）に乗って陣中を見まわり、常のごとく、黄巾をいただき白羽扇を持ち、その出入を見るや、衆軍みな敬して、進止軍礼、一糸のみだれも見ることができません。……実に、驚きました。森厳そのものの如き軍中の規律です。近頃、孔明が病気であるというような噂が行われておりますが、おそらくあれも敵がわざといわせている嘘言でしょう」

仲達は歎じて、子の昭や師にいった。

「諸葛は真に古今の名士だ。――名士とは、彼の如きをいうものだろう」

二

それより先に、孔明から呉へ要請していた蜀呉同盟条約による第二戦線の展開については、まだここには、なんの詳報も入っていなかった。それはすでに、この年の五月、呉の水陸軍が三道から魏へ攻撃を起したことによって、条約の表面的履行は果たされた形になっていたものである。

孔明がその快捷の報を、久しく心待ちにしていたであろうことは想像に難くない。

昨年から幾多の風説は聞いていた。

或る者は、呉の優勢をいい、或る者はまだ本格的戦争はないといい、また或る者は、呉の退散を伝えた。

呉魏の戦場とここでは、余りに隔絶している。いたずらな諜報はすべて信じられなかった。

秋の初めの頃である。

突然、成都から、尚書の費褘が陣へ来た。

「呉のことで、お伝えに」

と費褘はいう。孔明はさてこそと思い、その日も体の容態は何となくすぐれなかったが、平然常の如く応接した。

「あちらの戦況はどうですか」と、まず訊ねた。

費禕は唇に悲調をたたえて語った。

「──夏五月頃から、呉の孫権は、約三十万を動員して、三方より北上し、魏を脅かすことしきりでしたが、魏主曹叡もまた合淝まで出陣し、満寵、田予、劉劭 の諸将をよく督して、ついに呉軍の先鋒を巣湖に撃砕し、呉の兵船兵糧の損害は甚大でした。ために、後軍の陸遜は表を孫権にささげて、敵のうしろへ大迂回を計ったもののようでしたが、この計もまた、事前に魏へ洩れたため、機謀ことごとく敵に裏を掻かれ、呉全軍は遂に何らの功もあげず大挙退いてしまったのです。……どうもまことに頼みがいなき盟国というしかありませんが」

「………」

「丞相。どうなさいましたか。──急にご血色が」

「いや、さしたることはない」

「でも、お唇の色までが」

費禕は驚いて、侍臣を呼びたてた。人々が駈け寄ってきてみたときは、孔明は袂を以て自ら面をおおい、榻の上にうっ伏していた。

「丞相、丞相」

「いかがなさいましたか」

「お心をたしかにして下さい」

諸将も来て、共に搔い抱き、静室に移して、典医に諮り、あらゆる手当を尽した。半刻ほどすると、孔明の面上に、ぽっと血色が甦ってきた。——人々はほっと眉をひらき、

「お心がつきましたか」と、枕頭をのぞき合った。

孔明は大きく胸を波動させていた。そして、ひとつひとつの顔にひとみを注ぎ、

「……思わず病に負けて、日頃のたしなみも昏乱したとみえる。これは旧病の興ってきた兆といえよう。わが今生の寿命も、これでは久しいことはない」

語尾は独りごとのようにしか聞えなかった。

しかし夕方になると、

「心地は爽やかだ。予を扶けて露台に伴え」

というので、侍者典医などが、そっと抱えて、外へ出ると、孔明はふかく夜の大気を吸い、

「ああ、美しい」

と、秋夜の天を仰ぎ見ていたが、突然、何事かに驚き打たれたように、悪寒が催してきたといって内にかくれた。

そして侍者をして、急に姜維を迎えにやり、姜維が倉皇としてそこに見えると、

「こよい、何気なく、天文を仰いで、すでに我が命が旦夕にあるを知った。……死は本

然の相に帰するだけのことで、べつに何の奇異でもないが、そちには伝えおきたいこと
もあるので早々招いた。かならず悲しみに取り乱されることのである。

いつもに似ず、弱々しい語韻であったが、そのうちにも、秋霜のようなきびしさがあった。

「……ご無理です。丞相にはどうしてそのようなお覚悟をなさいますか。悲しむなとお
っしゃっても、そんなことを仰せられると、姜維は哭かないではいられません」

病窓の風は冷やかに、彼の声涙もあわせて、燭は折々消えなんとした。

　　　　　　三

「何を泣く。定まれることを」

孔明は叱った。子を叱るように叱った。馬謖の亡い後、彼の愛は、姜維に傾けられて
いた。

日常、姜維の才を磨いてやることは、珠を愛でる者が珠の光を慈むようであった。

「はい。……おゆるし下さい。もう哭きませぬ」

「姜維よ。わしの病は天文にあらわれている。こよい天を仰ぐに、三台の星、みな秋気
燦たるべきに、客星は明らかに、主星は鈍く、しかも凶色を呈し、異変歴々である。故
に、自分の命の終りを知ったわけだ。いたずらに病に負けていうのではない」

「丞相、それならば何故、禳をなさらないのですか。古くからそういう時には、星を祭

り天を禱る禳の法があるではございませんか」
「おお、よく気がついた。その術はわれも習うていたが、わが命のためになすことを忘れていた」
「おいいつけ下さい。わたしが奉行して、諸事調えまする」
「うむ。まず鎧うたる武者、七々四十九人を選び、みな皀き旗を持ち、みな皀き衣を着て、禱りの帳外を守護せしめい」
「はい」
「帳中の清浄、壇の供えは、人手をかりることはできない。予自ら勤めるであろう。そして、秋天の北斗を祭るが、もし七日のあいだ、主燈が消えなかったら、わが寿命は今からまた十二年を加えるであろう。しかしもし禱りの途中において、主燈の消えるとき中をうかがわすな」──それゆえの帳外の守護である。ゆめ、余人に帳は、今生ただ今、わが命は終ろう。
姜維は、謹んで命をうけ、童子二名に、万の供え物や祭具を運ばせ、孔明は沐浴して後、内に入って、清掃を取り、壇をしつらえた。一切の事、祭司を用いず、やがて北斗を祭る秘室のうちに、帳を垂れて閉じ籠った。
孔明は食を断ち、夜は明けるまで、一歩もそこから出なかった。
一日。二日。三日──と続いた。
夜々、秋の気は蕭索として、冷涼な風は帳をゆすり、秘壇の 燈 や紅吟金箋の祭華を

もそよそよと吹いた。

外に立てば、銀河は天に横たわり、露は零ちて、旌旗うごかず、更けるほどに、寂さ
らに寂を加えてゆく。

姜維は、四十九人の武者とともに、帳外に立って、彼も、孔明の禱りが終るまでは
と、以来、食も水も断って、石のごとく、屹立していた。

帳中の孔明はと見れば、祭壇には大きな七盞の燈明がかがやいている。その周りには
四十九の小燈を懸けつらね、中央に本命の主燈一盞を置いて、千々種々の物を供え、香
を焚き、咒を念じ、また、折々、盤の清水をかえ、かえること七度、拝伏して、天を祈
る。——その禱りの必死懸命となるときは、願文を誦する声が、帳外の武者の耳にも聞
えてくるほどであった。

「——亮、乱世ニ生レテ、身ヲ農畝ニ隠ス所ニ、先帝三顧ノ恩ヲウケ、孤子ヲ託スルノ
重キヲ被ル。是ニヨリテ、不才、犬馬ノ労ヲ尽シ、貔貅ノ大軍ヲ領シテハ、六度、祁山
ノ陣ニ出ヅ。ソレ臣ノ希ウトコロ、唯誓ッテ反国ノ逆ヲ誅シ、以テ先帝ノ遺詔ニコタ
エ、世々ノ大道ヲ明ラカニセンノミ。カカル秋ニ意ワザリキ、将星墜チントシテ、我今
生ノ命スデニ終ラントスルヲ天ノ告ゲ給ウアラントハ。——謹ンデ静夜ヲ仰ギ、昭カナ
ル天心ニ告ス。北極元辰モマタ天慈ヲ垂レ地上ノ嘆ヲ聞キ給エ。亮ノ命ヤ一露ヨリ軽シ
ト雖モ任ハ万山ヨリ重シ。——憐レ十年ノ寿ヲカシテ亮ガ業ヲ世ニ遂ゲ得サセ給エ」
——こうして、晨になると彼は綿のごとく疲れ果てたであろう身に、また水をかぶっ

て、病をなげうち、終日、軍務を見ていたという。

その七日間における彼の行を、古書の記すところに見ると、惨心、読むに耐えないものがある。

――旦ヲ待チテハ、次ノ日マタ、病ヲ扶ケラレテ、時務ヲ治ム。為ニ、日々血ヲ吐イテ止マズ。死シテハマタ甦エル。

カクテ昼ハ共ニ魏ヲ伐ツノ計ヲ論じ、夜ハ罡ニ歩シ、斗ヲ踏ンデ禱ヲナス。

その一念、その姿、まさに文字どおりであったろうと思われる。

秋風五丈原

一

魏の兵が大勢して仔馬のごとく草原に寝ころんでいた。

一年中で一番季節のよい涼秋八月の夜を楽しんでいるのだった。

そのうちに一人の兵が不意に、あっといった。

「やっ。何だろう?」

また、ひとりが指さし、そのほかの幾人かも、たしかに、目で見たと騒ぎ合った。

「ふしぎな流れ星だ」

「三つもだ。そして、二つは還った。一つは、蜀の軍営におちたきりだった」

「こんな奇異なことがあるものじゃない。黙っていると罰せられるぞ」

兵はめいめい営内のどこかへ去って行った。上将へ告げたのだろう。間もなく、司馬懿（しば）の耳にも入っていた。

折ふし司馬懿の手もとには、天文方から今夕観測された奇象を次のように記録して報じて来たところだった。

──長星アリ、赤クシテ茫々（ぼう）。東西ヨリ飛ンデ、孔明ノ軍営ニ投ジ、三タビ投ジテ二タビ還ル。ソノ流レ来ルトキハ光芒大ニシテ、還ルトキハ小サク、其ウチ一星ハ終ニ隕（お）チテ還ラズ。──占ニ曰ク、両軍相当ルトキ、大流星アリテ軍上ヲ走リ、軍中ニ隕ツルニ及ベバ、其軍、破敗ノ徴ナリ。

兵が目撃したという所と、この報告書とは、符節を合したように一致していた。

「夏侯覇（かこうは）にすぐ参れといえ」

司馬懿の眼こそ、俄然、あやしきばかりな光芒をおびていた。

夏侯覇は、何事かと、すぐ走ってきた。司馬懿は、陣外に出て、空を仰いでいたが、

彼を見るや、早口に急命を下した。

「おそらく孔明は危篤に陥ちておるものと思われる。或いは、その死は今夜中かも知れ

ぬ。天文を観るに、将星もすでに位を失っている。——汝、すぐ千余騎をひっさげて五丈原をうかがいみよ。もし蜀勢が奮然と討って出たら、孔明の病はまだ軽いと見なければならぬ。怪我なきうちに引っ返せ」

と答えると、夏侯覇はすぐ手勢を糾合し、星降る野をまっしぐらに進軍して行った。

この夜は、孔明が禱りに籠ってから六日目であった。あと一夜である。しかも本命の主燈は燈りつづいているので、孔明は、

（わが念願が天に通じたか）

と、いよいよ精神をこらして、禱りの行に伏していた。

帳外を守護している姜維もまた同様な気持であった。ただ惧れられるのは孔明が禱りのまま息絶えてしまうのではないかという心配だけである。——で折々彼は帳内の秘壇をそっと覗いていた。

孔明は、髪をさばき、剣を取り、いわゆる罡を踏み斗を布くという禱りの座に坐ったままうしろ向きになっていた。

「……ああかくまでに」

と、彼はうかがうたび熱涙を抑えた。孔明の姿は忠義の権化そのものに見えた。——すると、何事ぞ、夜も更けているのに突然陣外におびただしい鬨の声がする。姜維は、ぎょっとして、

「見て来いっ」

と、すぐ守護の武者を外へ走らせた。ところへ入れ違いに、どやどやと駈け入ってき

た者がある。魏延だった。

慌てふためいた魏延は、そこにいる姜維も突きのけて、帳中

へ駈け込み、

「丞相。丞相ッ。魏軍が襲せてきました。遂に、こっちの望みどおり、しびれをきら

して、司馬懿のほうから戦端を開いて来ましたぞ」

喚きながら、孔明の前へまわって、ひざまずこうとした弾みに、何かにつまずいたと

みえ、ぐわらぐわらと壇の上の祭具やら供物やらが崩れ落ちた。

「やや。これはしくじった」

狼狽した魏延は、その上にまた、足もとに落ちてきた主燈の一つを踏み消してしまっ

た。それまで、化石した如く禱りをつづけていた孔明は、あっと、剣を投げ捨て、

「――死生命あり！ ああ、われ終に熄むのほかなきか」

と、高くさけんだ。

姜維もすぐ躍り込んできて、剣を抜くや否、

「おのれっ、何たることを！」

と、無念を声にこめて、いきなり魏延へ斬ってかかった。

二

「姜維。止さんかっ」――孔明は声をしぼって、彼を叱った。

悲痛な気魄が姜維を凝然と佇立させた。

「――主燈の消えたのは、人為ではない。　怒るを止めよ。　天命である。　なんの魏延の科であるものか。　静まれ、冷静になれ」

そういってから孔明は床に仆れ伏した。

ぐがばと面を上げ、

「こよいの敵の奇襲は、仲達がはやわが病の危篤を察して、その虚実をさぐらせんため、急に一手を差し向けて来たに過ぎまい。――魏延、魏延。すぐに出て馳け散らせ」

悄気ていた魏延は、こう命ぜられると、日頃の猛気を持ち返して、あっとばかり躍り直して出て行った。

魏延が陣前に現われると、さすがに鼓の音も鬨の声もいちどにあらたまった。攻守たちまち逆転して、魏兵は馳け散らされ、大将夏侯覇は馬を打って逃げ出していた。

孔明の病状はこの時から精神的にもふたたび恢復を望み得なくなっていた。翌日、彼はその重態にもかかわらず姜維を身近く招いていった。

「自分が今日まで学び得たところを書に著したものが、いつか二十四編になっている。わが言も、わが兵法も、またわが姿も、このうちにある。今、あまねく味方の大将を見るに、汝をおいてほかにこれを授けたいと思う者はいない」

手ずから自著の書巻を積んでことごとく姜維に授け、かつなお、

「後事の多くは汝に託しておくぞよ。この世で汝に会うたのは、倖せの一つであった。蜀の国は、諸道とも天嶮、われ亡しとても、守るに憂いはない。ただ陰平の一道には弱点がある。仔細に備えて国の破れを招かぬように努めよ」

姜維が涙にのみ暮れていると、

「楊儀を呼べ」

と、孔明は静かにいいつけた。

楊儀に対しては、

「魏延は、後にかならず、謀反するであろう。彼の猛勇は、珍重すべきだが、あの性格は困りものだ。始末せねば国の害をなそう。わが亡き後、彼が反くのは必定であるから、その時にはこれを開いてみれば自ら策が得られよう」

と、一書を秘めた錦の嚢を彼に託した。

その夕方からまた容態が悪化した。しかし昏絶しては甦ること数度で、幾日となく、同じ死生の彷徨状態が続いた。

五丈原から漢中へ、漢中から成都へと、昼夜のわかちなく駅次ぎの早馬も飛んでいた。

蜀は遠い、待つ身の人々には、いや遠いここちがする。

「勅使のお下りに間に合うかどうか」

人々の願いも今はそれくらいに止まっていた。誰もみな或るものを観念した。

　成都からは即刻、尚書僕射李福が下っていた。帝劉禅のおどろきと優渥な勅を帯して夜を日に継いで急いでいるとは聞えていたが、──なおまだここ五丈原にその到着を見なかった。

　しかし幸いに、費禕がなお滞在している。孔明は、われ亡き後は彼に嘱するもの多きを思った。一日、その費禕を招いて懇ろにたのんだ。

「後主劉禅の君も、はやご成人にはなられたが、遺憾ながら先帝のごときご苦難を知っていられない。故に世をみそなわすこと浅く、民の心を汲むにもうとく在すのはぜひもない。故に、補佐の任たる方々が心を傾けて、君の徳を高うし、社稷を守り固め、以て先帝のご遺徳を常に鑑として政治せられておれば間違いないと思う。才気辣腕の臣をにわかに用いて、軽率に旧きを破り、新奇の政を布くは危うい因を作ろう。予が選び挙げておいた人々をよく用い、一短あり一部欠点はある人物とてみだりに廃てるようなことはせぬがいい。その中で馬岱は忠義諸人に超え、国の兵馬を託すに足る者ゆえ、いよいよ重く扱うたがいい。諸政の部門は卿がこれを統轄総攬されよ。またわが兵法の機密は、戦陣国防の事は、まだ若しといえども、彼を信じてことごとく姜維に授けおいたから、決して憂うることはなかろう」

　以上の事々を、費禕に遺言し終ってから孔明の面にはどこやら肩の重荷がとれたような清々しさがあらわれていた。

三

日々、そうした容態のくり返されている或る朝のこと。孔明は何思ったか、

「予を扶けて、車にのせよ」と、左右の者へ云い出した。

人々はあやしんで何処へお渡り遊ばすかと、訊ねた。すると孔明は、

「陣中を巡見する」といって、すでに起って、自ら清衣にあらためた。

命旦夕に迫りながら、なおそれまでに、軍務を気にかけておられるのかと、侍医も諸

臣も涙に袖を濡らした。

千軍万馬を往来した愛乗の四輪車は推されて来た。孔明は白い羽扇を持ってそれに乗

り、味方の陣々を視て巡った。

この朝、白露は轍にこぼれ、秋風は面を吹いて、冷気骨に徹るものがあった。

「ああ。旌旗なお生気あり。われなくとも、にわかに潰えることはない」

孔明は諸陣をながめてさも安心したように見えた。そして帰途、瑠璃の如く澄んだ天

を仰いでは、

「――悠久。あくまでも悠久」

と、呟き、わが身をかえりみてはまた、

「人命何ぞ仮すことの短き。理想何ぞ余りにも多き」

と独り託って、嘆息久しゅうしていたが、やがて病室に帰るやすぐまた打ち臥して、

この日以来、とみに、ものいうことばも柔かになり、そして眉から鼻色には死の相があらわれていた。

楊儀をよんで、ふたたび懇ろに何か告げ、また王平、廖化、張翼、張嶷、呉懿なども一人一人枕頭に招いて、それぞれに後事を託するところがあった。

姜維にいたっては、日夜、側を離れることなく、起居の世話までしていた。孔明は彼にむかって、

「几をそなえ、香を焚き、予の文房具を取り揃えよ」

と命じ、やがて沐浴して、几前に坐った。それこそ、蜀の天子に捧ぐる遺表であった。

認め終ると、一同に向って、

「自分が死んでも、かならず喪を発してはいけない。必然、司馬懿は好機逸すべからずと、総力を挙げてくるであろうから。——こんな場合のために、日頃から二人の工匠に命じて、自分は自分の木像を彫らせておいた。それは等身大の坐像だから車に乗せて、周りを青き紗をもっておおい、めったな者を近づけぬようにして、孔明なお在りと、味方の将士にも思わせておくがいい。——然る後、時を計って、魏勢の先鋒を追い、退路を開いてから後、初めて、わが喪を発すれば、おそらく大過なく全軍帰国することを得よう」

と、訓え、しばらく呼吸をやすめていたが、やがてなおこう云い足した。

「——予の坐像を乗せた喪車には、座壇の前に一盞の燈明をとぼし、米七粒、水すこしを唇にふくませ、また柩は龕車の内に安置して汝ら、左右を護り、歩々粛々、通るならば、たとえ千里を還るも、軍中常の如く、少しも蓊れることはあるまい」

と云いのこした。

さらに、退路と退陣の法を授け、語をむすぶにあたって、

「もう何も云いおくことはない。みなよく心を一つにして、国に報じ、職分をつくしてくれよ」

人々は、流涕しながら、違背なきことを誓った。

たそがれ頃、一時、息絶えたが、唇に、水をうけると、また醒めたかのごとく、眼をみひらいて、宵闇の病床から見える北斗星のひとつを指さして、

「あれ、あの煌々とみゆる将星が、予の宿星である。いま滅前の一燦をまたたいている。見よ、見よ、やがて落ちるであろう……」

いうかと思うと、孔明その人の面は、たちまち白蠟の如く化して、閉じた睫毛のみが植え並べたように黒く見えた。

黒風一陣、北斗は雲に滲んで、燦また滅、天ただ啾々の声のみだった。

四

孔明の死する前後を描くにあたって、原書三国志の描写は実に精細を極めている。そ

してその偉大なる「死」そのものの現実を、あらゆる意味において詩化している。

この国にあるところの不死の観念と、やがて日本の詩や歌や「もののあわれ」に彩られた人々の生死観とでは、もちろん大きな相違があるが、とまれ諸葛孔明の死に対して、当時にあってもその蜀人たるを問わず、何らか偉大なる霊異に打たれたことは間違いなく、そして原三国志の著者までが、何としても彼を敢えなく死なすに忍びなかったようなものが、随所その筆ぶりにもうかがわれるのである。

たとえば、孔明が最後に北斗を仰いで、自己の宿星を指さし、はやその命落ちんと云い終って息をひきとった後にも、なお、その後から成都の勅使李福が着いたことになっていて、勅使と聞くや、孔明はふたたび目をひらいて、次のようなことばを奉答している――というような条も、そうした筆者の愛惜の余りから出ているものと思われるのである。

――が、ここではむしろ、その不合理などを問わず原書のままを訳しておくことにする。そのほうが千七百年前から今日まで、孔明の名とともにこの書を愛しこの書を伝え来った民族のこころを理解するにも良いと訳者にも考えられるからである。

――勅使と聞いて、ふたたび目をみひらいた孔明は、李福を見てこういったという。

「国家の大事を誤ったものは自分だ。慚愧するのほかお詫びすることばもない」

それからまた、こう訊ねたという。

「臣亮の亡き後は、誰を以て丞相の職に任ぜんと……陛下には、それをば第一に、勅使を以て、ご下問になられたことであろう。われ亡き後は、蒋琬こそ、丞相たるの人で

ある」

李福が、かさねて、

「もし蔣琬がどうしてもお受けしない時は誰が適任でしょう」

「費褘がよい」

と答え、李福がさらに、次のことを訊ねると、もう返辞がなかった。

諸人が近づいてみると、息絶えて、まったく薨じていたというのである。

時は蜀の建興十二年秋八月二十三日。寿五十四歳。

これのみは、多くの史書も演義の類書もみな一致している。人寿五十とすれば、短命とはいえないかも知れないが、孔明の場合にあっては実に夭折であったようなここちがする。

彼の死は、蜀軍をして、空しく故山に帰らしめ、また以後の蜀の国策も、一転機するのほかなきに至ったが、個人的にも、ずいぶん彼の死の影響は大きかったらしい。

蜀の長水校尉をしていた廖立という者は、前から自己の才名を恃んで、

（孔明がおれをよく用いないなんていうのは、人を使う眼のないものだ）

などと同僚にも放言していたくらいな男だが、その覇気と自負が過ぎるので、孔明は一時彼の官職を取り上げ、汶山という僻地へ追って謹慎を命じておいた。

この廖立は、孔明の死を聞くと自己の前途を見失ったように嘆いて、

——吾終ニ衽ヲ左ニセン

といったということである。

またさきに梓潼郡に流されていた前軍需相の李厳も、

「孔明が生きてあらん程には、いつか自分も召し還されることがあろうと楽しんでいた
が、あの人が亡くなられては、自分が余命を保っている意味もない」

といって、その後ほどなく、病を得て死んだといわれている。

とにかく、彼の死後は、しばらくの間、天地も寥々の感があった。ことに、蜀軍の
上には、天愁い地悲しみ、日の色も光がなかった。

姜維、楊儀たちは、遺命に従ってふかく喪を秘し、やがて一営一営静かに退軍の支度
をしていた。

死せる孔明、生ける仲達を走らす

一

一夜、司馬懿は、天文を見て、愕然とし、また歓喜してさけんだ。

「――孔明は死んだ！」

彼はすぐ左右の将にも、ふたりの息子にも、昴奮して語った。

「いま、北斗を見るに、大なる一星は、昏々と光をかくし、七星の座は崩れている。こんどこそ間違いはない。今夕、孔明は必ず死んだろう」

人々は急に息をひそめた。敵ながらその人亡しと聞くと何か大きな空ろを抱かせられたのである。仲達もまさにその一人だったが、老来いよいよ健なるその五体に多年の目的を思い起すや、勃然と剣を叩いて、

「蜀軍に全滅を加えるは今だ。——準備を伝えろ。総攻撃を開始する」

司馬師、司馬昭の二子は、父の異常な昴奮に、却って二の足をふんだ。

「ま。お待ちなされませ」

「なぜ止めるか」

「この前の例もあります。孔明は八門遁甲の法を得て、六丁六甲の神をつかいます。或いは、天象に奇変を現わすことだってできない限りもありません」

「ばかな。愚眼を惑わして、風雨を擬し、昼夜の黒白をあやまらす術はあっても、あのあきらかな星座を変じることなどできるものではない」

「でも、いずれにしろ、孔明が死んだとすれば、蜀軍の破れは必至でしょう。慌てるには及びません。まず夏侯覇にお命じあって、五丈原の敵陣をうかがわせては如何ですか」

これは息子たちの云い分のほうが正しいように諸将にも聞えた。息子自慢の司馬懿は、息子たちにやり込められると、むしろうれしいような顔つきをした。

「む、む。……なるほど。それも大きにそうだ。では夏侯覇、敵にさとられぬように、そっと蜀軍の空気を見さだめて来い」

夏侯覇は、命を奉じて、わずか二十騎ほどを連れ、繚乱の秋暗く更けた曠野の白露を蹴って探りに行った。

蜀陣の外廓線は、魏延の守るところであったが、ここの先鋒部隊では、魏延を始めだ誰も孔明の死を知っていなかった。

ただ魏延はゆうべ変な夢を見たので、今日は妙にそれが気になっていた。けれどちょうど午頃ぶらりと訪ねてきた友達の行軍司馬趙直が、

「それは吉夢じゃないか。気にするに当らんどころか、祝ってもいいさ」

と云ってくれたので、大いに気をよくしていた所である。

彼が見た夢というのは、自分の頭に角が生えたという奇夢であった。

それを趙直に話したところ、趙直は非常に明快に夢占を解いてくれた。

「麒麟の頭にも角がある。蒼龍の頭にも角はある。凡下の者が見るのは凶になるが、将軍のような大勇才度のある人が見るのは実に大吉夢といわねばならん。なぜならばこれを卦について観るならば、変化昇騰の象となるからだ。按ずるに将軍は今から後、かならず大飛躍なされるだろう。そして位人臣を極めるにちがいない」

ところが、この趙直は、そこから帰る途中、尚書の費褘に出会っている。そして、費褘から、

「どこへ行ったか」と、訊かれたので、ありのまま、
「いま、魏延の陣所をちょっと覗いたところ、いつになく屈託顔（くったくがお）しているので、どうしたのかと訊くと、かくかくの夢を見たというので、夢判断をしてやって来たところだ」
と答えた。

すると費褘（ひい）は、重ねて訊ねた。

「足下の判断はほんとのことか」

「いやいや。実際は、はなはだ凶夢で、彼のためには憂うべきことだが、あの人間にそんな真実を話しても恨まれるだけのことだから、いい加減なこじつけを話してやったに過ぎない」

「では、どう凶（わる）いのか。その夢は」

「角という文字は、刀を用うと書く。頭に刀を用いるときは、その首が落ちるにきまっているじゃありませんか」

趙直は笑って去った。

　　　　二

立ち別れたが、費褘（ひい）はあわてて、趙直のほうへ戻って、もう一度、こういった。

「今のこと、誰にも云い給うな。たのむぞ」

「え。今のこととは」

「足下の語った魏延の夢のはなしをだ」

「ああ、よいとも」

趙直は途中で会った顔はどこにも見せず、その夜、費褘は魏延の陣所へ来て、彼と対談していた。

「今夕参ったのは、ほかでもない、昨夜ついにわが丞相は薨ぜられました。そのご報告に来たわけです」

「えっ、ほんとか」

日頃孔明を目の上の瘤としていた魏延も、さすがに驚愕してしばし茫然の態だった。

──が、たちまち云い出した。

「いつ喪を発するかね」

「喪はしばらく発するなかれとご遺言でありました」

「丞相に代って、軍権を執るものは誰となっておるな」

「楊儀に命ぜられました。また、兵法密書口伝は、生前ことごとく姜維に授けられたよ
うで」

「あんな黄口児にか。……ま、それはいいが、楊儀はむしろ文官向きな人物ではない
か。孔明亡しといえども、なお魏延がおる。楊儀はただ柩を守って国へ帰り、地を選ん
で葬りをなせばそれでいい。──五丈原頭の蜀軍は、かくいう魏延が統べて、魏を打ち
破ってみせよう。孔明ひとりがいなくなったからといって国家の大事を止むべきでな

い」

たいへんな気焔である。費禕は少しも逆らわなかった。で、彼はいよいよ調子に乗って大言した。

「元来、初めから此方の献策を孔明が用いていれば、蜀軍は今頃はとうに長安を占領しているのさ。だが孔明は、由来俺が煙たくてならなかったのだ。葫芦谷ではあやうく焼き殺される所だったからな。――しかしその彼が先に死んでしまった以上、恨みはいうまい。ただ、楊儀の下に従うことなどは魏延はいさぎよしとする所ではない。彼の如きは一長史ではないか。俺の官は、前軍征西大将軍南鄭侯であった」

「ごもっともです。お気持はよくわかります」

「ご辺は俺を扶けるか」

「大いにお力になりましょう」

「百万の味方に勝る。では、誓書も書くな」

「もちろん書きましょう」

欣然と、彼は盟書をかいて、魏延に渡した。

「一献祝そう」

魏延は、酒を出した。費禕は態よく杯をうけて、

「――が、お互いに、妄動は慎みましょう。司馬懿につけ込まれるおそれがありますか

ら」

「それはもとより重要だ。しかし楊儀が不服を鳴らすだろうな」

「それは私から説きつけます」

「うまくやってくれ」

「お信じ下さい。首尾はいずれ後刻お沙汰します」

費禕はいずれ本陣へ帰った。そしてなお悲愁の裡にある諸将を寄せて、

「丞相のおことばに違いなく、魏延は叛気満々で、むしろこの時をよろこんでおるふうだ。この上は、ご遺言どおり姜維を後陣として、われらもまた、制法に従って退陣にかかろうではないか」

と、相談した。

予定のことである。異議なくきまった。そこで極密のうちに諸陣の兵を収め、万端ととのえおわって、翌夜しずかに総引揚げを開始した。

一方の魏延は、首を長くして、費禕の吉報を待っていたが、いっこう沙汰がないので、

「何としたことだ？　あの長袖は」と、その悠長にいらいらしていた。

ふと、馬岱の顔を見たので、彼はその腹蔵のものを、馬岱に打ち明けた。すると馬岱は、

「いや、それは眉唾ですぞ。昨朝彼の帰るとき見ていたが、陣門から馬に飛びのるや否、ひどく大あわてに鞭をあてて行きましたからな」

「そんな挙動が見えたか」

「おそらく詐りでしょう」

ところへ、物見の者から、昨夜来、味方の本軍は総引揚げにかかって、すでに大半は退き、後陣の姜維もはや退軍にかかっていると告げて来たので、魏延はいよいよ慌て出した。

三

もしこのままなお知らずにいれば彼は五丈原の前線に置き去りを喰うところであった。

惕きもし、憤りもして、魏延は拳を振った。

「費褘の腐れ儒者め。よくもうまうまとおれを騙して、出し抜けを喰わせたな。うぬ。かならず素っ首を引き抜くぞ」

まるで旋風でも立つように、彼はたちまち号令して陣屋を畳ませ、馬具兵糧のととのえもあわただしく、すべてを打ち捨てて本軍のあとを追った。

一面、魏陣のうごきはと見るに――さきに司馬懿の命をうけて五丈原の偵察に出ていた夏侯覇は、馬も乗りつぶすばかり、鞭を打ち続けて帰ってきた。

待ちかねていた司馬懿は、姿を見るやいなや訊ねた。

「どうであった？」

「どうも変です」

「変とは」

「蜀軍はひそかに引揚げの準備をしておるようです」

「さてこそ！」

司馬懿は手を打って叫んだ。そしてそのふたつの巨きな眼にも快哉きわまるかの如き情をらんらんと耀かしながら、帷幕の諸大将をぎょろぎょろ見まわしつつ、足をそばだててこう喚きまたこう号令を発した。

「孔明死す。孔明死せりか。──いまは速やかに残余の蜀兵を追いかけ追いくずし、鎧も刃も血に飽くまでそれを絶滅し尽す時だ。天なる哉、時なる哉、いざ行こう。いざ来い。

　出陣の鉦鼓鉦鼓」

と急きたてた。

銅鑼は鳴る。鼓は響く。

陣々、柵という柵、門という門から、旗もけむり、馬もいななき、あたかも堰を切って出た幾条もの奔流の如く、全魏軍、先を争って、五丈原へ馳けた。

「父上父上。」

ふたりの息子は、老父の余りな元気にはらはらしながら、絶えず左右に鐙を寄せて走っていた。

「何の、大丈夫じゃよ。司馬仲達はまだ老いん」

「いつもは、大事に大事をとられるお父上が、今度は何でこう急激なんですか」

「あたり前なことを問うな。魂落ちて、五臓みな損じた人間は、どんなことがあって

も、再び生きてわが前に立つことはない。孔明のいない蜀軍は、これを踏みつぶすも、これを生捕るも、これを斬るも、自由自在だ。こんな痛快なことはない」

夏侯覇がまた後ろでいった。

「都督都督。余りに軽々しくお進みあるな。先鋒の大将がもっと前方に出るまでしばらく御手綱をゆるやかになし給え」

「兵法を知らぬ奴。多言はなし給え」

司馬懿は振り向いて叱りつけた。そして少しも奔馬の脚をゆるめようとしなかった。

すでにして五丈原の蜀陣に近づいたので、魏の大軍は鼓躁して一時になだれ入ったが、この時もう蜀軍は一兵もいなかった。さてこそあれと司馬懿はいよいよ心を急にして、師、昭の二子に向い、

「汝らは後陣の軍をまとめて後よりつづけ。敵はまださして遠くには退いておるまい。われ自ら捕捉して退路を断たん。後より来い」

と、息もつかず追いかけて行った。

するとたちまち一方の山間から闘志潑剌たる金鼓が鳴り響いた。蜀軍あり、と叫ぶ間もなく、まさしく一彪の軍馬が、蜀江の旗と、丞相旗を振りかかげ、また、一輛の四輪車を真っ先に押して馳け向ってくる。

「や、や？」

司馬懿は、仰天した。

死せりとばかり思っていた孔明は白羽扇を持ってその上に端坐している。車を護り続っている者は、姜維以下、手に手に鉄槍を持った十数人の大将であり、士気、旗色、どこにも陰々たる喪の影は見えなかった。

「すわ、またも不覚。孔明はまだ死んでいない。——浅慮にもふたたび彼の計にかかった。それっ、還れ還れ」

仲達は度を失って、馬に鞭打ち、にわかに後ろを見せて逃げ出した。

四

「司馬懿、何とて逃げるか。反賊仲達、その首をさずけよ」

蜀の姜維は、やにわに槍をすぐって、孔明の車の側から征矢の如く追ってきた。

突然、主将たる都督仲達が、駒をめぐらして逃げ出したのみか、先駆の諸将も口々に、

——孔明は生きている！

——孔明なお在り！

と、驚愕狼狽して、我先に馬を返したので、魏の大軍は、その凄じい怒濤のすがたを、急激に押し戻されて、馬と馬はぶつかり合い、兵は兵を踏みつぶし、阿鼻叫喚の大混乱を現出した。

蜀の諸将と、その兵は、思うさまこれに鉄槌を加えた。わけて姜維は潰乱する敵軍深く分け入って、

「司馬懿、司馬懿。どこまで逃げる気か。せっかく、めずらしくも出て来ながら、一槍もまじえず逃げる法はあるまい」

と、鞍鐙も躍るばかり、馬上の身を浮かして、追いかけ追いかけ呼ばわっていた。

仲達はうしろも見なかった。押し合い踏み合う味方の混乱も蹄にかけて、ただ右手なる鞭を絶え間なく、馬の尻に加えていた。身を鐙に打ち俯せ、眼は空を見ず、心に天冥の加護を念じ、ほとんど、生ける心地もなく走った。

だが、行けども行けども、誰か後ろから追ってくる気がする。そのうちおよそ五十里も駈け続けると、さしも平常名馬といわれている駿足もよろよろに脚がみだれて来た。口に白い泡ばかりふいて、鞭を加えられても、いたずらに一つ所に足掻いているように思われる。

「都督都督。我々です。もうここまで来れば大丈夫。そうおそれ遊ばすにはあたりません」

追いついてきた二人の大将を見ると、それは敵にはあらで、味方の夏侯覇、夏侯威の兄弟であった。

「ああ。汝らであったか……」

と、仲達は初めて肩で大息をついたが、なおしたたる汗に老眼晦く霞んで半刻ほどは常の面色にかえらなかったと、後々まで云い伝えられた。

実際、彼の顛倒した愕きぶりは察するに余りあるものがある。彼においてすらそうで

あったから魏の大軍がうけた損傷は莫大だった。このとき夏侯覇兄弟は、

「蜀の勢は急激にまた退いたようですから、この際、お味方を立て直して、さらに猛追撃を試みられてはどうです」

と、すすめたが、孔明なお在りと、一時に信じて恐怖していた司馬懿は、容易に意を決するに至らず、ついに全軍に対して引揚げを命じ自身も近道を取って、空しく渭水の陣へ帰ってしまった。

散走した諸将もやがて追々に集まり、逃散していた近辺の百姓もぼつぼつ陣門に来ていろいろな説をなした。それらの者の報告を綜合してみると、大体次のような様子がようやく知れた。

すなわち、蜀軍の大部分は、疾く前日のうちに五丈原を去り、ただ姜維の一軍のみが最後の最後まで踏み止まっていたものらしい。

ことに、百姓達にいわせると、

「初めの日、蜀の軍が、夕方からたくさんに五丈原から西方の谷間に集まりました。そして白の弔旗と黒い喪旗を立てならべ、一つの蓋霊車を崇めて、人々の嘆き悲しむ声が夜明け頃まで絶えませんでした」と、目撃したその日の実情を口々に伝え、

「車の上の孔明も、青い紗をめぐらしてありましたが、どうも木像のように思われました」

とも語った。

こう聞いて初めて司馬懿は孔明の死のやはり真実であったのをさとった。急に再び兵を発して長駆追ってみたが、すでに蜀軍の通ったあとには渺として一刷の横雲が山野をひいているのみだった。

「今は、追うも益はない。如かず長安に帰って、予も久々で安臥しよう」

赤岸坡から引っ返して、帰途、孔明の旧陣を見るに、出入りの趾、諸門衛営の名残り、みな整々と法にかなっている。

司馬懿は、低徊久しゅうして、在りし日の孔明を偲びながら、独りこう呟いたという。

「真に、彼や天下の奇才。おそらくこの地上に、再びかくの如き人を見ることはあるまい」

松に古今の色無し

一

旌旗色なく、人馬声なく、蜀山の羊腸たる道を哀々と行くものは、五丈原頭のうらみ

を霊車に駕して、空しく成都へ帰る蜀軍の列だった。

「ゆくてに煙が望まれる。……この山中に不審なことだ。誰か見てこい」

楊儀、姜維の両将は、物見を放って、しばらく行軍を見合わせていた。

一報。二報。偵察隊は次々に帰ってきた。

すなわち云う。この先の桟道を焼き払って、道を阻めている一軍がある。それは魏延にちがいないと。

「さてこそ」

姜維は扼腕したが、楊儀は文吏である。どうしようと色を失った。

「心配はない。日数はかかるが、桟道によらず、南谷のうしろへ出られる」

嶮岨、隘路を迂回して、全軍は辛くも南谷をふさいでいる魏延軍のうしろへ出た。

途上から、楊儀はこの顚末を、成都へ報じた。ところが、その前に、魏延からも、上表がとどいていた。

（楊儀、姜維の徒が、丞相薨ぜられるや、たちまち、兵権を横奪して、乱を企てているので、自分は彼らを討つ所存である）

というのが魏延からの上奏文であり、後から届いた楊儀の上表には、それとはまったく反対な実状が訴えられてきた。

孔明の訃が報じられて、成都宮の内外は、哀号の声と悲愁の思いに閉じられ、帝劉禅も皇后も日夜かなしみ嘆いていた折なので、この直後の変に対しても、いかに裁いてよいか、判断にも迷った。

すると蔣琬が、こう云ってなぐさめた。

「丞相遠く出られる日より、ひそかに魏延の叛骨は憂いのたねとしておられました。平素その活眼ある丞相のことゆえ、必ずや死後のおもんぱかりをなして、何らかの策を楊儀らに遺して逝ったにちがいありません。しばらく、次の報らせをお待ちあそばませ」

蔣琬の言はさすがによく事態をみ、孔明の遺志を知るものでもあった。

魏延は手勢数千をもって、桟道を焼き落し、南谷を隔てて、

「楊儀や姜維に一泡吹かせてくれん」と、構えていたものだが、何ぞ知らん、その相手が間道づたいにうしろへ迫っていたことに気づかなかった。

必然、彼の旺なる覇気叛骨も、一敗地にまみれ去った。手勢の大半は、千仞の谷底へ追い落しを喰い、残余の兵をかかえて、命からがら逃げのびた。

かかる中にも慌てず騒がず、彼に従ってしかもなお無疵の精兵を部下に持っていたのはかの馬岱だった。

魏延はかつて彼に加えた我意傲慢もわすれて今は馬岱をたのみにして詬った。

「どうしよう。いっそのこと、魏の国へ逃げこんで、曹叡に降ろうか」

「何たるお気の小さいことをいわるるか。東西両川の人士はみな孔明なくんば魏延こそ蜀の将来を担う者と嘱目していたのではありませんか。またあなたもその自負信念があればこそ桟道を焼いたのでしょう」

「そうだ。もとよりそうであったが……」

「なぜ初志を貫徹なさらないのですか。及ばずながら馬岱もおりますのに」

「貴公もあくまで行動を共にしてくれるか」

「ひとたび一つ旗の下に陣夢を結んだ宿縁からもあなたを離れるようなことはいたしません」

「有難い。さらば南鄭へ襲せかけよう」

と、兵備をあらためて、そこへ急襲に向った。

南谷を渡って、魏延に一痛打を加え去った楊儀、姜維らは、先を急いでその霊車を南鄭城の内に安んじ、さて殿軍が着くのを待って、魏延のうごきを訊いていたところであった。

「──なに。なおまっしぐらにこれへ攻めてくるとか。小勢とはいえ、蜀中一の勇猛、加うるに、馬岱も彼を助けておる。油断はなりませぬぞ」

姜維がかく戒めると、楊儀の胸には、この時とばかり、思い出されたものがある。それは孔明が臨終の折、自分に授けて、後日、魏延に変あるとき見よ、と遺言して逝った

──あの錦の嚢であった。

二

嚢の中には一書が納められてあった。孔明の遺筆たるはいうまでもない。封の表には、

——魏延、叛を現わし、その逆を伐つ日まではこれを開いて秘力を散ずるなかれ。

と、したためてある。

楊儀と姜維は嚢中の遺計が教える所に従って、急に作戦を変更した。すなわち閉じたる城門を開け放ち、姜維は銀鎧金鞍という武者振りに、丹槍の長きを横にかかえ、手兵二千に、蓼々と陣歌を揚げさせて、城外へ出た。

魏延は、はるかにそれを見、同じく雷鼓して陣形を詰めよせて来た。やがて漆黒の馬上に、朱鎧緑帯し、手に龍牙刀をひっさげて、躍り出たる者こそ魏延だった。

味方であった間は、さまでとも思えなかったが、こうして敵に廻してみると、何さま魁偉な猛勇に違いない。姜維も並ならぬ大敵と知って、心中に孔明の霊を念じながら叫んだ。

「丞相の身も未だ冷えぬうちに、乱を謀むほどな悪党は蜀にはいない筈だ。日頃を悔いて自ら首を、霊車に供え奉りに来たか」

「笑わすな、姜維」

魏延は、唾して軽くあしらった。

「まず、楊儀を出せ、楊儀からさきに片づけて、然る後、貴様の考え次第ではまた対手

にもなってやろう」

　すると、後陣の中からたちまち楊儀が馬をすすめて来た。

「魏延！　野望を持つもいいが、身の程を量って持て。一斗の瓶へ百斛の水を容れよう

と考える男があれば、それは馬鹿者だろう」

「おっ、おのれは楊儀だな」

「口惜しくば天に誓ってみよ。――誰が俺を殺し得んや――と」

「なにを」

「――誰が俺を殺し得んやと、三度叫んだら、漢中はそっくり汝に献じてくれる。いえ

まい、それほどな自信は叫べまい」

「だまれ、孔明すでに亡き今日、天下に俺と並び立つ者はない。三度はおろか何度でも

いってやろう」

　魏延は馬上にそりかえって大音をくり返した。

「誰か俺を殺し得んや。――誰か俺を殺し得んや。――おるなら出て来いっ」

　すると、彼のすぐうしろで、大喝が聞えた。

「ここにいるのを知らぬか。――それっ、この通り殺してやる」

「あっ？」

　振り向いた頭上から、蔦然、一閃の白刃がおりてきた。どうかわす間も受ける間もな

い。魏延の首は血煙を噴いてすッ飛んだ。

わあっ――と敵味方とも囃した。血刀のしずくを振りつつ、すぐ楊儀と姜維の前へ寄

ってきたのは、馬岱であった。

孔明の生前に、馬岱は秘策をうけていたので、兵はみな彼と共に帰順した。魏延の叛意はその部下全部の本心ではない

かくて、孔明の霊車は、無事に成都へ着いた。四川の奥地はすでに冬だった。蜀宮雲

低く垂れて涙恨をとざし、帝劉禅以下、文武百官、喪服して出迎えた。

孔明の遺骸は、漢中の定軍山に葬られた。宮中の喪儀や諸民の弔祭は大へんなものだ

ったが、定軍山の塚は、故人の遺言によって、きわめて狭い墓域に限られ、石棺中には

時服一着を入れたのみで、当時の慣例としては質素極まるものだったという。

「身は死すともなお漢中を守り、毅魂は千載に中原を定めん」となす、これが孔明の遺

志であったにちがいない。

蜀朝、諡して、忠武侯という。廟中には後の世まで、一石琴を伝えていた。軍中つね

に愛弾していた故人の遺物である。一掻すれば琴韻清越、多年干戈剣戟の裡にも、なお

粗朴なる洗心と雅懐を心がけていた丞相その人の面影を偲ぶに足るといわれている。

渺茫千七百年、民国今日の健児たちに語を寄せていう者、豈ひとり定軍山上の一琴の

みならんやである。「松ニ古ラノ色無シ」相響き相奏で、釈然と醒めきたれば、古往今

来すべて一色、この輪廻と春秋の外ではあり得ない。

篇外余録

諸葛菜

一

　三国鼎立の大勢は、ときの治乱が起した大陸分権の自然な風雲作用でもあったが、その創意はもともと諸葛孔明という一人物の胸底から生れ出たものであることは何としても否みがたい。まだ二十七歳でしかなかった青年孔明が、農耕の余閑、草廬に抱いていた理想の実現であったのである。時に、三顧して迎えた劉玄徳の奨意にこたえ、いよいよ廬を出て起たんと誓うに際して、

「これを以てあなたの大方針となすべきでしょう。これ以外に漢朝復興の旗幟を以て中原に臨む道はありますまい」

と、説いたものが実にその発足であったわけだ。

　そして遂に、その理想は実現を見、玄徳は西蜀に位置し、北魏の曹操、東呉の孫権

と、いわゆる三分鼎立の一時代を画するに至ったが、もとよりこれが孔明の究極の目的ではない。

孔明の天下の三分の案は、玄徳が初めからの志望としている漢朝統一への必然な過程として選ばれた道であった。

しかし、この中道において、玄徳は世を去り幼帝の将来とともに、その遺業をも挙げて、

――すべてをたのむ。

と、孔明に託して逝ったものといっていい。

彼の真面目に入ったものといっていい。

遺孤の寄託、大業の達成。――寝ても醒めても「先帝の遺詔」にこたえんとする権化のすがたこそ、それからの孔明の全生活、全人格であった。

ゆえに原書「三国志演義」も、孔明の死にいたると、どうしても一応、終局の感じがするし、また三国争覇そのものも、万事休む――の観なきを得ない。

おそらくは読者諸氏もそうであろうが、訳者もまた、孔明の死後となると、とみに筆を呵す興味も気力も稀薄となるのを如何ともし難い。これは読者と筆者たるを問わず古来から三国志にたいする一般的な通念のようでもある。

で、この迂著三国志は、桃園の義盟以来、ほとんど全訳的に書いてきたが、私はその終局のみは原著にかかわらず、ここで打ち切っておきたいと思う。即ち孔明の死を以

て、完尾としておく。

原書の「三国志演義」そのままに従えば、五丈原以後――「孔明　計ヲ遺シテ魏延ヲ斬ラシム」だの桟道焼打ちのことからなお続いて、魏帝曹叡の栄華期と乱行ぶりを描き、司馬父子の擡頭から、呉の推移、蜀破滅、そして遂に、晋が三国を統一するまでの治乱興亡をなお飽くまでつぶさに描いているのであるが、そこにはすでに時代の主役的人物が見えなくなって、事件の輪郭も小さくなり、原著の筆致もはなはだ精彩を欠いてくる。

要するに、龍頭蛇尾に過ぎないのである。

従って、それまでを全訳するには当らないというのが私の考えだが、なお歴史的に観て、孔明歿後の推移も知りたいとなす読者諸氏も少なくあるまいから、それはこの余話の後章に解説することにする。

それよりも、原書にも漏れている孔明という人がらについて、もっと語りたいものを多く残しているように、私には思える。それも演義本にのみよらず、他の諸書をも考合して、より史実的な「孔明遺事」ともいうべき逸話や後世の論評などを一束しておくのも決して無意義ではなかろう。それを以てこの「三国志」の完結の不備を補い、また全篇の骨胎をいささかでも完きに近いものとしておくことは訳者の任でもあり良心でもあろうかと思われる。

以下そのつもりで読んでいただきたい。

二

布衣の一青年孔明の初めの出現は、まさに、曹操の好敵手として起った新人のすがたであったといってよい。

曹操は一時、当時の大陸の八分までを席巻して、荊山楚水ことごとく彼の旗をもって埋め、

「呉の如きは、一水の長江に恃む保守国のみ。流亡これ事としている玄徳の如きはなおさらいうに足らない」

とは、その頃の彼が正直に抱いていた得意そのものの気概であったにちがいなかろう。

それを彗星の如く出でて突如挫折を加えたものが孔明であった。また、着々と擡頭して来た彼の天下三分策の動向だった。

曹操が自負満々だった魏の大艦船団が、烏林、赤壁にやぶれて北に帰り、次いでまた、玄徳が荊州を占領したと聞いたとき、彼は何か書き物をしていたが、愕然、耳を疑って、

「ほんとか？」

と、筆を取り落したということは、魯粛伝にも記載されているし、有名な一挿話となっているが、それをみても如何に彼が、無敵曹氏の隆運を自負しきっていたかが知れ

る。

しかも以後、（劉備麾下に青年孔明なるものがある）を、意識させられてからというものは、事ごとに、志とたがい、さしもの曹操もついに、身の終るまで、自己の兵を、一歩も江漢へ踏み入らせることができなかった。

——とはいえ、曹操という者の性格には、いかにも東洋的英傑の代表的な一塑像を見るようなものがある。その風貌ばかりでなくその電撃的な行動や多感な情痴と熱において、まことに英雄らしい長所短所の両面を持っていて、「三国志」の序曲から中篇までの大管絃楽は絶えず彼の姿によって奏されているというも過言でない。

劇的には、劉備、張飛、関羽の桃園義盟を以て、三国志の序幕はひらかれたものと見られるが、真の三国史的意義と興味とは、何といっても、曹操の出現からであり、曹操がその、主動的役割をもっている。

しかしこの曹操の全盛期を分水嶺として、ひとたび紙中に孔明の姿が現われると、彼の存在もたちまちにして、その主役的王座を、ふいに襄陽郊外から出て来たこの布衣の一青年に譲らざるを得なくなっている。

ひと口にいえば、三国志は曹操に始まって孔明に終る二大英傑の成敗争奪の跡を叙したものというもさしつかえない。

この二人を文芸的に観るならば、曹操は詩人であり、孔明は文豪といえると思う。

痴や、愚や、狂に近い性格的欠点をも多分に持っている英雄として、人間的なおもしろさは、遥かに、孔明以上なものがある曹操も、後世久しく人の敬仰をうくることにおいては、到底、孔明に及ばない。

千余年の久しい時の流れは、必然、現実上の両者の勝敗ばかりでなく、その永久的生命の価値をもあきらかに、曹操の名を遥かに、孔明の下に置いてしまった。

時代の判定以上の判定はこの地上においてはない。

ところで、孔明という人格を、あらゆる角度から観ると、一体、どこに彼の真があるのか、あまり縹渺として、ちょっと捕捉できないものがある。

孔明という人格を、あらゆる角度から観ると、実にそこに真の孔明がある気がするし、また、政治家として彼を考えると、むしろそのほうに彼の神髄はあるのではないかという気もする。

軍略家、武将としてみれば、実にそこに真の孔明がある気がするし、また、政治家として彼を考えると、むしろそのほうに彼の神髄はあるのではないかという気もする。

思想家ともいえるし、道徳家ともいえる。文豪といえば文豪というもいささかもさしつかえない。

もちろん彼も人間である以上その性格的短所はいくらでも挙げられようが、——それらの八面玲瓏ともいえる多能、いわゆる玄徳が敬愛おかなかった大才というものはちょっとこの東洋の古今にかけても類のすくない良元帥であったといえよう。

良元帥。まさに、以上の諸能を一将の身にそなえた諸葛孔明こそ、そう呼ぶにふさわしい者であり、また、真の良元帥とは、そうした大器でなくてはと思われる。

とはいえ、彼は決して、いわゆる聖人型の人間ではない。孔孟の学問を基本としてい

たことはうかがわれるが、その真面目はむしろ忠誠一図な平凡人というところにあった。

彼がいかに平凡を愛したかは、その簡素な生活にも見ることができる。

孔明がかつて、後主劉禅へささげた表の中にも、日頃の生活態度を、こう述べている。

三

――成都ニ桑八百株、薄田十五頃アリ。子弟ノ衣食、自ラ余饒アリ。臣ニ至リテハ、外ニ任アリ。別ノ調度ナク、身ニ随ウノ衣食、悉ク官ニ仰ゲリ。別ニ生ヲ治メテ以テ尺寸ヲ長ズルナシ。モシ臣死スルノ日ハ、内ニ余帛アリ、外ニ贏財アラシメテ、以テ、陛下ニ背カザル也。

枢要な国務に参与する者の心構えの一つとして、孔明はこれを生活にも実践したものであろう。後漢以来、武臣銭を愛すの弊風は三国おのおのの内にも跡を絶たなかったものにちがいない。

無私忠純の亀鑑を示そうとした彼の気もちは表の辞句以外にもよくあらわれている。

彼は清廉であるとともに、正直である。兵を用いるや神算鬼謀、敵をあざむくや表裏不測でありながら、軍を離れて、その人間を観るときは、実に、愚ともいえるほど正直な道をまっすぐに歩いた人であった。

子のように愛していた馬謖を斬ったなども、そのあらわれの一つといえるし、また、

劉玄徳が死に臨んで、

「遺孤の身も、国の後事も、一切をあげて託しておくが、もし劉禅が暗愚で蜀の帝王たるの資質がないと卿が観るならば、卿が帝位に即いて、蜀を取れ」

と、遺言したにもかかわらず、彼は毛頭そんな野心は抱かなかった。

だから晩年、年を次いでの北伐遠征には、ずいぶん孔明に従って行った将士が、他山の屍となって帰らなかったが、蜀中の戦死者の遺族も、決して、彼にたいして怨嗟しなかった。

のみならず、孔明の死に会うや、蜀の百姓は、廟を立て、碑を築き、彼の休んだ址も、彼の馬をつないだ木も、一木一石の縁、みな小祠となって、士民の祭りは絶えなかった。

また、彼は内政と戦陣にかかわらず、賞罰には非常に厳しかったので、彼のために左遷させられたり逼塞したものもずいぶんあったが、すべて彼の「私なき心」には怨む声もなく、かえって孔明の死後には、そうした人々までが、

「――再び世に出る望みを失った」

と、みな嘆いているほどである。

「いやしくも一国の宰相でありながら、夜は更けて寝ね、朝は夙に起きいで、時務軍政を見、その上、細かい人事の賞罰までにいちいち心を労い過ぎているのは、真の大器量

でないし、また、蜀にも忠に似てかえって忠に非ざるものである」

という彼への論評などもないではなく、国を憂いて痩軀を削り、その赤心も病み煩うば

短所をかぞえあげているが、要するに、後世の史家は、そのほかにもいろいろ孔明の

かり日々夜々の戦いに苦闘しつつあった古人を、後世のご苦労なしの文人や理論家が、

暖衣飽食しながら是々非々論じたところで、それはことばの遊戯以外の何ものでもない

のである。いわんや晩年数次にわたる北魏進撃と祁山滞陣中の労苦とは、外敵の強大な

ばかりでなく、絶えず蜀自体の内にさまざまな憂うべきものが蔵されておったような危

機に於てをやである。

思うに、孔明はまったく、その体が二つも三つも欲しかったろう。或いは、その天寿

を、もう十年とも、思ったであろうと察しられる。

やはり彼の真の知己は、無名の民衆にあったといえよう。今日、中国各地にのこって

いる――駐馬塘とか、万里橋とか、武侯坡とか、楽山とか称んでいる地名の所はみな、

彼が詩を吟じた遺跡だとか、馬をつないだ堤だとか、人と相別れた道だとかいう語り伝

えのあるところである。そういう純朴な思慕の中にこそ、むしろ彼の姿はありのまま

に、また悠久に、春秋の時をも超えて残されていると思う。

四

――しかし、ただ困るのは、民間の余りな彼への景仰は、時には度がすぎて、孔明の

すべてを、ことごとく神仙視してしまうことである。

その二、三の例をあげると。

——孔明の女は雲に乗って天に上った。それが葛女祠として祭られたものだ。「朝真

観記記事」

——木牛・流馬は入神の自動器械で、人の力を用いず自でに走った。「戎州志」

——彼は時計も作った。その時計は、毎更に鼓を鳴らし、三更になると、鶏の声を三

唱する。「華夷考」

——孔明の用いた釜は今でも水を入れるとひとりでにすぐ沸く。「丹鉛録」

——孔明の墳のある定軍山に雲がおりると今でもきっと撃鼓の声がする。漢中の八陣

の遺蹟には、雨がふると、鬨の声が起る。「千宝晋記」「搜神記」

そのほか探せば数限りないほどこの類の口碑伝説はたくさんある。純朴愛すべきもの

もあるが、中には滑稽でさえあるのもある。「三国志演義」の原著書は、史実と伝説と

を、充分に知悉していながら、しかも多分にそういう土語民情の中に伝えられている孔

明の姿をも取り容れて、さらにそれを文学的に神仙化しているのである。彼の兵略戦法

を語るに、六丁六甲の術を附し、八門遁甲の鬼変を描写している件などはみなそうであ

るし、わけて天文気象に関わることは、みな中国の陰陽五行と星暦に拠ったものであ

る。

けれど五行観も、宿星学も、これは根深く、黄土大陸の庶民に、久しい間信ぜられて

いた根本の宇宙観であり、それと結ばれていた人生観でもあったのだから、これを否定しては、「三国志演義」は成り立たないことになる。またかくの如く民衆のあいだに長く読み伝えられてもこなかったにちがいない。──で、私のこの新訳「三国志」も、そういう箇所にかかる度、すくなからず苦労が伴った。近代の読書人に対しては何としても余りに怪力乱神の奇異を語るに過ぎなくなるからである。ただその点においても救われ得る道は、ただ一つ詩化あるのみであった。その点は原書も大いに意を用いたらしく思われるが、私の場合も、一種の民族的詩劇を描くつもりで書いていった。同時に、そうした妖しき粉彩も音楽も、背景も一切削除するなく、原書のまま書きすすめた。

ちと横道へそれたが、中国の民衆が、時経つほど、いかに孔明を神仙視したかという話では、唐代になってからでも、こんな挿話がひろく行われていたのを見てもわかる。

──唐ノ頃、盗アリ、先主ノ墳ヲ発ク。盗数名。斉シク入リシニ、人アリ、燈下ニ対シテ碁ヲ囲ムモノ両人、側ニ侍衛スルモノ十数名ヲ見ル。

盗、怖レテ拝ス。其時、座ノ一人、顧ミテ盗ニ曰ク。汝等、能ク飲ムカト。

而シテ、各〻ニ美酒一杯ヲ飲マセ、マタ玉帯数条ヲ出シテ頒ケ与ウ。

盗、畏震シテ、速ヤカニ坑ヲ出デ、相顧ミテ、モノヲ云ワントスレバ、唇ハ皆、漆ニ閉ジラレテ開カズ、手ノ玉帯ヲ見レバ、各〻、怖ロシゲナル巨蛇ヲ摑ミテアリシト。後ニ里人ニ問エバ、此陵ハ諸葛武侯ガ造ル所ノモノナリト曰ウ。

これは「談叢」という一書のうちに見える記事である。

書物の話が出たついでに孔明の著作についていえば、兵書、経書、遺表の文章など、彼の筆になるものと伝えられるものはかなりある。しかし、多くは後人の編志、或いは代作が多いことはいうまでもない。

そのうちでも代表的な孔明流の兵書と称する「諸葛亮五法五巻」などは日本にも伝わって、後のわが楠流軍学や甲州流そのほかの兵学書などと同列しているが、もとより信じられるものではない。

彼が、陣中でよく琴を弾じていたということから「琴経」という琴の沿革や七絃の音譜を書いた本も残されている。真偽は知らないが、孔明が多趣味な風流子であったことは事実に近いようである。「歴代名書譜」にも、

――諸葛武侯父子、皆画ヲ能クス。

と見えるし、その他の書にも、孔明が画に長じていたことはみな一致して記載している。しかしその画と信じ得るようなものはもちろん一作も伝わってはいない。

五

何事にも、几帳面だったことは、孔明の一性格であったように思われる。

孔明が軍馬を駐屯した営塁のあとを見ると、井戸、竈、障壁、下水などの設計は、実に、縄墨の法にかなって、規矩整然たるものであったという。

また、官府、次舎、橋梁、道路などのいわゆる都市経営にも、第一に衛生を重んじ、

市民の便利と、朝門の威厳とをよく考えて、その施設は、当時として、すこぶる科学的であったようである。

そして、孔明自身が、自らゆるしていたところは、

忠誠
謹慎
倹素。

の三つにあったようである。公に奉ずること謹慎、王室につくすこと忠誠、身を持すること倹素。——そう三つの自戒を以て終始していたといえよう。

こういう風格のある人に、まま見られる一短所は、謹厳自らを持す余りに、人を責める時にも、自然、厳密に過ぎ峻酷に過ぎる傾きのあることである。潔癖は、むしろ孔明の小さい疵だった。

たとえば日本における豊臣秀吉の如きは、犀眼、鋭意、時に厳酷でもあり、烈しくもあり、鋭くもあり、抜け目もない英雄であるが、どこか一方に、開け放しなところがある。東西南北四門のうちの一門だけには、人間的な愚も見せ、痴も示し、時にはぼんやりも露呈している。彼をめぐる諸侯は、その一方の門から近づいて彼に親しみ彼に甘え彼と結ぶのであった。

ところが、孔明を見ると、その性格の几帳面さが、公的生活ばかりでなく、日常私生活にもあらわれている。なんとなく妄りに近づき難いものを感じさせる。彼の門戸には

いつも清浄な砂が敷きつめてあるために、砂上に足跡をつけるのは何かはばかられるような気持を時の蜀人も抱いていたにちがいない。

要するに、彼の持した所は、その生活までが、いわゆる八門遁甲であって、どこにも隙がなかった。つまり凡人を安息させる開放がないのである。これは確かに、孔明の一短といえるものでなかろうか。魏、呉に比して、蜀朝に人物の少ないといわれたのも、案外、こうした所に、その素因があったかもしれない。

孔明の一短を挙げたついでに、蜀軍が遂に魏に勝って勝ち抜き得なかった敗因がどこにあったかを考えて見たい。私は、それの一因として、劉玄徳以来、蜀軍の戦争目標として唱えて来た所の「漢朝復興」という旗幟が、果たして適当であったかどうか。また、中国全土の億民に、いわゆる大義名分として、受け容れられるに足るものであったか否かを疑わざるを得ない。

なぜならば、中国の帝立や王室の交代は、王道を理想とするものではあるが、その歴史も示す如く、常に覇道や覇道との興亡を以てくり返されているからである。

そこで漢朝というものも、後漢の光武帝が起って、前漢の朝位を簒奪した王莽（おうもう）を討って、再び治平を布いた時代には、まだ民心にいわゆる「漢」の威徳が植えられていたものであるが、その後漢の治世も蜀帝、魏帝以降となっては、天下の信望は全く地に墜ちて、民心は完全に漢朝から離れ去っていたものなのである。

劉玄徳が、初めて、その復興を叫んで起った時代は、実にその末期だった。玄徳とし

ては、光武帝の故智に倣わんとしたものかもしれないが、結果においては、ひとたび漢朝を離れた民心は、いかに呼べど招けど――覆水フタタビ盆ニ返ラズ――の観があった。

六

ために、玄徳があれほどな人望家でありながら、容易にその大を成さず、悪戦苦闘のみつづけていたのも、帰するところ、部分的な民心はつなぎ得ても、天下は依然、漢朝の復興を心から歓迎していなかったに依るものであろう。

同時に、劉備の死後、その大義名分を、先帝の遺業として承け継いできた孔明にも、禍因はそのまま及んでいたわけである。彼の理想のついに不成功に終った根本の原因も、蜀の人材的不振も、みなこれに由来するものと観てもさしつかえあるまい。

「三国志演義」のうちの本文にしばしば見るところの――身に鶴氅を着、綸巾をいただき、手に白羽扇を持つ――という彼の風采の描写は、いかにも神韻のある詩的文字だが、これを平易にいえば、

（いつも葛織りの帽をかぶり、白木綿か白麻の着物をまとい、素木の輿、或いは四輪の車に乗って押されてあるいた）

という彼の簡易生活の一面を、それに依ってうかがうことができるのである。

彼には初め子がなかった。

で、兄の諸葛瑾（しょかつきん）の次男、喬（きょう）をもらって養子としていた。瑾（きん）は呉の重臣なので当然、そ
の主孫権のゆるしを得たうえで蜀の弟へ送ったものであろう。

この喬は、叔父や父のよい所にも似て、将来を嘱望され、蜀の駙馬都尉（ふばとい）に役付（やくづき）して、
時には養父孔明に従って、出征したこともあるらしいが、惜しいかな、二十五で病死し
た。

孔明の家庭はまたしばらく寂寥（せきりょう）だったが、彼が四十五歳の時、初めて実子の瞻（せん）をもう
けた。晩年の初子だけに、彼がどんなによろこんだかは想像に余りあるものがある。

かつ、瞻（せん）はたいへん才童であったとみえ、建興十二年、呉にある兄の瑾（きん）に宛てて送っ
ている彼の書簡にもこう見える。

＝瞻今スデニ八歳、聡慧（そうけい）スベシ、タダソノ早成、恐ラクハ重器タラザルヲ嫌ウノ
ミ。

彼は八歳の児を見るにさえ、国家的見地からこれを観ていた。

その年、孔明は征地に残したのである。遺愛の文房のうちから、「子を誡（いまし）むる書」と
いうのが出てきた。

その後、瞻は十七の時蜀の皇妹と結婚、翰林（かんりん）中郎将に任ぜられた。

父の遺徳は、みな瞻の上に幸いして、善政があるとみな瞻のなしたようにいわれた。

しかし、その名声はすこし溢美（いつび）に過ぎていたようである。孔明が生前すでに観ていたよ
うに、

（この子、おそらくは大器にあらず）
という所がやはり瞻の実質であったようである。

蜀亡ぶの年、瞻は、三十七で戦死した。子の尚もまだ十六、七歳であったが、長駆、魏軍のなかに突き入って奮戦の末、果敢な死をとげた。

決して、国家の大器ではなかったにせよ、孔明のあとは、その子、その孫も、共に国難に殉じて、みな父祖の名を辱めなかった。

尚の下にも、なお小さい弟があったといわれるが、この人の伝はわからない。また、孔明には他の母系もあったという説もあるが、それも真偽はさだかでない。

孔明の家系は、こうしてもとの草裡に隠れてしまったが、この諸葛氏なる一門から

は、この三国分立時代に、三人の将相を同族から出していたのみでなく、その各々が、蜀、魏、呉と別れていたのは一奇観であった。

すなわち、孔明は蜀に、兄の瑾は呉に、従兄弟の誕は魏に。そして誕のことは余りいわれていないが、一書に、

――諸葛氏ノ兄瑾、弟誕、並ビテ令名アリ。各々一国ニ在ルガ故、人以テ曰ウ、蜀ハ龍ヲ得タリ、呉ハ虎ヲ得タリ、而シテ、魏ハソノ狗ヲ得タリト。

これは少し酷評のようである。誕は分家の子で早くから魏に仕え一方の将をしていたが、孔明と瑾の間のように親交がなかったので、三国志中にもあまり活躍していないだ

けにとどまるのだ。ただ、後に魏を取った司馬晋に叛いて敗れ去ったため、晋人の筆に

悪く書かれてしまったものとみえる。

誕生についても、語ることは多いが、余りに横道にそれるから略す。孔明死後の蜀のこ

とは後に略説する。しかし彼の死後なお三十年間も蜀が他国に侵されなかったのはひと

えに彼の遺法余徳が、死後もなお国を守っていたためであったといっても過言ではある

まい。

七

頼山陽の題詩「仲達、武侯の営址を観る図に題す」に、山陽はこういっている。

——公論ハ敵讐ヨリ出ヅルニ如カズ、と。

至言である。山陽は、仲達が蜀軍退却の跡に立って、

「彼はまさに天下の奇才だ」

と、激賞したと伝えられている、そのことばをさしていったのである。これ以上、孔

明を論じ、孔明を是々非々してみる必要はないじゃないか——と世の理論好きに一句止

めをさしたものといえよう。

だが、ここでもう一言、私見をゆるしてもらえるなら、私はやはりこう云いたい。仲

達は天下の奇才だ、といったが、私は、偉大なる平凡人と称えたいのである。孔明ほど

正直な人は少ない。決して、孔子孟子のような聖賢の円満人でもなけ

れば、奇矯なる快男児でもない。ただその平凡が世に多い平凡とちがって非常に大きいのである。

彼が、軍を移駐して、ある地点からある地点へ移動すると、かならず兵舎の構築とともに、附近の空閑地に蕪（蔓菁ともよぶ）の種を蒔かせたということだ。この蕪は、春夏秋冬、いつでも成育するし、土壌をえらばない特質もある。そしてその根から茎や葉まで生でも煮ても喰べられるという利便があるので、兵の軍糧副食物としては絶好の物だったらしい。

こういう細かい点にも気のつくような人は、いわゆる豪快英偉な人物の頭脳では求められないところであろう。正直律義な人にして初めて思いいたる所である。とかく青い物の栄養に欠けがちな陣中食に、この蕪はずいぶん大きな戦力となったにちがいない。戦陣を進める場合も、そのまま、捨てて行って惜し気もないし、また次の大地ですぐ採取することができる。で、この蔓菁の播植は、諸所の地方民の日常食にも分布されて、今も蜀の江陵地方の民衆のあいだでは、この蕪のことを「諸葛菜」とよんで愛食されているという。

もうひとつ、おもしろいと思われる話に、こんなのがある。　蜀が魏に亡ぼされ、後また、その魏を征して桓温が成都に入った時代のことである。その頃、まだ百余歳の高齢を保って、劉禅帝時代の世の中を知っていた一老翁があった。

桓温は、　老翁をよんで、

「おまえは、百余歳になるというが、そんな齢なら、諸葛孔明が生きていた頃を知っているわけだ。あの人を見たことがあるか」と、たずねた。

老翁は、誇るが如く答えた。

「はい、はい。ありますとも、わたくしがまだ若年の小吏の頃でしたが、よく覚えておりまする」

「そうか。では問うが、孔明というのは、いったいどんなふうな人だったな」

「さあ？……」

訊かれると、老翁は困ったような顔をしているので、桓温が、同時代から現在までの英傑や偉人の名をいろいろ持ち出して、

「たとえば……誰みたいの人物か。誰と比較したら似ていると思うか」と、かさねて問うた。

すると、老翁は、

「わたくしの覚えている諸葛丞相は、べつだん誰ともちがった所はございません。けれども今、あなたのいらっしゃる左右に見える大将方のように、そんなにお偉くは見えませんでした。ただ、丞相がおなくなりになってから後は、何となく、あんなお方はもうこの世にはいない気がするだけでございます」

と、いったということである。

仲達の言もよく孔明を賞したものであろうし、山陽の一詩も至言にはちがいないが、

私は何となくこの老翁のことばの中にかえってありのままな孔明の姿があるような気がするのである。

丞相ノ祠堂　何レノ処ニカ尋ネン
錦管城外　柏森々
階ニ映ズ　碧草　自ラ春色
葉ヲ隔ツ黄鸝　空シク好音
三顧頻繁ナリ　天下ノ計
両朝開済ス　老臣ノ心
師ヲ出シテ未ダ捷タズ　身先死ス
長ク英雄ヲシテ　涙襟ニ満ジム

孔明を頌した後人の詩は多いがこれは代表的な杜子美の一詩である。汭陽の廟前に後主劉禅が植えたという柏の木が、唐時代までなお繁茂していたのを見て、杜子美がそれを題して詠ったものだといわれている。

後蜀三十年

<ruby>後蜀<rt>ごしょく</rt></ruby><ruby>三十年<rt>ねん</rt></ruby>

一

孔明なき後の、蜀三十年の略史を記しておく。

いったい、ここまでの蜀は、ほとんど孔明一人がその国運を<ruby>担<rt>にな</rt></ruby>っていたといっても過言でない状態にあったので、彼の死は、即ち蜀の終りといえないこともない。

しかし、それは孔明自身が、以て大いに、自己の不忠なりとし、またひそかなる憂いとしていた所でもある。

従って、自身の死後の備えには、心の届くかぎりのことを、その遺言にも遺風にも尽してある。

以後、なお蜀帝国が、三十年の長きを保っていたというも、<ruby>偏<rt>ひとえ</rt></ruby>に、「死してもなお死せざる孔明の護り」が内治外防の上にあったからにほかならない。

そこで孔明の歿した翌年すなわち蜀の建興十三年にはどんなことがあったかという

に、蜀軍の総引揚げに際し、<ruby>桟道<rt>さんどう</rt></ruby>の<ruby>嶮<rt>けん</rt></ruby>で野心家の<ruby>魏延<rt>ぎえん</rt></ruby>を<ruby>誅伐<rt>ちゅうばつ</rt></ruby>した<ruby>楊儀<rt>ようぎ</rt></ruby>も、官を<ruby>剝<rt>は</rt></ruby>がれ

て、官嘉に流され、そこで自殺してしまった。

延は儀を敵視し、儀は延を邪視し、この二人は、すでに孔明の生前から、互いによか
らぬ仲であったが、孔明の大度がよくそれを表面に現わすなく巧みに使ってきたものに
過ぎなかった。

それというのが二人ともひそかに、孔明の死後は、われこそ蜀の丞相たらんと、おの
おの、その後継をめぐって相争っていたからである。

かつて、呉の孫権は、蜀の使いに、孔明の左右にある重臣はたれかと訊ね、

「さてさて、儀や延を両腕にして戦っているのでは、さだめし孔明も骨が折れるだろ
う」

と、同情的な口吻のうちに、延や儀の人物を嘲評していたという話もあるが、たし
かに、この二人物は、蜀陣営の中の、いわゆる厄介者にちがいなかった。

「——延は矜高。儀は猖介」

とは、孔明が生前にも、呟いていた語であった。——で彼は、そのいずれにも後事を
託さず、かえって、平凡だが穏健な蔣琬と費禕とに嘱すところ多かったのである。

楊儀の失脚も、結局、その不平から起ったもので、彼は、成都に帰って後、さだめし
大命われに降るものと、自負していたところ、なんぞはからん、革命は琬に降り、自分
は中将軍師を任ぜられたに過ぎないので、以後、しきりに余憤をもらし、あまっさえ不
穏な行動に出んとする空気すらうかがわれたので、蜀朝は、これに先んじて、彼の官を

剗ぎ、官嘉の地に流刑するの決断に出たものであった。

これが、孔明死後の成都に起った第一の事件であった。支柱を失うと、必ず内争始ま

るという例は、一国一家も変りがない。蜀もその例外でなかった。

けれど、蔣琬はさすがに、善処して、過らなかった。彼はまず尚書令となって、国事

一切の処理にあたったが、衆評は、彼に対して、

「あの人は平凡だが、平凡を平凡として、威張らず衒わず、挙止、ありのままだから至

極よい」

と、みな云った。

孔明が、彼を挙げたのも、その特徴なきところを特徴として、認めていたからであっ

たろう。

十三年四月。

琬は、大将軍尚書令に累進したので、そのあとには費褘が代って就任した。また、呉

懿が新たに車騎将軍となって、漢中を総督することになった。

遠征軍の大部分は引揚げても、漢中は依然、蜀にとって、重要な前衛基地であった。

なお多くの国防軍はそこに駐屯していた。呉懿の赴任は、その為にほかならない。

ここに、たちまち豹変を兆しはじめたのは、同盟国の呉であった。その態度は、孔明

の死と同時に、露骨なものがあった。

「いま、蜀を救急しなければ、蜀は魏に喰われてしまうであろう」

これを名目として、呉は、数万の兵を以て、蜀国境の巴丘（はきゅう）へ出て来た。この物騒きわ

まる救援軍に対して、蜀も直ちに、兵を派して、

「ご親切は有難いが、まず大した危機もこの方面にはないからお引揚げ願いたい」

と、対峙の陣を布いた上、こう外交折衝に努めたので、呉もついに、火事泥的な手を

出し得ずに、やがて一応、国境から兵を退いた。

　　　　　二

建興十五年、蜀は、延熙（えんき）と改元した。

この年、蔣琬（しょうえん）は、討魏の軍を起して、漢中に出で、ひそかに、魏の情勢をうかがって

いた。

孔明なき後も、劉玄徳以来の、中原進出の大志は、まだ多くの遺臣のうちには、烈々

と誓われていたことが分る。

琬（えん）は、孔明がいつも糧道の円滑に悩んでいた例を幾多知っていたので、こんどは水路

を利用して魏へ入ろうとして建議したが、蜀の朝廷では、

「北流する水を利して進むは、入るに易い道には違いないが、ひとたび退こうとすると

きは、流れを溯上（さかのぼ）るの困難に逢着するであろう」

といって、ついに彼の建議をゆるさなかった。これは、その作戦を否定したばかりで

なく、すでに遠征を好まない空気が、ようやく、廟議（びょうぎ）の上にも顕著（けんちょ）となった一証だと見

てよい。

「守らんか、攻めんか」

蜀の輿論は、ここ数年を、ほとんどそのいずれともつかずに過ごした。

そのうちに、延熙七年の三月、魏は蜀の足もとを見て、

「いまは一撃に潰えん」

となし、すなわち曹爽が総指揮となって、十数万の兵を率い、長安を出て、駱口を経、積年うかがうところの漢中へ、一挙突入せんとした。蜀は、その途中に邀撃して、魏を苦戦に陥らしめた。

ところが、蜀軍いまだ衰えずである。

費褘の援軍が早く来たのと、涪方面に蜀兵の配置が充分であったため、たちまち、魏軍を諸所に捕捉して、痛打を加え、特有な嶮路を利用して、さんざんに敵を苦しめたのである。

「いけない、なお未だ孔明の遺風は生きている」

曹爽はそういって退却した。

その翌年、蜀の蔣琬は死んだ。

蜀の良将はこうして一星一星、暁の星のように姿を消して行った。何かしらん力を以ては及び難いものが蜀の年々に黒框の歴史事項を加えていた。

蔣琬はついに丞相にはならなかったが、孔明の遺嘱を裏切らなかった忠誠の士であっ

たことに間違いない。

同年、十二月にはまた、尚書令の董允が死んだ。允は琬に次ぐ重臣であり、剛直をもって鳴っていたので、琬の死以上、これを惜しむ人もあった。

この二者が亡ぶと、

「わが世の春が来た」

といわぬばかりに擡頭してきた一勢力がある。宦人の黄皓を中心とする者どもである。

皓は日頃から帝の寵愛を鼻にかけていたが、政治に容喙し始めたのは、このときからである。骨のある忠臣は相次いで世を去るにひきかえ、こういう類の者が内政から外務にまで新たに面を出すにいたっては、もはやその国の運命は量り知るべきである。

だが、ここになお、いささか蜀のために意を強うするに足るものはあった。それは、費禕、姜維の両人が健在なことだ。以後、彼らが鋭意国政に当って、この衰亡期にある国家を支え、故孔明の遺志にこたえんとする努力には、涙ぐましいほどなものがある。

ただ——これは結果論となるが——姜維のただ一つの欠点であったことは、孔明ほどな大才や機略にはとうてい及ばない自己であるを知りながらも、その誓うところ余りに大きく、その任あまりに多く、しかも功を急ぐの結果、彼の英身が、かえって蜀の瓦解へ拍車をかけるの形をなしてしまったことである。

さもあらばあれ、武人として、また唯一の遺法を、孔明手ずから授けられた彼としては、

（玉砕か、貫徹か）

まさにこの二途を賭して、あくまで積極的に出るしか生きがいはなかったであろう。
で彼は、かねて、涼州地方の羌族を懐柔していたので、この一勢力を用いて、魏へ進
攻する策を企てた。

それの実現を見たのは、延煕十年の秋である。維は、雍州へ攻め入った。
魏の郭淮、陳泰などが、この防戦に当り、各地で激烈な戦闘を展開したが、結局、魏
の諸郡を踏み荒した程度で、蜀は退却のやむなきに至った。魏に退路を断たれ、また部
下から多くの脱走者を出したりしたためだった。

三

ここにまた、蜀にとって一不幸が起った。費禕の死である。
孔明の衣鉢をつぐ大器としては、まず費禕であろうとは、衆目の視ていたところであ
ったが、突然、この訃が知れわたったので、蜀中は非常な哀愁につつまれた。
死因も、その折は、秘密にされていたが、後に自然一般にも知れてしまった。一夕、
蜀の将軍連と歓談している宴席において、突然、魏の降将、郭循という者に刺し殺され
たのであった。

費禕なき後、蜀の運命は、いよいよ姜維一人の双肩にかかった。
維は、十八年八月、魏の王経と洮西に戦って、久しぶりの大戦果をあげた。この時の

殲滅（せんめつ）には、魏兵万余人を斬り尽して、洮西の山河をほとんど　紅（くれない）にしたといわれている。

ために、彼は大将軍に叙せられた。

しかしすぐ次の戦いには、魏の名将鄧艾（とうがい）と段谷（だんこく）にまみえて、こんどは逆に惨敗を喫した。

若きから孔明に私淑（ししゅく）して来たものの、孔明に似て孔明にとどかず、その人格に力量に、如何ともなし得ぬ先天的な器量の差は、こういう風に、軍をうごかすたび、歴然と結果に出てくる。

延熙二十年。維は秦川（しんせん）を衝（つ）いた。

魏軍が関中方面へ移動したのでその虚をついたものである。

魏の鄧艾（とうがい）・司馬望（しばぼう）の軍は、彼の鋭鋒を避けて、敢えて当らなかった。　維はさまざまに挑んだが、消耗するに止まって、大した戦果も獲られずに終った。

彼が、孔明の遺志をついで、しきりに積極的となっていた背後には、内廷における黄皓（こう）らの反戦的空気が、ようやく濃厚になりかけていた。

かくては維も思うように戦えなかった。国家として、まことに危険な状態にあったといわねばならない。

延熙の年号は、二十年を以てあらためられ、景燿（けいよう）元年となった。帝劉禅（ていりゅうぜん）は、この頃からようやく国政に倦み、日夜の歓宴に浸（ひた）りはじめた。時艱（じかん）に耐うる天質のいとど薄い蜀

帝をして、この安逸へ歓楽へと誘導するに努めていたものが、黄皓などの宦臣の一群で
あったことはいうまでもない。

「ああ、国は危うい」

「かくては、蜀の落日も、一燦のうちであろう」

心ある者はみな歎いた。

しかし、帝の寵威を誇る黄皓にたいして、歯の立つ者はいなかった。

ひとり姜維は、面を冒して、諫奏幾度か、

「佞臣を排されたい」

と、劉禅の賢慮を仰いだ。

餽えたる果物籠の中にあって、一箇の果物のみ餽えないでいるわけもない。帝の心は
すでに甘言のみを歓ぶものになっている。朝に美姫の肩の柳絮を払い、夕べに佳酒を瑠
璃杯に盛って管絃に酔う耳や眼をもっては、忠臣の諫言は余りにもただ苦い気がした。

「蜀は風前の燈火だ」

維は、慨嘆した。

果たせるかな、魏は、

「時到る」

とこれを見ていた。そして景燿六年の秋、一挙に蜀中に攻め入って、その覆滅を遂ぐ
べしと、鄧艾、鍾会を大将として、無慮数十万の大兵は、期して、魏を発し、漢中へ進

撃した。

蜀の前衛は、たちまち潰えた。

姜維は、剣閣の嶮に拠り、この国難に、身を挺して防いだ。

さすがに、ここは容易に、抜けなかった。

けれど一方、陰平の険隘を突破した鄧艾の軍は、ときすでに蜀中を席巻し、直ちに成都へ突入していた。

成都。ああ、成都。

彼ら蜀人は、ここに魏兵を見ようなどとは、まったく夢想もしていなかったのである。

殺到する魏の大軍を見て初めて、

「これは、この世のことか」

と、狼狽した程だったという。

ためにこのとき、城郭の防備などは、少しもしていなかったといわれている。知るべし、跳梁する敵人の残虐ぶりを。——魏兵の蹂躪に悲鳴して逃げまどう婦女老幼のみじめさを。——かかるとき、なお毅然としてある都門第宅の輪奐の美も、あらゆる高貴を尊ぶ文化も、日頃の理論や机上の文章も、ついに何の役をもなさなかった。むなしく災いの暴威と敵兵の濶歩におののくだけであった。

四

蜀宮は混乱した。

ここもまた、かつての、洛陽の府や長安の都そのままの日を現出した。

帝劉禅には、何らの策も決断もない。妃とともに哭き、内官たちと共にうろたえているのみである。

魏軍はすでに城下へ迫って歌っている。蜀亡びぬ、蜀すでに亡し。有るはただ城門を開いて魏旗の下にひざまずく一事のみと。

「どうしたらよいか。汝らの意見に従おう。ただ朕の為に善処せよ」

劉禅は、これを告ぐるのがやっとであった。夜来の重臣会議もまだ一決も見ずにある。

沈痾蒼白、誰の顔にも生気はない。

「呉を恃みましょう。陛下の御輦を守って、呉へ奔り、他日の再起を図らんには、また

いつか蜀都に還幸の日が来るにちがいありませぬ」

「いや呉は恃み難い。むしろ呉は、蜀の滅亡をよろこぶ者であっても、蜀のために魏と

戦うような信義のないことは、丞相孔明の死去のときから分りきっている」

「いっそ、南方へ蒙塵あそばすのが、いちばん安全でしょう。南方はまだ醇朴な風があ

るし、丞相孔明が布いた徳はまだ民の中に残っています」

衆論は区々である。帝はただ迷うばかりだった。

ときに重臣の譙周が、やっと不器用な口つきで、最後に私見を述べた。

「もの事にはすべて、始めがあり終りがあり、また中道のことなら一時の変ですから、挽回の工夫もあり、立て直しもききますが、今日の変は、要するに、丞相孔明が逝かれた後の万事の帰着です。天数の帰結です。もういけません。呉へ奔るも愚策、南方に蒙塵あるも、何もかも、唯、末路の醜態を加えることでしかありません。……願うらくはただ、努めて先帝の御徳を汚さぬよう、蜀帝国の最期として、世の嗤い草にならぬよう、それのみを祈りまする」

「では、汝は、蜀城を開いて、魏に降伏するのがよいというのか」

「臣として、口になし得ないことですが、天命にお従い遊ばすならば、それしかほかに途はありません」

案外にも、劉禅はすぐ、

「そうしよう。譙周のいうことが、いちばん良いようだ」

といって、むしろ一時の眉をひらくような容子にさえ見えた。重臣はみな痛涙に咽んだ。けれど誰も皆、譙周の意見が悪いものとは思わなかった。諦めの底に沈黙した。

この譙周については、有名な一挿話がある。

彼が初めて蜀宮に召されたのは建興の初年頃で、まだ孔明の在世中であった。

孔明は彼の学識と達見を夙に聞いていたので、帝にすすめて田舎出の一学者を、勧学

従事の職に登用したのである。

ところが、最初の謁見の日、蜀朝の諸官は、彼のすこぶる振わない風采と、また余りに朴訥すぎて、何を問うても吃っていっこう学識らしい話も場所柄に応じた答えもできないでいる容子をながめ、皆クックッと失笑を洩らした。

「あのような不嗜みなことは、朝廷の儀礼と尊容を甚だしく瀆すものです。笑った者を処罰しようではありませんか」

廟堂監察の吏は、問題として、これを取り上げ、一応、孔明のところへ相談に来た。

すると、孔明はこういった。

「われなお忍ぶ能わず。いわんや左右の衆人をや」

彼は、取り上げなかった。

孔明は笑いはしなかったが、やはり心のうちで、おかしさを覚えていたのである。

——自分の身にとってすら忍び得なかったことを、衆にたいして罪として問おうというのは法の精神に悖るとなしたものであろう。

孔明が戦場で死んだと聞いたとき、この譙周はその夜のうち成都を去って、はるばる途中まで弔問に駆けつけて行った。その以後、離京した者は、官吏服務規程に問われて、反則の咎をうけたが、真っ先に行った譙周だけは、何の問責もうけなかった。

——衆論に囚われず、劉禅に開城をすすめた彼は、まずそういう風な人物だったのである。

五

開城を宣すると、蜀臣はその旨を魏軍へ通告した。

城外には、魏軍の奏する楽の音や万歳の声が絶えまなく沸き立っている。蜀宮の上には降旗が掲げられ、帝は多くの妃や臣下を連れて城外へ出た。そして魏将鄧艾の軍門に、降をちかう、の屈辱に服したのであった。

かくて、蜀は、成都創府以来、二世四十三年の終りを、この日に告げたのであった。

昭烈廟（玄徳を祀る所）の松柏森々と深き処、この日、風はいかなる悲愁を調べていたろうか。

定軍山の雲高き処、孔明の 眦 はいかにふさがれていたろうか。

なおなお、関羽、張飛、そのほか幾多の父、幾多の子、また、無数の英骨、忠臣、義胆の 輩 はいかに泉下の無念をなぐさめていたろうか。

かつて皆、この土のために、生命をささげ、骨を埋め、土中に蜀の万代を禱っていたろうに、今や地表は魏軍の土足にとどろき、空は魏旗に染められている。

そもそも誰の罪か。

心なき蜀中の土民こそ嘆かぬはなかったであろう。

ただここに、なお劉家の血液を誇った一皇子がある。　帝劉禅の五男北地王諶であった。

皇子は初めから帝の蒙塵にも開城にも大反対で、

「蜀宮を墳としても、魏と最後の最後まで戦うべきです」
と主張していたが、ついに言は聴かれず、自分と共に討死しようという烈士もいない
ので、憤然ひとり祖父の昭烈廟へ行って、妻子をさきに殺して自分もいさぎよく自殺し
た。

蜀漢の末路、ただこの一皇子あるによって、歴史は依然、人心の真美と人業の荘厳を
失っていない。

剣閣の嶮に拠って、鍾会と対峙していた姜維も、成都の開城を伝え聞き、また勅命に
接して、魏軍に屈伏するのやむなきにいたった。

「武器を拋棄せよ」
と姜維に命ぜられて、魏の前に降兵として出ることになった彼の部下は、このとき

皆、

「無念」

と、剣を抜いて、石を斫ったということである。

これを見ても、蜀人の意気戦志は、まだ必ずしも地に墜ちていたとはいえない。いや
むしろ、孔明なき後の三十年も、年々、進攻的な気概を外敵にしめし、「攻むるは守る
なり」の積極策を持ちつづけて来た気力にはむしろ愕かれるものがある。

とはいえ、姜維らのこの意気は愛すべきだが、ために、費褘の言なども多くは耳をか
さず、求めて欠陥を生じ、急いで国家を危殆へ早めて来たこともまた、否み得ない作用

であったというしかない。

費禕は、存生中にも、姜維にむかって、しみじみ、こういっていた事実がある。

「自分などは、どう贔屓目に見ても、とうてい、故丞相に及ばないこと甚だ遠い者だ。――その丞相ですらなお中夏を定め得なかったことを思うと、況んや、われら如きにおいてをやと、痛感しないわけにはいかない。だからしばらくはよく内を治め、社稷を守り、令を正し、国を富ましめるのが、われらのなし得る限度ではあるまいか。外の功業の如きは、やがて孔明のような能者を待って初めて望み得ることだ。僥倖を思うて、成敗を一挙に決せんとするようなことは、くれぐれもおたがいに慎まなければなるまいと思う」

これは一面の善言であった。

しかし姜維はべつに姜維の抱負を持しつづけた。いずれが是であったか非であったか、これはかえって譙周の最後のことばに傾聴するものが多いようだ。

だが、過去を天地の偉大な詩として観るとき、姜維の多感熱情はやはり蜀史の華といえよう。彼はついに長く屈辱的武人たるに忍びきれず、後また、魏の鍾会に反抗して、たちまちその手に捕えられ、妻子一族とともに、首を刎ねられた。彼の血液はやはり魏刀に殞られるものに初めから約束されていたようである。

六

魏の成都占領とともに、蜀朝から魏軍の鄧艾に引き渡された国財の記録によると、

領戸二十八万

男女人口九十四万

帯甲将士十万二千人

吏四万人

米四十四万斛

金銀二千斤

錦綺綵絹二十万匹

——余物これにかなう。

とあるからそのほかの財宝も思うべしである。

しかし国力はかなり疲弊していたものだろう。帝以下百官、城を出て魏門にひざまずき、城下の誓いを呈したのである。いかなる国家も亡ぶとなると実にあっけないものだ。

この亡滅を招いた原因は、数えれば種々ある。帝劉禅の闇弱、楊儀の失敗、董允、蔣琬の死去、費褘の奇禍、等々、国家の不幸はかさなっていた。

最後となっては、劉禅の親政と、宦人黄皓の専横などが、いよいよ衰兆に拍車をかけ

ていた。亡ぶものの末期的症状にかならず見られるのは、宦官的内訌とこれに伴う暴政、相剋、私的享楽などである。蜀の終り頃もこの例外を出ていない。

——特に、もっとも蜀を弱めたものは、蜀中の学者の思想分裂であった。彼らのうちには、三国鼎立策にも大陸統合にも、ほとんど何の興味も感じていない者が多かった。

要するに思潮は戦に倦み戦を否定し始めていたのである。

門を閉じて、高く取り澄ましていた杜瓊などは、春秋讖中の辞句をひき出して、

「漢に代るのは当塗高だろう」

などと平気で放言していた。当塗高とは魏をさしていっているのである。魏という文字は「高閣」を意味する。——道に当りて高いもの——という伏字だ。蜀の粟を喰いながら、こんなことを平気で説いていたのである。

また学府の学者でも、もっと甚だしい説を撒いていたのがある。

「——先帝の名は備なり。備は、備うるなり、また具うるを意味す。劉氏は久しからずして当に他へ具え禅るの意をもつ。すなわち禅り授くるなり。後主の諱は禅にし て禅るの意をもつ。——後主の諱は禅にして当に他へ具え禅るべし」

こういう学者を内に養っていた国家が内に病を起していないわけはない。いわゆる最後の「あっけなさ」は、すでに蜀の肉体のこういう危険な病症が平時に見のがされていたにほかならない。

ところで降人に出た劉禅の余生はどうなって行ったろう。

魏へ移った旧蜀臣は、おお

むね魏から新しい官職を与えられて、その隷属に甘んじた。劉禅もまた、魏の洛陽に遷され、後、魏から安楽公に封ぜられて、すこぶる平凡な日を過していた。

——ある時、彼の心懐を思いやって、魏人の一人が、彼の邸を訪うて面接したとき、試みに、

「魏へ来ても、日常のご不自由はないでしょうか、何かにつけ、蜀のむかしを思い出されて、折には、ご悲嘆にくることもおありでしょうな」と、たずねてみた。

すると、凡庸な彼は、

「いやいや、魏のほうが、はるかに美味もあるし、気候もよいから、べつに蜀を思い出すようなこともありません」

と、いっこう無感情に答えたということである。

この無感情が、大悟の無表現ででもあったなら偉いものであるが、彼の場合は、現れたとおりの、懸値なしであるからまことに惘れというほかはない。

魏から——晋まで

　孔明の歿後、魏は初めて、枕を高うして眠ることを得た。

年々の外患もいつか忘れ、横溢する朝野の平和気分は、自然、反動的な華美享楽とな

って現れだした。

　この兆候は、下よりまず上から先に出た。　大魏皇帝の名をもって起工された洛陽の大

土木の如きがその著しいものである。

　朝陽殿、大極殿、総章観などが造営された。

　また、これらの高楼、大閣のほかに、崇華園、青宵院、鳳凰楼、九龍池などの林泉や

別荘が人力と国費を惜しみなくかけて造られた。これに動員された人員は、天下の工匠

三万余、人夫三十万といわれている。

　まさに、国費の濫費である。曹叡ほどな明主にして、なおこの弊に落ちたかと思う

と、人間性の弱点の陥るところみな軌を一にしているものか、或いは、文化の自然循環

と見るべきものか。

　いずれにせよ、彫梁の美、華棟の妍、碧瓦の燦、金磚の麗、目も綾なすばかりであ

る。

　豪奢雄大、この世に譬えるものもない。

　――が、たちまち一面に、民力の疲弊という暗い喘ぎが社会の隅から夕闇のように漂

い出した。

　巷の怨嗟。これはもちろん伴ってくる。

一

この上にも曹叡は、

「芳林閣の改修をせよ」と、吏を督して、民間から巨材を徴発し、石や瓦や土を引く牛のために、民の力と汗を無限に濫用した。

「武祖曹操様すら、こんな贅沢と乱暴はなさいませんでした」

と、諫めた公卿もある。もちろん曹叡には肯かれない。のみならず斬首された者もあった。

反対に、こういう甘言を呈する者もある。

「人は、日精月華の気を服せば、つねに若く、そして長命を保ちます。——いま長安宮中に柏梁台を建て、銅人を据えて、手に承露盤を捧げさせるとします。すると盤には毎夜三更の頃、北斗から降る露が自然に溜ります。これを天漿とよび、また天甘露と称えています。もしそれ、その冷露に美玉の屑末を混じて、朝な朝なご服用あらんか、陛下の寿齢は百載を加え、御艶もいよいよ若やいでまいるにちがいありません」

こういう言を歓ぶようになっては、曹叡の前途も知るべしである。

が、魏の国運は、なお旺だった。これはおそらく良臣や智識が多かったに依るであろうが、曹操以来の魏は、何といっても、士馬精鋭であり、富強であった。

中でも、司馬懿仲達は、魏にとっては、まず当代随一の元勲だった。自然、彼の一門は、隆々、勢威を張るにいたった。

延熙十四年、魏の嘉平三年。その仲達は歿して、国葬の大礼をもって厚く祭られ、遺

職、勲、爵、は、そのまま息子の司馬師が継いだ。

ところが、この師も、間もなく逝去した。弟、昭が跡目をついだ。

昭は一時、大いに威を振るい、大魏大将軍になり、また、晋王の九錫をうくるにいたって、ほとんど、帝位に迫るの勢威を示した。

この昭が終ると、その子の、司馬炎が王爵をついで立った。

でに元帝の代に入っていたが、炎は、この元帝を退位させて、自ら皇帝となり、新国家の創立を宣した。

これが、晋の武帝である。

かくて、魏は、曹操以来五世、四十六年目で亡んだことになる。――それはまた実に、蜀の滅亡後、わずかに三年目のことだった。

魏蜀を併合して、晋一体となったこの国が、なお呉を余していたのは、呉に間隙がなかったによる。とき呉の孫権もすでに世を去り、次代の孫皓の悪政が、南方各地の暴動を醸すにいたるまでは、長江の嶮と、江東海南の地を占めるこの国の富強と、建業城中の善謀忠武の群臣は、なお多々健在であったといえる。

しかし、敗るるや、急激だった。四世五十二年にわたる呉の国業も、孫皓が半生の暴政によって一朝に滅んだ。――陸路を船路を、北から南へ北から南へと駸々と犯し来るもののすべてそれは新しき国の名を持つ晋の旗であった。

三国は、晋一国となった。

三国志地図

金城

狄道　臨洮
隴西　南安
渭
天水　上邽　陳倉　武功　咸陽　高陵
冀城　段谷　鄠塢　斜谷関　霸陵橋　華陰　蒲津
　五丈原　終南山　□長安〔西安〕　潼関　函谷関
建威　散関　列柳城　箕谷　秦　嶺　鉄門峡　河東
祁山　嘉　街亭　赤坡　子　　弘農　洛
白　　　　　午　西城
武都（下弁）　　　漢中　　谷　　水　上庸　魏
陰平　　　　　（南鄭）　　漢
桟道白水　定軍山　　　　　隆中
葭萌　蒼溪　　　　　南漳
剣閣　巴中　　　　　白帝城　夷陵　景山
梓潼　閬中　　　臨江　　建平　温沮　麦
綿竹　江（巴西）　　　　　巫山　巴東　秭帰
落鳳坡　涪　宕渠　　　　夔関　巫峡
青城山　　徳陽　　　　　　　八陣図
金雁橋　　　涪　　蜀　　　　　　猇亭　宜都
□益州　　水
（成都）
峨眉山　岷　　　　　重慶
　　　江　　　　洛水関　　　　　　武陵　沅
　　　　　沱　　　　　　　　　　　　　　水
　　　　　江

註　解

*12　金枝玉葉
天子の一門。皇族。（樹木にたとえていう）。また美しい雲のたとえにも使われる。

*15　上将
首席の大将。総大将。上将軍。すぐれた素質と才能を持ち、その分野で第一人者と仰がれる人。

*16　駙馬
天子の副車（予備の車）につける馬。官名で駙馬都尉の略。公主（天子の娘）の夫。魏晋以後の中国で、皇女の婿となった者が駙馬都尉に任ぜられたところから、皇帝や貴人の婿のことをいう。

*32　衒気
てらい高ぶる心。自分の才能や学問などを見せびらかしたがる気持。

*33　玄機
奥深い道理。機微。

*46　節鉞
節は旄牛の尾で飾ったしるしの旗、鉞は大きなおの。昔、出征する将軍に、威信を示すために、天子みずから賜ったまさかり。

*48　六合
天地と四方とを合わせたもの。上下四方。全世界。

*49　烏滸
愚かなこと。ばかげたさま。ふとどきなこと。不敵なこと。尾籠・痴とも書く。

*49　天ニ従ウ者ハ昌ニシテ、天ニ逆ラウ者ハ亡ブ
天の理に従うものは存続し、逆らうものは滅亡する。すべては天の理によるものだということ。「天に従うものは存し……」ともいう。

*50　腐草の蛍火
「腐草化して蛍となる」「腐草蛍となる」という中国の俗説から、くさった草が変じて蛍になるということ。

*70　彼ヲ知リ、己ヲ知ルトキハ百度戦ッテ百度勝ツ
彼を知り己を知れば百戦殆うからずともいい、彼我の情勢をよく知った上で戦えば、何度戦っても敗れることはないということ。

*84　一鼓
一度、鼓を打つこと。また、鼓を打ち鳴らして、攻めること。「一鼓六足」などという。

*86　蓋世
世の中を蓋う気性や才能。気性がすぐれて大きく、

元気さかんで、天下をひとのみにするような勢い。

＊95 千慮の一失
めったにない失敗。また、十分に注意していながら生じた手ぬかり・失敗。

＊109 麒麟も老ゆれば、駑馬……
「麒麟も老ゆれば、駑馬に劣る」といい、すぐれた人物も年老いては、その働きや能力が普通の人にも及ばなくなることのたとえ。「昔千里も今一里」と同義。

＊117 生兵法
なまはんかに兵法を知っていること。未熟な武術を心得ていること。なまはんかな知識や技能。「生兵法は大疵＝怪我のもと」などという。

＊117 轅門
昔、戦陣などで、車をならべて囲いをつくり、出入口はながえを立てて門の形にしたところから、軍門、陣屋の門。後世では、役所の外門。

＊142 竹帛
昔、紙がなかった時代に、竹の札や帛に文字を書いたことから、書物。歴史に残すこと。

＊176 流落
落ちぶれて、他国に流浪すること。零落すること。

＊登極
天子の位につくこと。極は北極で天子の位の象徴。

＊181 足下
相手の足もと。あなたのおそばの意味で、手紙で自分を卑下し、相手を敬って、その名前に添えて書く言葉。同輩または目下に対する敬称。昔は主人に対しても用いた。

＊182 偉物
えらい人物。実力のある人。手腕家。えらもの。

＊224 混元
天地のひらけ初め。天地、宇宙。

＊270 具眼の士
物事の是非善悪を判断する眼識・見識のある人。

＊291 大気
小さなことにこだわらないで、気が大きいこと。度量の大きいこと。「だいき」とも。

＊340 長星
ほうき星の一種。兵乱のきざしといわれる。

＊347 遺表
大臣などが死ぬとき、天子に書きつけを奉ること。

＊349 霊異
すぐれて不思議なこと。不思議ではかりしれないこと（霊妙）。

＊373 龍頭蛇尾
頭が龍のようなのに、尾は蛇のようであること。初めは盛んで、終わりの振るわないことのたとえ。

あたたかな言葉

城山三郎

直木賞を頂いたとき、吉川先生はその選評で、わたしについて、「近来稀な新人」といった表現まで用いて、激賞して下さった。

身にあまるお言葉だし、いまも気はずかしいのだが、しかし、小説を書きはじめて二年足らず、孤独と不安の日日を送っていた身にとって、これほど生きる勇気を与え、心を励まし、心の支えとなる言葉はなかった。

いま、自分が同じ賞の選考委員をつとめる立場になってみると、新人を手放しでほめるということがいかに難しいか、しみじみ感じる。それだけに、先生の中にあった新人への思いやりの強さ烈しさに、頭を下げざるを得ない。

励ましは、わたしだけにではなかった。

パーティの席で御挨拶した家内に対し、先生は、家内の顔をうなずきながら見て、

「ああ、あなたなら、きっといい奥さんになれる。城山君も安心だよ」

といわれた。

　家内は生来のんびり屋であったが、地方の大学教師に嫁いだつもりであったのに、まるで未知の世界へ。作家の妻などつとまるかどうかと、だれにも相談できず、不安にかられていた。その不安を一言でふきとばすお言葉であった。

　以来、家内は何かあると、「吉川先生が太鼓判をおして下さったのだから」と、このお言葉にすがった。

　先生はまた『太閤記』ファンであるわたしの父のために色紙を書いて下さった。

　「お父さんがお元気だなんて、すばらしいことだ。くれぐれも大事にして上げなさいよ」

といいながら。

　先生のお話をじっくり伺うという機会はついになかったが、受賞直後のこうしたお言葉が、わたしたち一家にとって、どれほどの福音となったことか。先生のお心のあたたかさは、いまもなお、わたしの胸にぬくもりを残している。

　　　　　　　　　　　　　（作家）

解説 「三国志」「三国志演義」と吉川「三国志」(四)

立間祥介（慶応義塾大学教授）

小説「三国志」が、三国時代のことを記録した正史「三国志」により、「七分の史実」に「三分の虚構」が加わって成り立っていることは、これまで述べてきたとおりである。だが一方、正史に書かれたいわゆる史実なるものが百パーセント真実であるというふうにも断言できない。そもそも正史の「三国志」そのものからして、著者陳寿の主観が加わり、ひょっとすると「七実三虚」の作品であるかもしれないのだ。

詩人として有名な曹植は曹操の三男だったが、幼いころから曹操に可愛がられ、一時は長男の曹丕をさしおいて魏国王の後継者に擬せられたこともある。そのため曹丕に憎まれ、曹操の死後、曹丕が漢を滅ぼしてみずから帝位に即くと同時に都から追放され、小国の王を転々として不遇の一生を終った。曹操の在世中、この曹植のブレーンとして曹丕の追い落しを計った丁儀・丁廙という才子がいた。この二人に対する曹丕の憎しみはひとかたならず、即位と同時に二人を捕えて殺した。これは「魏志」の「曹植伝」に書かれていることで、丁儀ら二人の伝は当時一流の知識人であった

にもかかわらず別に立てられていない。「魏志」によれば、このとき二人の一族の男は皆殺しにされたという。ところが、どうしたことか、一族のうちでこの曹丕の殺戮から逃がれた子があったらしい。丁儀・丁廙どちらの子かはわからないが、とにかく、「晋書」の「陳寿伝」によると、陳寿は「三国志」執筆中のこと、この遺児に向かって米を千斛（一斛は一九・四リットル）無心したという。そして、「そうすればあなたのお父上のために立派な伝記を書いてさしあげよう」と持ちかけた。ところが遺児に拒絶されたのでついに伝を書かなかったというのである。また、陳寿はもともと蜀の人で、その父親は「泣いて馬謖を斬る」の馬謖の参謀をつとめていた。そして馬謖が街亭の敗戦の責任を問われて諸葛孔明に斬られたとき、連座して髠刑（髪を剃り落とされる刑）に処せられたことがあった。陳寿はこれを根に持ち、「蜀志」の「諸葛亮伝」において、彼は戦略戦術家としてよりも政治家としてすぐれていたなどと、あえて世評に反するようなことを書き加えたのだという。

そのためかどうか、陳寿の「三国志」には、小説に見えるような諸葛孔明の赫々たる戦功はなにひとつ書かれていない。しかし、名軍師諸葛孔明の名は早くから中国民衆のあいだにひろまっていたようだ。それだけに、後世の講談作者は困ったらしい。元刊本「三国志平話」では、「三顧の礼」のところで「諸葛はもともと神仙で、幼いころから学業にはげみ、このときには、すでに読んでいない本はなく、天地の機微に通じ、神や鬼（亡者）も推察できないほどの志を持つまでになり、風を呼び雨を喚び、豆をまいて兵士とし、剣を揮って大河を出現させることができた」というふうに

紹介している。ただし、「三国志平話」の主人公は張飛なので、孔明にはあまり活躍の舞台はあたえられていない。そこで、後世の「三国志演義」の作者は、不世出の大軍師孔明を描きだすため知恵をしぼることになる。たとえば、赤壁の合戦をひかえ、孔明が一夜で曹操から十万本の矢を奪いとり、あわせて周瑜にひと泡ふかせる有名なくだりがある。吉川「三国志」でいえば赤壁の巻「陣中戯言なし」、「覆面の船団」の両章にあたる箇所だが、作者はこのヒントを孫権の故事から得ている。赤壁の合戦から五年後、孫権は濡須で曹操と対陣した。このとき孫権はみずから船を出して曹操の陣を偵察したが、曹操に発見されて弓手たちに矢を雨あられと射かけられ、その矢が片側の舷側に集中して当ったため、重みで危く転覆しそうになった。孫権は慌てて船を転回させ、反対側の舷側にも矢を受けて平均をとったうえ辛うじて自陣にもどることができた。この故事を宋・元の講談作者が利用し、呉の智将周瑜が夜陰にまぎれて曹操から十万本の矢をせしめるエピソードに仕立てた。「演義」の作者はこれをそっくりいただいて孔明の手柄にしてしまったのである。

孔明の登場にあたって露払いの役を果たす徐庶の説話も同じく借り物の一つである。吉川「三国志」孔明の巻「軍師の鞭」から「臥竜の岡」にかけて語られる徐庶の母親のエピソードがそれである。徐庶の略伝は正史の「諸葛亮伝」とその注に見えるが、それによると、徐庶は荊州で劉備に仕え、孔明を推挙してともにその幕僚となっていたが、当陽で大敗を喫したとき母親を曹操側に捕えられたため、已むなく劉備の許しを得て曹操の幕下にはいっている。正史ではこれだけしかわからないが、曹操が徐庶の母親を捕えたのを奇貨とし、これを人質として徐庶の帰順を呼びかけたであ

ろうことは十分に考えられる。小説ではこれが荆州時代の話となり、劉備のもとに軍師徐庶ありと

知った曹操が徐庶の母親を人質とし、偽の手紙をつくって徐庶を呼び寄せる。徐庶がその計略には

まって曹操に帰順すると、徐庶の母親はわが子の不甲斐なさを罵るというエピソ

ードに発展する。実にうまくできた話だが、このエピソードの原型はまず「史記」にもとめられ

る。漢の高祖劉邦が西楚の覇王項羽と天下分け目の死闘を繰りかえしていたとき、沛の豪族王陵は

数千の軍勢をひきいて劉邦の味方についた。これを知った項羽はただちに王陵の母親を捕え、王陵

を呼び寄せようとした。母親は様子を見に来た王陵の使者に対し、自分のために劉邦を裏切ること

のないよう伝えるように頼み、使者の面前で自害して果てた。この王陵の母親の物語は、のち唐代

にいたって講談に脚色されて民間にひろまった。敦煌から出土した「漢将王陵変」がそれだが、こ

の王陵の母親の物語は、その後も民間で語りつがれ、「三国志演義」がまとめられた明のはじめに

も、なお講釈や語り物のレパートリーにははいっていたに違いない。それが「三国志演義」に取りこ

まれて「徐庶の母」の物語としてひろまり、それにつれて原型のほうはいつか忘れ去られてしまっ

たのである。

このようにして完成された「三国志演義」は当然その原初的形態である講談の形式を踏んで書か

れている。だが「講談本」といっても、わが国の「速記本」のようには講釈師の口調を伝えていな

い。むしろ文章化するために講釈師の生まの口調を排除している。しかし、講談の形式はそっくり

残っている。その形式とは一口にいえば、心理描写・客観描写の排除である。人物の性格は、その

人物の言動を通して語られる。人物を描写するときはかならず他の人物の目を通して描写する。こ
れはこれで面白いが、現代の読者からすると物足りないところもでてくる。

吉川「三国志」の新しさは、中国で読まれてきた「三国志演義」の面白さを生かしつつ、現代の
作家の眼から大胆な加筆を行なって現代人にマッチした「三国志」を創りだしたことにある。黄河
のほとりで漢民族の運命に思いをいたす青年劉備の姿からはじまる「桃園の巻」冒頭の九章など
は、その最たるものだろう。同じところを「三国志演義」では、宦官専横と「黄巾の乱」勃発まで
の簡単な史実紹介にとどめ、わずか数ページで劉備・関羽・張飛三人の「桃園結義」を終えてしま
う。子供のうちから「三国志」に親しんでいる中国人にとっては、三人の性格など先刻承知のこと
であり、いまさらくどくど説明することもないというところなのだろうか。吉川氏はこの中国人の
「三国志」を日本人の「三国志」とするために敢えて原作にこだわらず、戦乱の渦に巻きこまれる
青年劉備を設定した。おかげで読者は冒頭から波瀾万丈の物語の世界に連れこまれ、「桃園の巻」
を一気に読み終えるころには、劉・関・張三人の人間像をはっきりと脳裏にきざみつけてしまうの
である。このため吉川氏は「七実三虚」の方法を駆使している。たとえば、原作の劉備が親孝行で
あったという一句から、あの誇り高く、厳しくかつやさしい母親像をつくりあげた。この母親像が
あって、はじめて青年劉備の像も生まれたといえるだろう。ついでにいっておけば、青年劉備と一
時関係をもつ芙蓉娘も吉川氏の創造にかかるものである。

私はこれまで吉川「三国志」が中国における小説「三国志」の発展線上に位置するものであり、

十四世紀初頭に完成されたと見られている「三国志演義」に新しい生命をあたえて現代に甦えらせた作品であることを説明するために従来の小説「三国志」成立にまつわる話を縷々述べてきたが、読者諸兄もおりがあったら、原作の「三国志演義」の冒頭だけでも目を通していただきたいと思う。吉川「三国志」の真価はそれだけでも十分におわかりいただけると思うからである。

吉川英治歴史時代文庫の表記について

一、作品は新かなづかいを原則とする。ただし、引用文は原文のままとする。

二、送りがなは改定送りがなに準拠する。ただし、原文が許容されている送りがなを使用している場合は本則によらず、そのままとする。

（例）引揚げる。打明ける。

また、辺の場合など、ヘンかアタリか、親本のルビを基とし、ルビなく、どちらともとれるときは、辺のままとする。

三、原文の香気をそこなわないと思われる範囲で、漢字をかなにひらく。ただし、作品別、発表年代別に慎重を期する。

（例）然し→しかし　但し→ただし（接続詞）
　　　噫→ああ　呀→あっ（感動詞）
　　　迄→まで　位→くらい（助詞）
　　　凝っと→じっと　猶→なお（副詞）
　　　儘→まま（形式名詞）

例外の場合

御机→お机（御身→御身）（接頭語）

四、会話の『　』は「　」にする。

五、くりかえし記号 ヽ、ヽヽ、ゝゝ々々は原則として使用しない。

なお、作品中に、身体の障害や人権にかかわる差別的な表現がありますが、文学作品でもあり、かつ著者が故人でもありますので、作品発表時の表現のままにしました。ご諒承ください。

吉川英治歴史時代文庫　40

三国志(八)

一九八九年　五月十五日第　一　刷発行
二〇一一年　二月　一日第五十六刷発行

著者――吉川英治

発行者――鈴木　哲

発行所――株式会社講談社
　　　　　東京都文京区音羽二―一二―二一
　　　　　郵便番号一一二―八〇〇一
　　　　　電話　出版部　〇三―五三九五―三五一〇
　　　　　　　　販売部　〇三―五三九五―五八一七
　　　　　　　　業務部　〇三―五三九五―三六一五

印刷――凸版印刷株式会社
製本――株式会社国宝社